D1291374

Profundidad de la medianoche

Profundidad de la medianoche

Lara Adrian

Traducción de Violeta Lambert

TERCIOPELO

Título original: *Deeper than Midnight*

© Lara Adrian, 2011

Primera edición: octubre de 2013

© de la traducción: Violeta Lambert
© de esta edición: Roca Editorial de Libros, S. L.
Av. Marquès de l'Argentera 17, pral.
08003 Barcelona
info@terciopelo.net
www.terciopelo.net

Impreso por LIBERDÚPLEX, S.L.U.
Crta. BV-2249, km 7,4, Pol. Ind. Torrentfondo
Sant Llorenç d'Hortons (Barcelona)

ISBN: 978-84-15410-82-9
Depósito legal: B. 20.779-2013
Código IBIC: FRD

Capítulo uno

Era un club privado, muy apartado de la zona más transitada del camino, y por muy buenas razones. Localizado en el extremo alejado de un estrecho callejón del distrito de Chinatown de Boston, el lugar atendía a una exclusiva y exigente clientela. Los únicos humanos que tenían permitida la entrada en el viejo edificio de ladrillos eran las jóvenes atractivas y unos pocos hombres guapos, que estaban allí para satisfacer las ardientes necesidades de los clientes a última hora de la noche.

Oculta entre las sombras de un portal arqueado al nivel de la calle, la puerta de metal sin distintivos no daba ninguna pista sobre qué había detrás, aunque ningún lugareño o turista en su sano juicio se detendría a preguntárselo. El grueso bloque de acero estaba protegido por una rejilla alta de hierro. Junto a la entrada, un guardia enorme acechaba como una gárgola, con un gorro de lana y vestido de cuero negro.

Era un macho de la estirpe, igual que la pareja de guerreros que emergieron del sombrío callejón. Al oír el sonido de sus botas de combate haciendo crujir la nieve y la suciedad helada del pavimento, el vigilante levantó la cabeza. Debajo de una nariz gruesa y protuberante, sus labios se curvaron mostrando unos dientes torcidos y las afiladas puntas de unos colmillos de vampiro. Sus ojos se afilaron ante los visitantes inesperados y emitió un gruñido grave, dejando que el aliento cálido que salía de sus orificios nasales formara una columna de vapor en aquella noche invernal de diciembre.

Cazador registró una corriente de tensión en los movimientos de su compañero de patrulla mientras los dos se acercaban al vampiro que estaba de guardia.

Sterling Chase había estado nervioso desde que salieron del

recinto de la Orden para la misión de aquella noche. Ahora caminaba con paso agresivo, llevando la delantera, flexionando y contrayendo los dedos que descansaban de manera no demasiado sutil sobre la pistola semiautomática de largo calibre enfundada en su cinturón de armas.

El guardia también avanzó un paso, interponiéndose directamente en su camino. Con sus largas piernas abiertas y las botas plantadas sobre el pavimento lleno de hoyos, el vampiro bajó su enorme cabeza. Los ojos, antes incisivos e inquisidores, se afilaron aún más al clavarse sobre Chase.

—Debes estar de broma. ¿Qué demonios hace un guerrero como tú en territorio de la Agencia de la Ley?

—Taggart —dijo Chase, más a modo de gruñido que de saludo—. Veo que tu carrera no ha mejorado desde que dejé la agencia. Se reduce a hacer de portero en un local de copas y desnudos, ¿verdad? ¿Cuál será tu próxima ocupación? ¿Guardia de seguridad en una tienda del centro comercial?

El agente se mordió los labios soltando un crudo insulto.

—Hace falta tener huevos para mostrar tu jeta, especialmente por aquí.

La risa que soltó Chase en respuesta no era ni amenazante ni divertida.

—Procura mirarte al espejo alguna vez, luego hablaremos de quién tiene que tener huevos para mostrar su jeta en público.

—Este sitio está fuera del dominio de todo aquel que no sea de las Fuerzas de la Ley —dijo el guardia, cruzando los musculosos brazos sobre el fornido pecho. Un pecho fornido con una ancha tira de cuero llena de fundas de armas, además de las que llevaba en torno a su cintura—. La Orden no tiene nada que hacer aquí.

—¿Ah, no? —gruñó Cazador—. Dile eso a Lucan Thorne. Él es quien acabará contigo si no te apartas de nuestro camino. Eso suponiendo que por alguna razón nos controlemos y no te eliminemos nosotros antes.

El agente Taggart apretó la boca al oír mencionar a Lucan, líder de la Orden y uno de los miembros más antiguos de la formidable nación de la estirpe. Ahora la mirada cautelosa se apartó de Chase para dirigirse a Cazador, que permanecía detrás de su compañero guerrero con un calculado silencio. Cazador no quería pelearse con Taggart, pero ya había previsto al menos cinco formas distintas de acabar con él… de matarlo de un modo rápido y seguro allí mismo si fuera necesario.

Cazador había sido entrenado para hacer eso. Engendrado y criado como un arma letal en manos del despiadado jefe adversario de la Orden, estaba acostumbrado a observar el mundo en términos puramente lógicos y carentes de toda emoción.

Ya no estaba al servicio de aquel villano llamado Dragos, pero sus habilidades mortíferas seguían constituyendo el centro de su ser. Cazador era letal, de una forma infalible además, y en el instante en que su mirada conectó con la de Taggart, pudo ver esa comprensión reflejada en sus ojos.

El agente Taggart pestañeó, luego retrocedió un paso, apartando la mirada de Cazador y dejando el paso libre hasta la puerta del club.

—Ya sabía yo que estarías dispuesto a reconsiderarlo —dijo Chase mientras él y Cazador cruzaban a grandes pasos la rejilla de hierro y entraban en el garito de la Agencia de la Ley.

La puerta debía de estar hecha a prueba de sonido. En el interior del oscuro club, sonaba una música atronadora en combinación con unas luces multicolores y giratorias que iluminaban la pista central, construida con espejos. Los únicos clientes que bailaban eran un trío de humanos semidesnudos que daban vueltas juntos frente a un público de vampiros que los contemplaban con ojos ardientes y lascivos, sentados en los reservados y las mesas del nivel que había por debajo de la pista.

Cazador observó cómo la rubia de pelo largo que estaba en el centro se enroscaba en torno a un palo que salía del suelo y llegaba hasta el techo del escenario. Moviendo las caderas, se levantó uno de sus enormes y antinaturales pechos para lamerlo con lengua de serpiente. Mientras jugaba con el *piercing* de su pezón, los otros bailarines —una mujer tatuada con el pelo púrpura y de punta y un joven de ojos oscuros que apenas cabía dentro del tanga de plástico rojo brillante atado a su cadera— se movieron hacia los lados opuestos del escenario de espejos y empezaron a ejecutar sus propios solos.

El club apestaba a perfume rancio y a sudor, pero el fuerte olor húmedo no podía tapar el aroma a sangre humana fresca.

Cazador siguió el rastro del olor con la mirada. Esta fue a parar a un rincón lejano donde un vampiro con el uniforme de la Agencia de la Ley, traje oscuro y camisa blanca, se alimentaba juiciosamente de la garganta pálida de una mujer desnuda que gemía sentada a horcajadas encima de él. Había más machos de la estirpe bebiendo de sus huéspedes humanos, mientras que otros vampiros del establecimiento parecían satisfacer otro tipo de necesidades carnales.

Cerca de la puerta, Chase se había quedado tan rígido como una piedra. Un rugido grave escapaba del fondo de su garganta. Cazador prestaba al festín y al escenario poco más que una mirada de constatación, pero los ojos de Chase estaban fijos y hambrientos, tan abiertamente cautivados como los de los otros machos de la estirpe reunidos allí. Quizás incluso más.

Cazador estaba mucho más interesado en el puñado de cabezas que ahora se volvían hacia ellos entre la multitud de los agentes de la ley allí reunidos. Su llegada había sido advertida, y las miradas ardientes de rabia que les dirigían cada par de ojos indicaban que la situación podía ponerse fea muy rápidamente.

Tan pronto como Cazador registró esa posibilidad, uno de los vampiros que los miraban con odio, recostado en un sofá cercano, se puso en pie para enfrentárseles. Era un macho grande, como los dos compañeros que se levantaron junto a él cuando se abrió paso entre la multitud. Los tres iban visiblemente armados por debajo de sus elegantes trajes oscuros.

—Bueno, bueno. Mira lo que nos ha traído el gato —dijo arrastrando las sílabas el agente que iba delante. Había un rastro del sur en sus palabras lentamente sopesadas, y también en sus refinadas y casi delicadas facciones—. Tantas décadas de servicio en la agencia y nunca te habías decidido a reunirte con nosotros en un sitio como este.

La boca de Chase se curvó, ocultando a duras penas sus colmillos extendidos.

—Pareces decepcionado, Murdock. Esta mierda nunca me ha estimulado.

—No, tú siempre has estado por encima de la tentación —replicó el vampiro, con mirada aviesa y sonrisa interrogante—. Tan cuidadoso. Tan rígido en tu disciplina, incluso con tus apetitos. Pero las cosas cambian. La gente cambia, ¿no es verdad, Chase? Si ves aquí algo que te gusta, solo tienes que decirlo. Hazlo al menos por los viejos tiempos, ¿no?

—Venimos en busca de información sobre un agente llamado Freyne —intervino Cazador cuando la respuesta de Chase parecía estar tardando más de lo necesario—. En cuanto tengamos lo que necesitamos nos marcharemos.

—¿Eso es todo? —Murdock sopesó sus palabras inclinando la cabeza con curiosidad. Cazador advirtió que la mirada del vampiro se apartaba sutilmente de su rostro para seguir el rastro de los dermoglifos de su cuello y su nuca. Le llevó apenas un momento constatar que los elaborados diseños de la piel indicaban que se trataba de un vampiro de la primera generación, una rareza entre los de la estirpe.

Cazador distaba mucho de tener la edad de los guerreros de la primera generación, Lucan o Tegan. Sin embargo, había sido engendrado por uno de la raza de los Antiguos y su sangre era igual de pura. Al igual que sus hermanos de la primera generación, su fuerza y su poder eran aproximadamente los de diez vampiros de generaciones más tardías. Había sido criado como uno de los asesinos del ejército personal de Dragos… lo que era un secreto que solo conocía la Orden y que lo hacía más letal que Murdock y el par de docenas de agentes que había en el club, todos juntos.

Chase finalmente pareció poner fin a su distracción.

—¿Qué puedes contarnos de Freyne?

Murdock se encogió de hombros.

—Está muerto. Pero supongo que eso ya lo sabes. Freyne y su unidad fueron asesinados la semana pasada, durante una misión para recuperar a un joven de los Refugios Oscuros secuestrado. —Sacudió la cabeza lentamente—. Una lástima. No solo porque la Agencia perdió a varios de sus mejores hombres, sino porque el objetivo de su misión no resultó muy satisfactorio.

—No resultó muy satisfactorio —se burló Chase—. Sí, ya puedes decirlo. Por lo que la Orden tiene entendido, la misión para rescatar a Kellan Archer se jodió por completo este domingo. El chico, su padre y su abuelo —diablos, la familia Archer entera—, todos eliminados en una sola noche.

Cazador no dijo nada, dejó que Chase pusiera el cebo en el anzuelo. La mayor parte de su acusación era cierta. La noche del intento de rescate había sido un baño de sangre que se había cobrado muchas vidas, y lo peor de eso, muertes que tenían que ver con miembros de la familia de Kellan Archer.

Pero al contrario de lo que afirmaba Chase, sí que había supervivientes. Dos, para ser exactos. Ambos habían sido alejados en secreto de la carnicería de aquella noche y se hallaban ahora a salvo bajo la custodia de la Orden en su recinto privado.

—No discrepo con la idea de que las cosas podrían haber acabado mejor, tanto para la Agencia como para los civiles que perdieron la vida. Pero los errores, por más lamentables que sean, suceden. Desafortunadamente, nunca estaremos seguros de a quién culpar por la tragedia de la semana pasada.

Chase soltó una risita por lo bajo.

—No estés tan seguro. Sé que tú y Freyne estabais detrás. Demonios, sé que la mitad de los hombres de este club intercambiaban favores con él regularmente. Freyne era un gilipollas, pero sabía reconocer una oportunidad cuando la veía. Su mayor problema es su lengua. Si anda mezclado en algo que pueda conducirnos a los secuestradores de Kellan Archer o al ataque que destrozó el Refugio Oscuro de los Archer —y digamos que estoy condenadamente seguro de que Freyne sí está involucrado— hay muchas posibilidades de que se lo haya contado a alguien. Apuesto que ha estado alardeando como mínimo ante uno de los pobres diablos que están sentados esta noche en esta mierda de club.

La expresión de Murdock se había ido tensando a cada segundo mientras Chase hablaba, y sus ojos comenzaron a transformarse en furiosos iris oscuros rodeados de luz ámbar mientras la voz de Chase subía de decibelios entre la multitud.

Ahora la mitad de la sala se había detenido para mirar en su dirección. Varios machos se levantaron de sus asientos y los huéspedes humanos que bailaban medio desnudos fueron apartados a un lado bruscamente cuando una horda de agentes ofendidos comenzaron a acercarse a Chase y Cazador.

Chase no esperó a que la cuadrilla atacara.

Con un crudo rugido, se abalanzó sobre el grupo de vampiros, formando un remolino de puños y crujidos de dientes y colmillos.

Cazador no tuvo más alternativa que unirse a la refriega. Se metió entre la violenta multitud, concentrado únicamente en su compañero con la intención de sacarlo de allí de una pieza. Se deshizo de cada atacante prácticamente sin esfuerzo, perturbado por la forma feroz con que luchaba Chase. Su expresión se veía demacrada y tensa mientras lanzaba un puñetazo tras otro sobre la masa de cuerpos que lo azuzaban por ambos lados. Sus colmillos enormes le llenaban la boca. Sus ojos ardían como brasas hundidas en su cráneo.

—¡Chase! —gritó Cazador, maldiciendo cuando una fuente de sangre de la estirpe lo alcanzó, no sabía si de su compañero de patrulla o de algún otro macho.

Tampoco tuvo tiempo de averiguarlo.

Una ráfaga de movimientos al otro lado del club captó su atención. Desvió la mirada hacia allí y vio que Murdock lo observaba fijamente, con un teléfono móvil al oído.

Una nota de pánico inconfundible inundó las facciones de Murdock cuando sus miradas se encontraron entre la multitud. Su culpa ahora era evidente, escrita en su palidez, la tensión de su boca y las gotas de sudor que se derramaban por su frente para brillar bajo las luces giratorias del escenario vacío. El agente habló rápidamente al teléfono mientras sus pies lo conducían veloz y ansiosamente hacia la parte trasera del lugar.

En la fracción de segundo que Cazador tardó en quitarse de encima a un agente, Murdock había desaparecido de la vista.

—Hijo de puta. —Cazador se apartó del tumulto, obligado a abandonar a Chase para perseguir a aquel que era la verdadera pista que esperaban encontrar aquella noche.

Echó a correr, dejando que su velocidad de vampiro de la primera generación lo llevara a la parte trasera del club y a través de una puerta todavía entreabierta, para girar por el estrecho corredor de ladrillo por donde había huido Murdock. No había ni rastro de él ni a la izquierda ni a la derecha del callejón, pero la brisa helada trajo el fuerte eco de pisadas en la calle de al lado.

Cazador fue tras él, doblando la esquina justo cuando un gran sedán negro se detenía con un chirrido en la cuneta. La puerta trasera se abrió de golpe desde el interior. Murdock saltó dentro y cerró de un portazo mientras el motor del vehículo se ponía de nuevo en marcha.

Cazador ya estaba a punto de lanzarse tras él cuando los neumáticos sacaron humo contra el hielo y el asfalto y luego, con un imponente rugido de engranaje metálico, el vehículo se puso en marcha y se arrojó a la velocidad del demonio en el interior de la noche.

Cazador no perdió ni un instante. Subió de un salto al edificio de ladrillo más cercano, se agarró de una escalera de incendios oxidada y salió impulsado sobre el tejado. Corrió, con las botas de combate aplastando las placas de cemento mientras saltaba de un techo a otro, siguiendo con la vista el recorrido del coche que iba sorteando el tráfico de la calle allá abajo.

Cuando el coche dobló una esquina para adentrarse en la oscuridad vacía, Cazador se arrojó por el aire. Aterrizó sobre el techo del sedán con el impacto de todos sus huesos. Registró el dolor del golpe, pero apenas por un momento. Resistió, manteniendo una tranquila determinación mientras el conductor lo sacudía de un lado a otro con bruscos giros del volante.

El coche se balanceó y cambió de dirección, pero Cazador se mantuvo allí. Extendido sobre el techo, hundió los dedos de una mano en el borde del parabrisas y buscó con la otra la nueve milímetros que guardaba en la funda sujeta a su espalda. El conductor dio otra sacudida en zigzag y estuvo a punto de chocar contra un camión de mercancías aparcado, en su intento de desprenderse del indeseado pasajero.

Con el arma semiautomática apretada en la mano, Cazador dio un salto de gato para salir del techo y bajar al capó del veloz sedán. Quedó allí tumbado y apuntó con el arma al conductor, con el dedo fríamente sereno sobre el gatillo, preparado para disparar contra el hombre que había tras el volante y así poder atrapar a Murdock con sus propias manos y sonsacar al bastardo traidor todos sus secretos.

El momento se alargó y hubo un instante —apenas el destello de un segundo— en que la sorpresa lo hizo retroceder.

El conductor llevaba un grueso collar negro alrededor del cuello. Tenía la cabeza rapada, y la mayor parte de su calva estaba cubierta con una red de intrincados dermoglifos.

Era uno de los asesinos de Dragos.

Un cazador, al igual que él.

Un vampiro de la primera generación, nacido y criado para matar, como él.

La sorpresa de Cazador fue rápidamente eclipsada por su deber. Estaba más que dispuesto a erradicar a aquel macho. Ese había sido su compromiso con sus colegas de la Orden al unirse a ellos; había hecho el voto personal de eliminar hasta la última de esas máquinas asesinas de Dragos.

Antes de que Dragos tuviera la oportunidad de desatar toda su maldad sobre el mundo.

Los tendones de los dedos de Cazador se contrajeron durante la fracción de segundo que le llevó realinear el cañón de su Beretta con el centro de la frente del asesino. Comenzó a apretar el gatillo, luego sintió aumentar el peso del coche debajo de él mientras el conductor pisaba con fuerza el pedal del freno.

La goma y el metal sacaron humo en señal de protesta y el sedán se detuvo en seco.

El cuerpo de Cazador continuó en movimiento, volando por el aire y aterrizando varios cientos de metros más adelante sobre el pavimento frío. Rodó con el impulso de la caída y se puso en pie como si nada, levantando la pistola y disparando una bala tras otra contra el coche detenido.

Vio que Murdock se escabullía del asiento trasero y corría para escapar por un callejón oscuro, pero no tuvo tiempo de ocuparse de él porque el vampiro de la primera generación salió del coche también, con la pistola en la mano, apuntando directamente a Cazador. Se enfrentaron cara a cara, con las armas preparadas para matar, y los ojos fríos con la misma determinación y falta de emoción, esa que mantenía a Cazador centrado en su postura sobre el camino de asfalto helado.

Las balas salieron de las dos pistolas al mismo tiempo.

Cazador esquivó el tiro con un movimiento que él percibió como lento y calculado. Sabía que su oponente habría hecho lo mismo con la bala que viajaba a toda velocidad hacia él. Estalló otra lluvia de balas, otra vez los dos vampiros descargaron sus armas cada uno contra el otro. Ninguno recibió más que alguna herida superficial.

Estaban demasiado igualados, entrenados con los mismos métodos. Ambos habían sido duramente preparados para matar, para entregarse en la batalla hasta su último aliento. Con un movimiento precipitado y letal, los dos se deshicieron de sus armas vacías y pasaron a la lucha cuerpo a cuerpo.

Cazador esquivó los trepidantes puñetazos que el asesino lanzó contra su torso mientras se lanzó rugiendo sobre él. Hubo una patada que le habría dado en la mandíbula si no lo hubiera evitado con una inclinación rápida de la cabeza. Luego vio venir otro golpe dirigido a su entrepierna, pero falló cuando Cazador agarró la bota del asesino y lo hizo girar en el aire.

El asesino se puso en pie sin excesivos problemas y volvió a la carga. Lanzó un puñetazo y Cazador le agarró el puño, los huesos crujieron mientras él apretaba con todas sus fuerzas y luego usaba su cuerpo como palanca para retorcerle el codo. La articulación se rompió con un crujido agudo y, sin embargo, el asesino apenas soltó un gruñido como única indicación de que había sentido cierto dolor. El brazo dañado colgaba inútil a un lado mientras él se volvía para lanzar otro puñetazo a la cara de Cazador. El golpe acertó, desgarrando la piel justo por encima del ojo derecho y con tanta fuerza que el campo visual de Cazador se llenó de estrellas. Se sacudió de encima el momentáneo aturdimiento, justo a tiempo para interceptar un segundo asalto: puñetazos y patadas lo atacaban a la vez.

Una y otra vez, ambos machos respiraban con dificultad por el esfuerzo y ambos sangraban por las heridas que se habían conseguido infligir. Ninguno de los dos imploró piedad, no importaba lo largo o sangriento que su combate llegara a ser.

La piedad era un concepto extraño para ellos, el otro lado de la lástima. Dos cosas que habían sido extraídas de su léxico desde que eran muchachos.

Lo único peor que la piedad o la lástima era el fracaso, y mientras Cazador agarraba el brazo roto de su oponente y tiraba al enorme macho al suelo clavando la rodilla en medio de la espalda del asesino, vio el reconocimiento del fracaso inminente brillando como una llama oscura en los fríos ojos del vampiro de la primera generación.

Había perdido la batalla.

Lo sabía, al igual que sabía Cazador que la posibilidad de dar un golpe certero en el grueso collar negro que envolvía el cuello del asesino se le iba a presentar al siguiente instante.

Cazador usó su mano libre para coger una de las dos pistolas abandonadas sobre el pavimento. Blandió la culata metálica como un martillo y asestó un golpe al collar que envolvía el cuello del asesino.

De nuevo, y esta vez con más fuerza, el golpe abolló ese material impenetrable que albergaba el diabólico aparato. Un aparato confeccionado por Dragos en su laboratorio con un único propósito: asegurarse la lealtad y obediencia del ejército letal que había criado a su servicio.

Cazador oyó un pequeño chasquido que indicaba que la detonación era inminente. El asesino de Dragos usó su mano sana, tal vez para verificar la amenaza o para intentar detenerla; Cazador no estaba seguro.

Rodó hacia un lado… justo cuando los rayos ultravioleta emergían del collar.

Hubo un destello de luz abrasadora que apareció y se fue al instante, mientras el rayo letal traspasaba la cabeza del asesino en un claro movimiento.

Cuando la calle volvió a sumirse en la oscuridad, Cazador miró fijamente el cadáver llameante de aquel macho que era igual a él en tantos sentidos. Un hermano, aunque no hubiera un sentimiento de familiaridad entre los asesinos del ejército personal de Dragos.

No sentía remordimientos por el asesino muerto que había ante él, solo una vaga sensación de satisfacción por el hecho de que hubiera uno menos para llevar a cabo los retorcidos planes de Dragos.

No descansaría hasta que no quedara ninguno.

Capítulo dos

Como fundador y líder de la Orden —qué demonios, como macho de la primera generación de la estirpe con unos novecientos años de vida y con su experiencia— Lucan Thorne no estaba acostumbrado a recibir broncas de nadie.

Sin embargo, escuchó silenciosamente y como hirviendo a fuego lento mientras un agente de alto rango de las Fuerzas de la Ley, llamado Mathias Rowan, le explicaba lo que había sucedido dos horas antes en uno de los garitos privados de la agencia en Chinatown. El club donde él había enviado a dos de los guerreros de la Orden, Chase y Cazador, en la patrulla de aquella noche. Difícilmente podía fingir sorpresa al oír que las cosas se les habían ido de las manos, o que había estallado una tormenta de violencia y Chase había estado en medio de todo eso.

O más que en medio, al principio, en el medio y al final. Desde que existían, la Orden y las Fuerzas de la Ley habían operado según sus propios términos, con su propio estilo de leyes. Lucan había fundado la Orden basándose en la justicia y la acción; el credo de la Agencia había estado atrapado en la política y en la construcción del imperio desde el principio.

Eso no significaba que no fueran buenos y que no hubiera hombres de confianza entre sus rangos… Mathias Rowan, para empezar, era una de esas notables excepciones. Sterling Chase había sido otra. No hacía mucho más de un año que Chase había formado parte de la élite de las Fuerzas de la Ley, un niño bonito bien educado, con buenos contactos y buenos modales cuya carrera y trayectoria no tenían límites.

¿Y ahora?

Lucan apretó la boca con expresión seria mientras caminaba de un lado a otro del salón de las habitaciones privadas que compartía con su compañera de sangre Gabrielle en los cuarteles de la Orden. No podía olvidar el hecho de que Chase había sido un recurso valioso para la Orden desde que cambió sus almidonadas camisas blancas y los acicalados trajes de la agencia por la indumentaria básica de combate y los métodos para ir a saco de un guerrero. Se había embarcado de lleno y estaba plenamente comprometido con las metas y misiones de la Orden. Había sido rápido habituándose a las patrullas y había cubierto la espalda de más de uno de los guerreros en el calor de sus batallas.

Pero Lucan tampoco podía negar que en los últimos meses Chase patinaba sobre una capa de hielo condenadamente frágil. Había estado a veces a punto de traspasar el límite, y perder el norte. Lucan había estado peligrosamente cerca de descontrolar su ira mientras escuchaba a Mathias Rowan describiendo con detalle la reyerta que había tenido lugar en la ciudad.

—Tengo informes de tres agentes que han sido golpeados hasta casi perder la vida y otro que está como si alguien lo hubiera pasado por una trituradora —dijo Rowan al otro lado de la línea—. Y eso sin contar los heridos que pueden caminar y aquellos que todavía no han sido considerados. Dicen que tus guerreros entraron al lugar buscando una excusa para empezar a crear problemas. Chase en particular.

Lucan soltó un insulto. Había tenido una mala corazonada al enviar a Chase a patrullar a Chinatown aquella noche. Esa era la razón de que hubiera encargado a Cazador que lo acompañara… era el que tenía la cabeza más fría en la Orden, la mejor compañía para un bala perdida. El hecho de que ninguno de los dos hubiera llamado para dar un informe en la última hora no lo había hecho sentirse mejor con su decisión.

—Mira —dijo Rowan, y luego soltó un suspiro atormentado—. Considero a Chase un amigo, un amigo de hace mucho tiempo. Él es la razón por la que acepté ayudar cuando se acercó a mí a pedirme ser los ojos y oídos de la Orden dentro de la Agencia. En cuanto a lo que le está pasando personalmente, no puedo decir de dónde viene el cambio, pero por su propio bien, tal vez por el bien de todos, será mejor que empiece a descubrirlo. Y está muy lejos de mi intención tratar de decirte cómo tienes que hacer las cosas en tu operación, Lucan...

—Sí —interrumpió él, cortante y yendo al grano—. Extremadamente lejos, agente Rowan.

El silencio al otro lado se extendió más de un momento. Lucan sintió un desplazamiento en el aire y miró a su alrededor para comprobar que Gabrielle entraba en la habitación. Hizo esperar a Rowan sin decir una palabra de aviso simplemente porque quería contemplar el movimiento de su bella compañera. Llevaba una bandeja de té que había sacado de la biblioteca y la colocó en la cocina. La bandeja estaba preparada para dos: Gabrielle y otra mujer que había llegado al recinto aquella tarde. Solo una de las delicadas tazas de té se había vaciado. Solo uno de los platos de porcelana china se había visto libre de sus diminutos pedazos de pastel de chocolate y el variado surtido de pastas glaseadas.

Lucan no tuvo que adivinar cuál de las dos mujeres había comido. El cacao manchaba los carnosos labios de la perfecta boca de su compañera. Se relamió al observar a Gabrielle, tan hambriento como siempre por saborearla. De no haber sido por el molesto asunto que lo ocupaba, por no decir nada del dilema menor que aguardaba su decisión en la otra habitación, Lucan habría rechazado cualquier obligación excepto la de estar desnudo con su mujer en el menor tiempo posible.

La mirada que ella le lanzó indicaba que sabía cuál era la dirección de sus pensamientos. Por supuesto que debía llevar sus intenciones reflejadas en la cara. Le bastó un roce de la lengua para notar la aguda punta de sus colmillos emergentes, y por la forma en que su visión se agudizaba, imaginaba que sus ojos estarían ahora más ámbar que grises; su deseo lo transformaba haciéndole adquirir su verdadera naturaleza de la misma forma que ocurría ante su sed de sangre.

Una lenta sonrisa se extendió en los labios de Gabrielle mientras caminaba hacia él. Sus grandes ojos marrones eran profundos y suaves, sus dedos tiernos y tentadores cuando se acercó para acariciarle la mejilla. Su tacto lo calmó, como siempre, y soltó un gruñido que sonó más bien como un ronroneo mientras ella entrelazaba los dedos en su negro cabello.

Con Mathias Rowan esperando al otro extremo de la línea en silencio, Lucan sostuvo el teléfono apartado mientras inclinaba la cabeza hacia la boca de Gabrielle. Rozó sus labios con los de ella y con la lengua barrió ligeramente el rastro de cacao que dio sabor a su beso.

—Delicioso —susurró, viendo el brillo hambriento de sus iris reflejado en las insondables profundidades de los de ella.

Gabrielle lo envolvió con sus brazos, pero frunció el ceño al captar su mirada. No dejó escapar el sonido, sino que articuló las palabras con los labios:

—¿Está todo en orden con Chase y Cazador?

Él asintió, y le dio un beso en la frente. Se sentía incómodo eludiendo su preocupación. En el año y medio que llevaban unidos lo habían compartido todo. Confiaba en ella más de lo que había confiado nunca en nadie durante aquel número considerable de años de vida.

Era su compañera, su pareja, su amada. Como su más preciosa confidente, se merecía saber lo que estaba sintiendo como hombre. Lo que temía en su corazón y su alma, como jefe del recinto, que en algún momento había empezado a parecer más un hogar familiar que el centro estratégico de operaciones de la Orden.

Mientras sus guerreros luchaban diariamente con sus propios demonios personales, mientras la Orden conseguía algunos éxitos, sufriendo algunas pérdidas además de los tan necesarios triunfos, mientras las personas del recinto se habían convertido en casi el doble de las que eran hacía dos años porque varios de los guerreros habían encontrado compañeras, un hecho perturbador seguía vigente allí.

No habían sido capaces de detener a Dragos y su locura.

Que Dragos continuara respirando, que todavía fuera capaz de causar el tipo de matanza y destrucción que había orquestado la semana pasada al secuestrar a un joven de una poderosa familia de los Refugios Oscuros, con la consiguiente destrucción de su residencia y de todos los que había dentro, era un desastre que Lucan se tomaba de un modo muy personal.

Era una realidad que quería mantener muy alejada de su casa.

Pero había algo que no podía compartir con Gabrielle, no

ahora. No podía permitir que sintiera el mismo temor que lo atenazaba a él. Prefería sostener solo esa carga en la medida de lo posible. Hasta que tuviera las respuestas, hasta que sus planes estuvieran preparados para llevarse a cabo, la carga sería suya.

—No te preocupes, amor. Todo está bajo control. —Le dio otro tierno beso en la frente—. ¿Cómo van las cosas en la otra habitación?

Gabrielle se encogió levemente de hombros y sacudió la cabeza.

—No habla mucho, pero no me extraña teniendo en cuenta todo lo que ha pasado. Lo único que quiere es volver a casa con su familia. Y eso también es comprensible, por supuesto.

Lucan gruñó, expresando total acuerdo. Quería más que nada en el mundo enviar a su huésped de vuelta a su casa. Tuviera o no empatía con la situación de la mujer, lo último que necesitaba era tener a otra civil en el recinto durante los próximos días.

—Imagino que no le habremos sonsacado una palabra más, ¿verdad?

—Nada en la última hora. Brock dijo que él o Jenna llamarían enseguida si el tiempo se aclara lo suficiente en Fairbanks como para que puedan salir.

Lucan soltó una imprecación.

—Incluso aunque la tormenta de nieve amainara ahora, están como mínimo a un día de distancia. Tendré que implicar a alguien más en esto. Tal vez sea una buena oportunidad para poner a Chase fuera de mi vista por un tiempo. Demonios, después de lo que acabo de oír esta noche, tal vez sea la única manera de evitar que lo mate.

Gabrielle afiló la mirada sobre la suya, que ahora estaba completamente concentrada en el trabajo.

—De ninguna manera vas a enviar a esa pobre mujer a Detroit con Chase como escolta. Ni hablar, Lucan. La llevaré yo misma antes que permitir que eso pase.

No había estado hablando del todo en serio sobre Chase, pero no pensaba discutir con ella. No ahora que su mandíbula estaba tercamente hacia arriba como indicando que no tenía la más mínima intención de echarse atrás.

—De acuerdo, olvida lo que he dicho. Tú ganas. —Manteniéndola cerca de él con un brazo, dejó que su mano se deslizara por la curva de su espalda—. ¿Cómo es que siempre ganas?

—Porque sabes que tengo razón. —Ella se acercó más, alzándose de puntillas hasta que su boca rozó la de él—. Y porque debes admitirlo, vampiro; de otra manera no me tendrías.

Al tiempo que alzaba una estilizada ceja, le mordisqueó el labio inferior y luego se deshizo del abrazo antes de que él pudiera dar respuesta a su desafío. Y no es que pensara rebatirla. Gabrielle sonrió, plenamente consciente de su condición mientras se daba la vuelta y comenzaba a caminar de vuelta hacia la biblioteca, donde la esperaba su invitada.

Lucan esperó a que hubiera salido de la habitación y se dispuso a reorganizar sus pensamientos. Se aclaró la garganta y se volvió a llevar el teléfono al oído. Ya había dejado al agente en silencio durante bastante tiempo.

—Mathias —dijo—. Quiero que sepas que la Orden valora todo lo que has hecho por ayudarnos. En cuanto a lo ocurrido esta noche en ese club, te aseguro que no ha tenido nada que ver con mi intención. Me doy cuenta de que siendo el director de la Agencia de la región, esto te coloca en una posición muy incómoda.

Era lo más cercano a una disculpa que podía permitirse. Aunque la política no escrita y muy antigua entre los guerreros de Lucan y los miembros de la Agencia era la de evitar en la medida de lo posible meterse en terreno ajeno, las circunstancias últimamente habían cambiado.

Todo había cambiado, y drásticamente.

—No estoy preocupado por mí —respondió Rowan—. Y no lamento mi decisión de haberos ayudado. Quiero ver a Dragos arrestado, cueste lo que cueste. Incluso si eso me lleva a procurarme algunos enemigos dentro de la Agencia.

Lucan emitió un gruñido en reconocimiento del compromiso.

—Eres un buen tipo, Mathias.

—Después de lo que ha hecho ese bastardo, especialmente después del terror que ha sembrado la semana pasada, ¿cómo no habría de tener la misma ansia de detenerlo que tú y los guerreros? —La voz de Rowan se había teñido de una pasión que Lucan entendía muy bien—. No me sorprende el hecho de que haya corrupción en el interior de la Agencia, y menos aún que un troglodita como Freyne forme alianza con un loco retorcido como Dragos. Solo desearía haber sido capaz de contemplar esa posibilidad antes de que me estallara en la cara la noche del rescate de Kellan Archer.

—No eres el único que lo lamenta —replicó Lucan, serio ante aquel pensamiento. Él también había enviado a varios guerreros a esa misión, para asegurarse de que el joven de los refugios oscuros llegara a salvo a casa tras ser liberado de sus captores, un trío de asesinos de la primera generación que seguían las órdenes de Dragos. Se había conseguido ese primer objetivo, pero no sin una gran cantidad de daños colaterales y preguntas incómodas.

—¿Cómo está el chico? —preguntó Rowan.

—Todavía está en la enfermería recuperándose. —El maltrato físico de Kellen Archer había sido severo, pero era la angustia mental que había sufrido durante y después de su captura lo que preocupaba a Lucan todavía más con respecto a la recuperación del joven a largo plazo.

—¿Y su abuelo?

Lucan reflexionó durante un momento en silencio acerca del mayor de los Alder. Lazaro Archer era uno de los pocos vampiros de la primera generación que quedaban entre la población de la estirpe, y uno de los más antiguos. Tenía casi mil años. Había vivido una vida apreciada y pacífica durante el último par de siglos en Nueva Inglaterra como cabeza de familia de su Refugio Oscuro. Había criado hijos fuertes que habían criado a la vez a sus propios hijos… Lucan no estaba seguro de cuántos eran los descendientes de Lazaro y su compañera de sangre de toda la vida.

No es que eso importara.

Ya no.

En una sola y sangrienta noche, la compañera de Lazaro y todos sus parientes del Refugio Oscuro de Boston habían sido aniquilados. Uno de los hijos de Lazaro, el padre del chico, Christophe, había sido asesinado por Freyne, el traidor que había formado parte de la operación de rescate de Kellan llevada a cabo por la Agencia de las Fuerzas de la Ley. Lazaro y Kellan habían sido los únicos supervivientes del linaje de Archer, aunque esa circunstancia no se había hecho pública.

—Tanto el chico como su abuelo están tan bien como podría esperarse —respondió Lucan—. Hasta que no pueda determinar por qué fueron el blanco de Dragos, únicamente se hallarán a salvo aquí, en el recinto.

—Por supuesto —contestó Rowan. Hizo una pausa al final, y luego tomó aire despacio—. Conociendo a Chase, estoy seguro de que se culpa a sí mismo de lo ocurrido durante la misión de rescate…

Lucan sintió que las cejas se le tensaban ante la mención de otro de los recientes problemas de Chase durante el cumplimiento de su deber.

—Deja que sea yo quien se preocupe por mis hombres, Mathias. Tú vigila de cerca a los tuyos.

—Desde luego —replicó él, con el mismo tono profesional—. Me ocuparé de todos los detalles del accidente en el club esta noche. Si en el curso de la investigación surge algo interesante sobre Freyne o su conexión con Dragos, te aseguro que me pondré en contacto.

Lucan murmuró las gracias. Si Rowan no se hubiera forjado ya una sólida carrera entre los rangos superiores de la Agencia, habría podido ser un buen guerrero. Dios sabe que la Orden necesitaría emplear manos extras y unas cuántas cabezas más si las cosas empeoraban en la guerra contra Dragos.

O si las cosas continuaban descontrolándose con cierto miembro de su actual equipo.

Tan pronto como aquel pensamiento tensó la mandíbula de Lucan, la línea interna del recinto sonó con una llamada del laboratorio de tecnología. Puso fin a su conversación con Rowan y luego le dio al botón del altavoz del interfono.

—Están aquí —anunció Gideon antes de que Lucan tuviera la oportunidad de ladrar un «hola»—. Los acabo de ver traspasar las verjas de la finca. Los tengo bajo las cámaras de vigilancia mientras hablamos. Están conduciendo hacia el recinto de aparcamiento justo en este momento.

—Ya era hora —soltó Lucan.

Apagó el interfono y salió de sus habitaciones. El peso de sus botas negras de combate hizo eco a lo largo del serpenteante pasillo de mármol blanco que corría como un sistema nervioso central a través del corazón del recinto subterráneo. Dobló una esquina y recorrió la distancia hasta el laboratorio de tecnología donde Gideon estaba instalado prácticamente las veinticuatro horas durante los últimos siete días.

Por delante de él, su agudo oído captó el susurro del ascensor de seguridad hidráulico mientras este descendía desde el garaje localizado en la planta superior del recinto hasta unos cuantos metros bajo tierra.

Al llegar al laboratorio de tecnología, vio que Gideon salía para encontrarse con él en el pasillo. El guerrero británico y genio residente del recinto tenía la noche libre como friki informático. Iba vestido con vaqueros grises, una zapatillas verdes de la marca Chuck Taylor y una camiseta amarilla tipo Hellboy. Su pelo rubio cortado casi al rape estaba más despeinado que de costumbre, como si se hubiera pasado las manos por la cabeza más de una vez mientras esperaba noticias de Cazador y Chase.

—Llevaba mucho tiempo sin ver esa expresión asesina —dijo Gideon, con la mirada azul afilada por encima de las gafas de lentes ahumadas sin montura—. Parece como si estuvieras a punto de comerte a esos muchachos para luego escupirlos.

—Me huele que alguien lo ha hecho ya antes que yo —gruñó Lucan, sintiendo un cosquilleo en la nariz ante el olor a sangre de la estirpe recién derramada. Lo advirtió incluso antes de que las lustrosas puertas de acero del ascensor se abrieran para dejar salir a la pareja de guerreros errantes.

Capítulo tres

—¿*E*stás segura de que no quieres comer o beber nada más?

Gabrielle volvió a la biblioteca, con las mejillas sonrosadas y los ojos marrones más brillantes que cuando había salido de allí con la bandeja unos minutos antes. Con la mirada perdida por un momento, la compañera de sangre de Lucan Thorne se llevó los dedos a los labios en un gesto ausente que no logró ocultar la ligera sonrisa íntima que curvaba su boca. Se deshizo de ella un instante más tarde y se fue a recuperar su asiento en el sofá.

—Siento haberte hecho esperar. Lucan y yo hemos tenido un breve encuentro —dijo con tanta amabilidad y hospitalidad como si tratara con una vieja amiga, a pesar de que habían sido unas perfectas desconocidas hasta hacía solo unas horas aquella misma tarde—. ¿No hace aquí mucho frío para ti? Fíjate, estás temblando.

—No es nada. —Corinne Bishop se hundió más profundamente en la chaqueta de punto gris que la envolvía y negó con la cabeza, a pesar de que parecía estar temblando hasta los huesos—. Estoy bien, de verdad.

Su malestar no tenía nada que ver con la temperatura del interior del recinto de la Orden. El lujo y la calidez la rodeaban, de una forma que ella no podía apenas comprender. Se había quedado maravillada ante la amplitud de las habitaciones en cuanto llegó, y desde luego la elegante biblioteca donde estaba sentada ahora con Gabrielle era el lugar más exquisito del que había disfrutado en mucho tiempo.

Su hogar durante muchos años había sido poco mejor que una tumba. En el momento en que fue raptada tenía tan solo dieciocho años. Corinne había sido hecha prisionera junto a un gran número de otras compañeras de sangre apresadas por ese loco de Dragos.

Con las manos sobre el regazo, Corinne bajó la mirada y pasó el pulgar distraídamente por la diminuta marca de nacimiento en el dorso de su mano derecha... la misma que todas las compañeras de sangre tenían en algún lugar de su piel. Era ese sello de la lágrima y la luna creciente lo que la convertía en parte de un mundo extraordinario: el secreto y eterno mundo de la estirpe. Esa era la razón que la había salvado del abandono y una pobreza segura cuando era una niña, después de que la hubieran dejado en la puerta de un hospital de Detroit apenas unas horas después de su nacimiento.

Aquella diminuta marca de nacimiento rojiza le había permitido la entrada en las vidas de Victor y Regina Bishop, sus padres adoptivos. La pareja, unida por un vínculo de sangre y con un hijo propio de la estirpe, había abierto las puertas de su lujosa mansión de los Refugios Oscuros a Corinne y también a su joven hermana adoptiva Charlotte, dotando a las dos niñas abandonadas de un hogar amoroso y la mejor vida que pudieron ofrecerles.

Si hubiera sido lo bastante adulta como para apreciar todas aquellas bendiciones.

Si hubiera tenido la oportunidad de decirle una vez más a su familia cuánto los quería antes de que el villano de Dragos la arrancara de su vida y la arrojara a lo que parecía un infierno interminable.

Era la pequeña marca roja de nacimiento del dorso de su mano lo que le había causado tanto dolor y le había roto el corazón. Había sufrido abusos y torturas, la habían mantenido viva contra su voluntad y la habían obligado a soportar cosas en las que no era ni tan siquiera capaz de pensar, y de las que no era, menos aún, capaz de hablar ahora que se había librado de aquellos horrores. Lo mismo les había ocurrido a las otras cautivas de Dragos: cerca de unas veinte habían conseguido sobrevivir a sus tormentos y experimentos el tiempo suficiente como para ser rescatadas por los guerreros miembros de la Orden y sus increíblemente valerosas y capaces compañeras de sangre.

Durante los pocos días transcurridos desde su rescate, Corinne y las otras compañeras de sangre cautivas habían estado viviendo en Rhode Island, en el Refugio Oscuro de otra pareja cuya generosidad y cuidados habían sido un regalo de Dios. Amigos de confianza de la Orden, Andreas Reichen y su compañera Claire les habían procurado abrigo, cobijo y todo lo que pudieran necesitar para recuperar cierto sentido de la normalidad en sus vidas ahora que estaban por fin fuera del alcance de Dragos.

Lo único que Corinne necesitaba era a su familia. Se había quedado atónita al saber que de todas las compañeras de sangre capturadas por Dragos ella era la única que había sido secuestrada de los Refugios Oscuros. Las otras mujeres habían sido recogidas de refugios de acogida o arrancadas de existencias solitarias, inconscientes de que eran especiales hasta que el diabólico Dragos les quitó la venda de los ojos.

Pero Corinne sí sabía quién era. Ella tenía una familia que la quería, una familia que con seguridad la había echado de menos y la había llorado durante esas décadas de cautiverio. Ella era distinta de las otras víctimas de Dragos. Sin embargo, había sufrido lo mismo que ellas, y tal vez más, puesto que el pensar en sus padres y sus hermanos angustiados la había llevado a mostrarse desafiante ante su raptor.

La urgencia de regresar al lugar al que pertenecía, junto a la gente que podía ayudarla a curarse —tal vez la única gente capaz de ayudarla a recuperar todo lo que había perdido durante su período en cautividad— era una necesidad que la consumía cada vez más mientras los días y las horas pasaban, llevándose un tiempo precioso.

Solo podía esperar que le dieran la bienvenida en sus vidas una vez más. Solo podía rezar para que en los largos años transcurridos no la hubieran olvidado. Solo podía desear con todo su corazón que todavía la siguieran amando.

Alzó la mirada y se encontró con la expresión preocupada de Gabrielle.

—¿Cuándo cree Brock que estará de vuelta en Boston?

Gabrielle soltó un suave suspiro mientras sacudía lentamente la cabeza.

—Tal vez dentro de un día o algo más. Puede que más si la nieve no les deja abandonar pronto Fairbanks.

Corinne apenas podía ocultar su decepción. Salir de su cautividad y descubrir que el guardaespaldas de su adolescencia en Detroit era uno de sus rescatadores había sido el primer atisbo de esperanza. Brock se había convertido en miembro de la Orden durante el tiempo en que había desaparecido. Y recientemente se había enamorado. Había sido ese amor el que lo había llevado a Alaska hacía unos días, pero había prometido a Corinne que, tan pronto como su compañera Jenna regresara, la llevaría sana y salva a su hogar en Detroit.

Corinne necesitaba el apoyo de Brock. Siempre había sido su confidente, un verdadero amigo. De jovencita, siempre había confiado en que con él estaría a salvo. Necesitaba saber que estaba a salvo ahora y estar segura de que nada malo podría ocurrirle en su viaje de regreso a casa.

A una pequeña parte temerosa en su interior le preocupaba no ser capaz de llamar a la puerta de su familia sin alguien como Brock, alguien en quien pudiera confiar completamente, alguien que la apoyara.

—Tengo entendido, por Claire y por Andreas, que no te has puesto en contacto con nadie de tu antiguo hogar —dijo Gabrielle con suavidad, interrumpiendo sus pensamientos—. ¿No tienen ni idea de que estás viva?

—No —respondió Corinne.

—¿Te gustaría llamarles? Estoy segura de que querrían saber que estás aquí, que estás a salvo y que volverás pronto a casa con ellos.

Ella negó con la cabeza.

—Ha pasado tanto tiempo. Recuerdo nuestro antiguo número de teléfono, pero ahora ni siquiera sé cómo encontrarlos.

—Eso no es un problema, lo sabes. —Gabrielle señaló la pantalla plana y blanca sobre el escritorio de la biblioteca—. No nos llevaría más de un minuto encontrarlos en el ordenador. Puedes llamarlos ahora mismo. Si quieres, puedes hacer incluso una videollamada.

—Gracias, pero no. —Esos términos y conceptos eran nuevos para Corinne, y casi tan apabullantes como la idea de hablar con sus padres sin estar allí en persona para tocarlos, para sentir sus brazos envolviéndola otra vez—. Es solo que... no sabría qué decirles después de todo este tiempo. No sabría cómo hablarles...

Gabrielle asintió comprensiva.

—Necesitas estar allí en persona para hacerlo.

—Sí. Solo necesito ir a casa.

—Por supuesto —dijo Gabrielle—. No te preocupes. Nos encargaremos de que puedas ir lo antes posible.

Ambas alzaron la cabeza al oír unos suaves golpecitos en el quicio de la puerta. Una mujer rubia y menuda con pálidos ojos lavanda abrió la puerta y se asomó a la habitación.

—¿Interrumpo?

—No, Elise, entra. —Gabrielle se puso en pie y la hizo pasar—. Corinne y yo estábamos charlando mientras esperamos a Brock y a Jenna.

Elise se adentró unos pasos y dirigió a Corinne una cálida sonrisa.

—He pensado venir a sentarme con vosotras hasta que todos vuelvan de las patrullas.

Corinne había sido presentada a algunas de las mujeres de la Orden cuando había llegado aquella tarde. El compañero de Elise, según recordaba, era un guerrero llamado Tegan. Le habían dicho que él y la mayoría de los miembros de la Orden estaban de misión en algún lugar de la ciudad, concentrados en la única meta de dar caza a Dragos y a todos aquellos que le eran leales.

Esa idea le proporcionaba un gran alivio. Sin duda con un grupo tan extraordinario como este determinado a atraparlo, Dragos no tendría oportunidad de escapar.

Y, sin embargo, ya la había tenido.

Una y otra vez, según tenía entendido Corinne, conseguía ir un paso por delante de la Orden. Ellos eran una fuerza poderosa, pero Corinne sabía de primera mano que a Dragos no le faltaba su propio poder. Tenía sus propios soldados y sus propias terribles tácticas.

Y estaba loco... peligrosamente loco. Corinne lo sabía también de primera mano, y los espantosos recuerdos que tenían que ver con eso la envolvían ahora como una ola de oscuridad, antes de poder impedirlo. Se quedó aturdida bajo el peso de la tortura que recordaba mientras se levantaba del sofá para sentarse junto a Gabrielle y Elise. La ansiedad se apoderó de ella rápidamente esta vez, más deprisa que un rato antes. Cuando Gabrielle la había dejado a solas en la biblioteca, Corinne había conseguido de alguna manera recuperar el control.

Pero esta vez no.

Las estanterías que iban del suelo al techo se tambaleaban en el ojo de su mente mientras las paredes de la biblioteca parecían apretarse, cayendo hacia el interior por todos los lados. En la pared que había frente a ella, un largo tapiz que representaba a un oscuro y brillante caballero en un corcel de guerra ahora parecía torcido y distorsionado. Las bellas facciones del hombre y su hermoso caballo mutaban adquiriendo formas demoníacas y sarcásticas.

Ella cerró los ojos, pero la oscuridad no mejoró las cosas. De repente se hallaba de nuevo en las celdas de la prisión de Dragos. De vuelta en ese hoyo sin luz, desnuda y temblando. Sola en un agujero húmedo y frío, esperando la muerte. Rezando por ella, puesto que era el único medio de escapar del horror.

Corinne respiró con fuerza por la boca, pero sintió que apenas un leve jadeo ahogado hacía llegar un poco de aire a su pulmones mientras el espacio a su alrededor se condensaba en la nada.

—¿Corinne? —Gabrielle y Elise pronunciaron su nombre al mismo tiempo. Las dos mujeres se acercaron a sostenerla, para mantenerla erguida.

Corinne jadeó tratando de respirar.

—Necesito… tengo que salir de esta celda…

—¿Puedes caminar? —le preguntó Elise, con urgencia en la voz pero manteniendo el control—. Sujétate a nosotras, Corinne. Te pondrás bien.

Consiguió asentir con la cabeza mientras la ayudaban a salir al corredor. El frío mármol blanco se expandía en ambas direcciones. El corredor estaba vacío y parecía interminable, y eso la reconfortó al instante. Dejó que el pálido brillo de las paredes inmaculadas llenara su visión mientras respiraba profundamente y sentía que algo de la constricción de sus pulmones comenzaba a ceder.

Sí, gracias a Dios.

Ya estaba mejor.

Gabrielle se acercó para apartarle de los ojos un mechón de negro cabello.

—¿Estás bien ahora?

Corinne asintió, todavía respirando con dificultad pero sintiendo que lo peor de la crisis ya había pasado.

—A veces... es solo que a veces me siento como si estuviera todavía allí. Todavía encerrada en ese horrible lugar —susurró—. Lo siento. Estoy tan avergonzada.

—No lo estés. —La sonrisa de Gabrielle transmitía empatía pero no lástima—. No tienes por qué sentirte avergonzada. No entre amigas.

—Vamos —dijo Elise—. Te llevaremos a la mansión. Podemos dar un pequeño paseo por fuera hasta que te sientas mejor.

Cuando el ascensor del garaje del recinto se detuvo con suavidad, Cazador miró a su compañero de patrulla herido evaluándolo en silencio.

Con la cabeza colgando hacia un hombro y el pelo rubio apelmazado cayéndole sobre la frente, Sterling Chase se apoyaba contra la pared opuesta al coche, respirando entre dientes con dificultad. Su traje negro de combate estaba hecho pedazos y empapado de sangre, y los cortes y contusiones le habían desfigurado la cara. Sin duda tenía la nariz rota y de su labio superior partido manaba sangre que le caía hasta la barbilla. Era más que probable que su mandíbula también estuviera rota.

Las heridas de los guerreros durante las peleas en la ciudad eran numerosas, pero nada que no pudiera curarse con el tiempo y una alimentación decente.

No es que Chase pareciera preocupado por su estado.

Las puertas del ascensor se abrieron y salió pavoneándose al corredor por delante de Cazador, mostrando arrogancia en cada movimiento.

Lucan le bloqueó el paso enseguida. Puso la palma de la mano en el centro del pecho de Chase para detenerlo físicamente cuando él pareció dispuesto a seguir avanzando.

—¿Habéis pasado un buen rato en Chinatown esta noche?

Chase gruñó, y su labio partido se desgarró aún más cuando esbozó una oscura sonrisa para Lucan.

—Supongo que Mathias Rowan se ha puesto en contacto contigo.

—Así es. Y eso es más de lo que habéis hecho vosotros —replicó Lucan con tensión, dejando que su mirada furiosa fuera momentáneamente desde el pecho herido de Chase hasta Cazador, cuyo traje de combate también estaba manchado con sangre de los agentes de la ley—. Rowan me ha contado la mierda que habéis hecho. Dice que ha habido muchos muertos y heridos, y que todos los agentes con los que ha hablado te echan a ti la culpa de haberlos asaltado sin provocación, Chase.

Él se mofó en respuesta.

—Y una mierda sin provocación. Cada uno de los agentes de ese sitio buscaba una razón para joderme.

—Y tú no podías estar más que agradecido por eso, ¿verdad? —Lucan sacudió la cabeza al ver que Chase echaba chispas por la mirada—. Te estás comportando de manera temeraria, amigo. La mierda de esta noche es tan solo uno más de los desastres que dejas a tu paso y de los que otros tienen que ocuparse. Últimamente eso se está convirtiendo en una norma contigo, y no me está gustando. No me gusta nada.

—Me mandaste fuera a hacer un trabajo —soltó Chase con rudeza—. A veces las cosas se joden.

Lucan afiló la mirada; la ira irradiaba ahora de todo su cuerpo, en forma de un calor palpable que Cazador podía sentir desde donde estaba, a pocos pasos de Gideon.

—No estoy seguro de que comprendas en qué consiste tu trabajo, Chase. Si lo comprendieras, no habrías regresado aquí con las manos vacías, apestando a sangre y con esta actitud. Por lo que a mí concierne, has fallado allí fuera esta noche. ¿Cuánta información has obtenido de Freyne? ¿Estamos acaso una pizca más cerca de dar con Dragos o alguno de sus posibles socios?

—Tal vez sí lo estemos —intervino Cazador.

Ahora Lucan volvió su ceño fruncido hacia él.

—Explícate.

—Se trata de un agente llamado Murdock —respondió Cazador—. Se acercó a Chase y a mí cuando llegamos al club. Tuvimos unas palabras, pero no estaba dispuesto a darnos información útil. En cuanto estalló la pelea, pareció notablemente ansioso. Lo vi telefonear a alguien antes de escapar en medio del caos.

—¿Eso es una pista? —murmuró Chase con desprecio—. Por supuesto que Murdock salió huyendo. Conozco a ese tipo. Es un cobarde que prefiere darte un navajazo por la espalda antes que luchar contra ti de frente.

Cazador ignoró el comentario de su compañero de patrulla y mantuvo la mirada fija en el líder de la Orden.

—Murdock se marchó por el callejón de la parte trasera del local. Un coche lo esperaba para recogerlo. El conductor era un asesino de la primera generación.

—Dios bendito —subrayó Gideon detrás de Cazador, pasándose la mano por el cabello.

La expresión de Lucan se endureció y Chase se quedó silencioso en su sitio, escuchando ahora a los otros atentamente.

—Perseguí el vehículo a pie —continuó Cazador—. El asesino fue neutralizado.

Buscó en la parte de atrás del cinturón de su traje de combate y sacó el collar detonador que había sustraído del muerto. Gideon le quitó de la mano el anillo de polímero negro carbonizado.

—¿Uno más para añadir a tu colección? Te estás anotando muchos puntos últimamente. Buen trabajo.

Cazador se limitó a pestañear ante la innecesaria alabanza.

—¿Y qué me dices de Murdock? —preguntó Lucan.

—Desaparecido —respondió Cazador—. Huyó de la escena mientras yo estaba ocupándome del conductor. Luego tuve que decidir entre seguirle el rastro o volver al club para recuperar a mi compañero de patrulla.

La decisión de ayudar a su colega guerrero le había tomado más de un momento. El entrenamiento y la lógica de los soldados de Dragos le exigían llevar a cabo sus misiones con un único criterio: eficacia, impersonalidad y total independencia. Murdock era un blanco cuantificado. Interrogarlo le proporcionaría información valiosa; su captura era un imperativo para el éxito de la patrulla de esa noche. Para Cazador, apresar al agente que había escapado parecía el objetivo lógico.

Pero la Orden operaba bajo un principio diferente, uno con el que había tenido que comprometerse al unirse a ella, por más que contrastara con el mundo que había conocido hasta ahora. Los guerreros tenían un código común en cada misión, el compromiso de que si un equipo había salido junto debía también regresar completo, y ningún hombre podía dejarse atrás.

Ni siquiera si eso suponía renunciar a la captura de un enemigo.

—Conozco a Murdock —dijo Chase, llevándose el dorso de la mano a la barbilla para limpiarse la sangre que le resbalaba por la piel—. Sé dónde vive y los lugares por donde le gusta dejarse caer. No me llevará mucho tiempo encontrarlo...

—Tú no harás una mierda —lo interrumpió Lucan—. Te retiro de esta misión. Hasta nueva orden, cualquier contacto con la Agencia pasará a través de mí. Gideon sacará a la luz todo lo que necesitemos saber sobre las propiedades de Murdock y sus hábitos personales. Si crees que tienes algo más útil que añadir, dirígete a Gideon. Yo decidiré cómo y cuándo... y yo decidiré quién es el mejor candidato para ir tras ese gilipollas de Murdock.

—Como quieras. —Los ojos azules de Chase brillaban oscuros bajo sus cejas. Comenzó a alejarse.

Lucan volvió ligeramente la cabeza, con la voz grave y distante como el sonido de un trueno.

—No he dicho que hayamos acabado.

Chase se mofó.

—Parece que lo tienes todo bajo control, ¿para qué me quieres aquí?

—Eso es algo que me he estado preguntando toda la noche —respondió Lucan al cabo de un momento—. ¿Para qué mierdas te necesito?

Chase murmuró algo en voz baja y hosca a modo de respuesta. Dio otro paso y de pronto Lucan se hallaba junto a él, tras moverse con tanta rapidez que ni siquiera Cazador lo habría podido seguir. Empujó a Chase con una buena dosis de la fuerza propia de un vampiro de la primera generación y lo hizo volar hasta el otro extremo de la pared del pasillo.

Chase se puso en pie soltando un insulto. Sus ojos ardían como carbones encendidos, y cargó hacia delante soltando un gruñido y mostrando los colmillos.

Esta vez fue Cazador el más rápido en moverse.

Interceptó la amenaza al líder de la Orden —su líder—, colocándose entre los dos vampiros, aferrando con la mano la garganta de Chase.

—Cálmate, guerrero —advirtió a su compañero de armas.

Era la única advertencia que Cazador podía permitirse. Si Chase hubiera dado la menor señal de llevar más lejos su agresión, Cazador no tendría otra alternativa que la de machacarlo en la lucha.

Apretando los dientes y los colmillos, Chase sostuvo la mirada con un denso silencio interrogante. Cazador sintió una ráfaga de movimiento en el corredor tras él. Oyó el grito ahogado de una mujer… apenas una ráfaga de aire saliendo por unos labios apenas separados.

La mirada de Chase se movió en esa dirección y algo de su tensión furiosa lo abandonó. Mientras se relajaba, Cazador lo soltó y se apartó unos pasos.

—¿Qué está pasando aquí, Lucan?

Cazador se volvió, junto con los otros guerreros, para ver a Gabrielle, la compañera de Lucan, allí de pie junto a otras dos mujeres. Cazador conocía a la mujer menuda de cabello rubio y ojos lavanda. Era Elise, la compañera de Tegan, la misma que había ahogado un grito y aún tenía la mano apoyada en los labios.

—Yo me largo de aquí —murmuró Chase, notablemente contenido al pasar junto a Cazador y los otros para dirigirse a sus habitaciones.

Cazador apenas notó la partida del guerrero.

Su atención estaba enfocada en la tercera mujer que había de pie en el corredor. Menuda y de tez blanca tras una larga cortina de cabello negro como el ébano que ocultaba parcialmente su rostro, lo tenía totalmente paralizado en aquel momento. No podía apartar la vista de sus grandes ojos azul verdosos delicadamente almendrados por ambos extremos. Era difícil definir su color específico y no lo intentó, en lugar de eso estaba decidido a descubrir por qué encontraba su presencia tan llamativa.

—¿Va todo bien? —preguntó Gabrielle, moviéndose hacia Lucan con evidente preocupación.

—Sí —respondió él—. Ya está todo bien.

Cazador se acercó a la mujer desconocida, sin ser consciente de que sus pies se estaban moviendo hasta que no se halló de repente junto a ella. Ella alzó entonces la vista, levantando el perfecto óvalo de su rostro hasta que sus ojos abandonaron las manchas de sangre de su ropa y miraron por fin directamente a los de él.

Ella para Cazador era una desconocida, y, sin embargo, le resultaba extrañamente familiar.

Ladeó la cabeza, tratando de entender aquella sensación de haberla visto antes. Soltó de repente el pensamiento que le venía a la cabeza.

—¿Te conozco…?

Gabrielle se aclaró la garganta y se acercó como si quisiera proteger a la mujer.

—Corinne, este es Cazador. Es un miembro de la Orden. Saluda, Cazador.

Él gruñó un saludo pero siguió mirándola fijamente.

—Te vi la noche del rescate —dijo ella con tranquilidad—. Eras uno de los guerreros que nos llevaron a mí y a las demás al Refugio Oscuro de Claire y de Andreas.

Así que ella era una de las prisioneras que Dragos retenía. Supuso que eso tenía sentido. Asintió vagamente, con su curiosidad algo más satisfecha. Pero no la había visto en Rhode Island, de eso estaba casi seguro. Tenía la certeza de que recordaría aquel rostro, esos ojos luminiscentes.

—Me temo que todavía no tenemos un tiempo estimado de la llegada de Brock y Jenna —dijo Gideon a la bella mujer de cabello oscuro—. El informe meteorológico de Alaska no mejorará como mínimo hasta dentro de otros tres días.

—¿Tres días más? —En la suave frente de Corinne se formó una pequeña arruga—. Realmente necesito volver a casa. Necesito estar con mi familia.

Lucan soltó un suspiro.

—Es comprensible. Puesto que Brock está ahora a miles de kilómetros y un par de ventiscas lo separan de Boston en este momento, otra persona podría llevarte…

—Yo la llevaré. —Cazador sintió la mirada de Lucan clavada en él en el mismo momento en que las palabras salieron de su boca. Entonces Cazador lo miró a los ojos y asintió con firmeza—. Me aseguraré de que llegue a casa a salvo junto a su familia.

Parecía una tarea simple que cumplir y, sin embargo, todo el mundo quedó sumido en un repentino y largo silencio. La más afectada parecía la propia Corinne. Lo miró muda y fijamente, y por un segundo él se preguntó si iba a rechazar su oferta.

—Te llevará unas catorce horas en coche —dijo Gideon—. Un par de días en total, ya que solo podrás viajar por la noche. Si salís ahora no podrás recorrer más de doscientos kilómetros antes de que comience a salir el sol. Quizás podría conseguir uno de nuestros aviones corporativos y tenerlo listo para mañana cuando se ponga el sol. Un par de horas de vuelo y estaréis allí.

Lucan lo miró fijamente y luego asintió.

—Cuanto antes mejor. Te necesitaré de vuelta para patrullar mañana por la noche.

—Dalo por hecho —respondió Cazador.

Capítulo cuatro

Chase estaba sentado en cuclillas a solas en la oscuridad, en un rincón oscuro de la pequeña capilla del recinto. No sabía por qué sus botas lo habían llevado hasta ahí, hasta aquel santuario silencioso iluminado con velas en lugar de hasta sus habitaciones personales al otro lado del corredor. Nunca había sido de los que buscan consuelo o perdón en un poder más alto, y Dios sabía que estaba muy lejos de ser capaz de ponerse a rezar.

Estaba condenadamente seguro de que no había para él ninguna esperanza de absolución. No desde arriba, y tampoco por parte de Lucan ni de sus otros hermanos de la Orden. Ni siquiera él mismo era capaz de perdonarse.

En lugar de eso nutría su propia furia. Daba la bienvenida a la agonía de sus heridas, el fiero beso de profundo dolor que lo hacía sentirse vivo. Era la única cosa que por lo menos le hacía sentir algo. Y al igual que un yonqui, perseguía esa sensación sin tregua, con urgencia desesperada.

Era mejor que la alternativa.

El dolor era oscuro, un dolor retorcido y malvado que lo salvaba del ansia de otra amante mucho más peligrosa.

Sin dolor, lo único que tenía era hambre.

Y sabía adónde conducía eso, por supuesto.

Su intelecto no estaba tan perdido como su cuerpo o su alma; la razón le decía que algún día esa horrible comezón lo mataría. Había algunas noches, cada vez más últimamente, que simplemente ya no le importaba.

—Sterling, ¿estás ahí?

Al oír la voz femenina le dio un vuelco el corazón, exigiendo toda su atención tal como había ocurrido en el corredor junto al ascensor unos minutos antes. Ladeó la cabeza para escuchar sus movimientos, aunque el adicto que había en él ansiara la soledad de las sombras que lo mantenían oculto.

Convocó en torno a él esas sombras, haciendo uso del don personal de la estirpe, su talento para reunir a su alrededor la oscuridad. Fue una lucha recurrir a su don, y más todavía perseverar. Abandonó al cabo de un momento, dejando escapar un insulto mientras las sombras se dispersaban.

—¿Sterling? —lo llamó Elise suavemente en la capilla.

Entró con pasos cuidadosos, como si no se sintiera del todo a salvo con él. Una mujer inteligente. Sin embargo, no se detuvo ni se dio la vuelta para marcharse como a él le hubiese gustado.

—Acabo de ir a tus habitaciones, así que sé que no estás allí. —Soltó un suspiro que sonó confundido y bastante triste—. Puedes ocultarte de mi vista, pero siento tu presencia aquí. ¿Por qué no me respondes?

—Porque no tengo nada que decirte.

Palabras duras. Y totalmente inmerecidas, especialmente para la mujer que era la compañera de Tegan desde hacía un año y que mucho antes había sido la viuda del propio hermano de Chase. Quentin Chase se había sentido bendecido cuando Elise lo escogió por compañero, y no tenía ni idea de que su hermano menor codiciaba en secreto y vergonzosamente la felicidad que Quent y Elise habían conocido.

Al menos ya no tenía que soportar aquel deseo involuntario.

Había logrado superar esa fijación. Había cierta nobleza en él que quería creer que había sido capaz de superar su deseo por Elise porque ella había entregado su corazón a otro de sus hermanos… un hermano de armas que sería capaz de matar por ella, de morir por ella, tal como él haría.

El amor de Tegan y de Elise era indestructible, y aunque Chase jamás se hubiera permitido a sí mismo ponerlo a prueba, la simple verdad era que su sed de dolor había reemplazado a Elise como primer objeto de su obsesión.

Sin embargo, todavía se sorprendía conteniendo la respiración mientras ella se adentraba en la capilla para encontrarlo encorvado en el último rincón, con la espalda apoyada en el ángulo de las paredes de piedra.

En silencio, recorrió la corta distancia entre las dos columnas de bancos de madera de la iglesia. Se sentó en el que estaba más cerca del lugar donde se hallaba Chase encogido en el suelo. Se sentó en el borde y se limitó a contemplarlo. Él no tenía que levantar la vista para saber que su bonito rostro tendría grabada una expresión de decepción. Probablemente también de lástima.

—Tal vez no me has entendido —dijo él, poco menos que con un gruñido—. No quiero hablar contigo, Elise. Deberías marcharte ahora mismo.

—¿Por qué? —preguntó ella, sin moverse de donde estaba sentada—. ¿Para que sigas tan taciturno en privado? Quentin se quedaría horrorizado si te viera así. Estaría avergonzado.

Chase gruñó.

—Mi hermano está muerto.

—Sí, Sterling. Murió mientras cumplía con su deber en la Agencia de la Ley. Murió noblemente, haciendo todo lo que pudo por convertir este mundo en un lugar más seguro. ¿Puedes decir con honestidad que eso es lo que estás haciendo tú?

—Yo no soy Quent.

—No —dijo ella—. No lo eres. Él era un hombre extraordinario, un hombre valiente. Tú podrías ser incluso mejor que él, Sterling. Podrías ser alguien mucho mejor que el hombre que ahora tengo delante de mí. Ya sabes, he oído cómo te tomas las misiones últimamente. Te he visto volver así demasiadas veces, destrozado y colérico. Completamente lleno de rabia.

Chase se enderezó y se apartó de ella unos pasos, más que dispuesto a poner fin a la conversación.

—Lo que yo haga es asunto mío. No es nada que te concierna.

—Ya veo —respondió ella. Se levantó del banco para acercarse. Frunció el ceño y cruzó sus delgados brazos sobre el pecho—. Te gustaría que todo el mundo a quien le importas simplemente te deje ahí a solas con tu dolor, ¿es eso? ¿Quieres que yo y todos los demás te dejemos sentado en un rincón oscuro compadeciéndote de ti mismo.

Él soltó una risa burlona y la miró con rabia.

—¿Tengo pinta de compadecerme de mí mismo?

—Pareces un animal —respondió ella, en voz baja pero no tanto como para que él pudiera creer que tenía miedo—. Estás actuando como un animal, Sterling. Últimamente te miro y me siento como si ya no te conociera.

Él le sostuvo esa mirada confundida.

—Nunca me has conocido, Elise.

—Una vez fuimos familia —le recordó ella con suavidad—. Creí que éramos amigos.

—No era amistad lo que yo quería de ti —respondió él llanamente, dejando que ella asimilara lo que no había tenido el valor de reconocer hasta ahora. Cuando Elise dio un paso receloso en dirección al pasillo, el soltó una risa satisfecha—. Eres libre para huir, Elise.

Ella no huyó.

Ese único paso atrás fue lo único que se permitió. La compañera de Tegan ya no era aquella niña abandonada que se había prometido con Quentin Chase. Era una mujer fuerte, que había atravesado su propio infierno y no se había quebrado. No iba a quebrarse ahora por Chase, por mucha que fuera la fuerza que él empleara en sacarla de su vida.

Como para ponerse a sí mismo a prueba él acortó la distancia entre ambos.

Estaba sucio y lleno de sangre; incluso a él le costaba soportar su propio hedor. Pero a pesar de los escasos centímetros que ahora lo separaban de la inmaculada belleza de Elise, ella no se apartó. Su expresión era de tristeza y expectación, incluso antes de que él abriera la boca para decir las palabras que lo liberarían del frágil lazo que lo unía a su pasado.

—Lo único que he querido de ti, Elise, era abrirte las piernas y...

Ella lo abofeteó con fuerza, con un golpe sólido cuyo eco retumbó en la silenciosa capilla. Sus claros ojos púrpura brillaban a la luz de las velas, inundados de lágrimas.

No dejó que cayera ni una, no por él.

Probablemente jamás lo haría, a juzgar por la mirada herida que mantuvo fija en él.

Chase se apartó, dio un paso atrás completamente pasmado, con la marca de su mano todavía en la piel. Se llevó los dedos a la mejilla, que le dolía.

Luego, sin decir ni una palabra más ni dedicar un solo pensamiento a lo que tenía delante, se apartó de la mirada acusadora de Elise, huyendo por las escaleras de la capilla para adentrarse en la noche invernal, usando toda la velocidad que sus genes de la estirpe podían proporcionarle.

Corinne estaba de pie junto al borde de la terraza de mármol con vistas al patio trasero, cubierto de nieve, en la finca de la Orden. Sola por un momento mientras Gabrielle entraba en la mansión en busca de abrigos, echó la cabeza hacia atrás para inspirar profundamente el frío aire de diciembre. El cielo invernal estaba oscuro y cubierto de nubes, un mar insondable de azul medianoche salpicado de relucientes estrellas.

¿Cuánto tiempo llevaba sin oler el fresco aroma levemente ahumado de la brisa de invierno?

¿Cuánto tiempo llevaba sin sentir el aire frío en sus mejillas?

Las décadas de prisión habían transcurrido lentamente al principio, durante aquellos días en que estaba decidida a luchar cada segundo como si pudiera ser el último. Después de un tiempo, se dio cuenta de que no era su muerte lo que su captor quería. Para sus propósitos la necesitaba con vida, aunque fuera débil. Fue entonces cuando dejó de contar, dejó de luchar, y su noción del tiempo se había hecho borrosa como una única noche interminable.

Y ahora era libre.

Mañana estaría en casa con su familia.

Mañana su vida comenzaría de nuevo y sería una nueva persona. Había sobrevivido, pero en su corazón se preguntaba si podría volver a estar entera. Le habían arrebatado tanto. Algunas cosas que nunca podría recuperar.

Y otras...

Tendría tiempo más tarde para lamentar todas las cosas que había perdido por la maldad de Dragos.

Cerró los ojos e inspiró de nuevo una purificadora bocanada del vigorizante aire nocturno. Al expulsarlo, el sonido de una risa infantil la hizo sobresaltarse.

Al principio creyó que era solo un truco de su mente, uno

de los numerosos juegos crueles que le deparaba la oscuridad mientras estuvo cautiva. Pero el delicioso sonido se oyó de nuevo, traído por la brisa desde algún lugar cercano del vasto jardín.

Era la risa de una niña, tal vez de ocho o nueve años, pensó Corinne al verla corretear felizmente con la nieve hasta las pantorrillas, como un muñeco de nieve rosa enfundado en su gruesa parka y unos pantalones a juego.

Detrás de ella, apenas a unos pocos pasos, trotaban un par de perros totalmente distintos, sin correas y con las lenguas colgando felices de sus bocas mientras la perseguían. Corinne no pudo menos que sonreír al ver al pequeño y regordete *terrier* que trataba desesperadamente de alcanzar al otro perro, mucho más grande y elegante. Por cada paso tranquilo del hermoso animal lobuno de pelo gris y blanco, el pequeño chucho ladraba y correteaba en su estela, y finalmente pasó a través de las largas patas de su compañero para ser el primero en alcanzar a la niña.

Ella chilló cuando el pequeño perro la abordó por los tobillos, ladrando alegremente mientras el segundo se acercaba a grandes zancadas moviendo la cola y comenzaba a lamer la cara de la niña.

—¡Ya está, ya está! —reía la pequeña—. *Luna, Harvard...* ¡Está bien, habéis ganado! ¡Me rindo!

Mientras la pareja de perros la dejaba para batallar y gruñir entre ellos, dos mujeres se acercaron caminando a través del campo nevado desde otra sección del jardín. Una de ellas lucía una evidente barriga de embarazada debajo de su ancho abrigo y caminaba a paso tranquilo junto a la otra, de apariencia atlética, con un par de correas en sus manos cubiertas con mitones.

—Pórtate bien, *Luna* —dijo al más grande de los perros. El animal respondió inmediatamente, abandonando a su compañero de juegos canino para acercarse corriendo y dibujar un pequeño círculo en torno a su evidente dueña.

—Esa es Alex —dijo Gabrielle, acercándose hasta el borde de la terraza donde estaba Corinne. Llevaba una abrigo de lana oscuro y le entregó a Corinne otro, que emanaba una leve fragancia a cedro y resultaba tan agradable como una cálida manta cuando Corinne se lo puso—. Alex es la compañera de Kade —continuó Gabrielle—. Estaba fuera con él cuando llegaste, por eso no habías tenido ocasión de conocerla.

—Pero la recuerdo —respondió Corinne, dejando que sus pensamientos volvieran al momento del rescate—. Ella y otras mujeres fueron quienes nos ayudaron a salir de las jaulas del sótano. Fueron las que nos encontraron.

Gabrielle asintió.

—Eso es verdad. Alex y Jenna estaban allí, junto con Dylan y Renata. Si Tess no estuviera a punto de explotar cualquier día de estos por el hijo de Dante, creo que también habría estado allí con ellas.

Corinne volvió a mirar el patio, donde se hallaban las dos mujeres saludándola con la mano. La niña rompió a reír otra vez, iniciando otra carrera mientras los perros la perseguían alegremente.

—Esa adorable gamberra de allí es Mira —dijo Gabrielle, sacudiendo la cabeza ante las payasadas de la niña—. Renata cuidaba de ella cuando las dos vivían en Montreal. Cuando ella y Nikolai se enamoraron el verano pasado, trajeron a Mira a vivir al recinto junto a ellos como una familia. —La compañera de Lucan estaba radiante cuando volvió a mirar a Corinne—. No sé a ti, pero a mí me gustan los finales felices.

—El mundo podría tener más finales de esos, sí —murmuró Corinne, reconfortada ante la buena fortuna de Mira al mismo tiempo que una especie de dolor frío abría una diminuta fisura en el centro de su ser. Trató de apartar esa sensación de vacío mientras Alex y Tess se acercaban por las escaleras de mármol de la terraza.

El aliento de Gabrielle quedó flotando en la oscuridad.

—¿No hace demasiado frío para que estés aquí, Tess?

—Es maravilloso —replicó la bella embarazada caminando como un pato junto a Alex. Tenía las mejillas sonrosadas dentro de la profunda capucha de su parka—. Te juro que si Dante intenta retenerme un solo día más dentro del recinto puede que no sobreviva para ver nacer a su hijo. —La amenaza quedaba completamente desvaída por sus danzantes ojos color aguamarina y su sonrisa luminosa. Extendió la mano cubierta con el mitón—. ¿Qué tal? Soy Tess.

Corinne estrechó brevemente la mano cubierta de lana cálida e hizo un gesto de saludo con la cabeza.

—Encantada de conocerte.

—Alex —dijo la otra compañera de sangre, ofreciéndole la mano junto con una sonrisa de bienvenida—. No puedes imaginar el alivio que representa para nosotras saber que tú y tus otras compañeras estáis ahora a salvo de Dragos, Corinne.

Ella asintió en respuesta.

—Yo también estoy muy agradecida, mucho más de lo que podría expresar con palabras.

—Y mañana por la noche Corinne estará de vuelta en su casa —añadió Gabrielle.

—¿Mañana? —Alex las miró sorprendida—. ¿Eso significa que Brock y Jenna ya están de vuelta de Alaska?

—Todavía siguen retenidos por la tormenta —respondió Gabrielle—. Pero Cazador se ha ofrecido voluntario para acompañar a Corinne hasta Detroit en lugar de Brock.

Durante el largo silencio que pareció cernirse sobre las mujeres de la Orden, Corinne revivió el momento en que aquel inmenso y siniestro guerrero había soltado la oferta de llevarla a casa. Ella desde luego no se lo esperaba. No le había parecido caritativo, ni siquiera la noche de su rescate, cuando él y otros guerreros de la Orden habían llevado a las cautivas liberadas hasta el Refugio Oscuro de Rhode Island.

Cazador difícilmente habría pasado desapercibido aquella noche. Con sus facciones cinceladas e intimidantes y sus dos metros de voluminosos músculos, era el tipo de hombre que dominaba cualquier habitación en la que entrara sin ni siquiera proponérselo. Mientras que las horas que siguieron al rescate estuvieron cargadas de emoción para todos los involucrados, Cazador había sido el único tranquilo y callado, que se había mantenido al margen limitándose a cumplir con sus tareas con estoica eficacia.

Más tarde aquella noche, una de las mujeres había contado que estuvo oyendo hablar a Andreas y a Claire en privado acerca de Cazador. Al parecer, no mucho tiempo atrás había sido un aliado de Dragos. Corinne no podía negar que había advertido el aire de peligro que envolvía al misterioso guerrero. No podía negar que la idea de estar cerca de él la ponía nerviosa, en aquel momento y también ahora.

No le costaba mucho recordar su aspecto en el recinto un rato antes, con su traje de combate manchado de sangre y el arsenal de terribles armas que llevaba alrededor de la cintura. Y aún le costó menos esfuerzo recordar sus llamativos ojos dorados, esa mirada de halcón que se clavó en ella desde el momento en que la vio.

Era incapaz de imaginar qué sería lo que había llamado tanto su atención. Lo único que sabía era que se había sentido atrapada por su mirada penetrante, escudriñada de una manera que la hacía sentirse a la vez viva y expuesta.

Incluso ahora sintió un hormigueo en la piel al recordar su presencia.

Tembló ante la sensación, a pesar de que no tenía frío con todas aquellas capas aislantes de abrigo. Sin embargo, trató de liberarse de esa sensación, frotándose los brazos con las manos para disipar el hormigueo cálido de sus terminaciones nerviosas.

—¡Cazador! —Sin previo aviso, la pequeña Mira abandonó su juego en la nieve y echó a correr hacia la terraza del patio—. ¡Cazador, ven con nosotras!

Corinne volvió la cabeza a la vez que las otras mujeres, siguiendo con la vista la excitada carrera de Mira hasta las puertas acristaladas que daban a la mansión que había tras ellas.

Cazador se hallaba de pie en el umbral de las puertas de vidrio.

Ya no iba con aquel siniestro atuendo que lo cubría de negro de la cabeza a los pies, sino que estaba recién duchado y llevaba unos vaqueros y una camisa blanca por fuera que insinuaba el elaborado diseño de dermoglifos que le cubría el pecho y el torso. Iba descalzo a pesar de la época del año, y el cabello rubio corto y húmedo le caía sobre la frente.

Y la estaba estudiando de nuevo… sí, la seguía estudiando. ¿Cuánto tiempo llevaría allí?

Corinne trató de apartar la vista de él, pero sus penetrantes ojos dorados no la soltaban. No desvió la mirada de Corinne para saludar a la niña que se acercaba hasta el último momento, cuando Mira se lanzó vertiginosamente a sus fuertes brazos.

Él la levantó sin hacer ningún esfuerzo y la sostuvo en lo alto entre su codo izquierdo, escuchándola mientras la niña charlaba animadamente acerca de las aventuras del día. Corinne apenas podía oír lo que decía, pero era evidente que reconfortaba a la niña, hablándole en voz baja y con tono indulgente.

Durante el breve momento en que conversó con ella, algo ocurrió en su rostro, normalmente inexpresivo. Algo que lo hizo quedarse luego muy quieto. Lanzó otra mirada en dirección a Corinne, una mirada prolongada que pareció atravesarla, antes de dejar lentamente a la niña en el suelo. Luego echó a andar, volviendo a entrar en el recinto.

Aún después de que se hubiera marchado, después de que Mira estuviera de vuelta jugando con los perros en el patio lleno de nieve y las otras compañeras de sangre hubieran retomado su conversación, Corinne podía sentir el inquietante calor de los ojos de Cazador puestos en ella.

Había visto el rostro de Corinne Bishop antes en alguna parte.

No durante el rescate de las celdas de Dragos. Y tampoco en el Refugio Oscuro de Rhode Island, donde fueron conducidas ella y las otras prisioneras para procurarles refugio y protección.

No, él había visto a esa mujer muchos meses antes de ese hecho; ahora estaba seguro.

Darse cuenta de eso había sido como un golpe físico un momento antes, cuando sostenía en sus brazos a la pequeña Mira y la observó. Un solo atisbo a los ojos de aquella niña inocente le había bastado… los ojos de la joven compañera de sangre tenían el poder de reflejar el futuro.

Aunque las lentes de contacto especiales que ahora llevaba ocultaban el don de Mira, como había ocurrido esa noche, meses atrás, cuando Cazador se había mirado sin querer en ese espejo había visto a una mujer que imploraba misericordia, rogándole que no fuera el asesino que por nacimiento era.

En esa visión, había tratado de retener su mano, pidiéndole desesperadamente que perdonara una vida… solo una y solo por ella.

«Suéltalo, Cazador...»

«Por favor, te lo ruego... ¡no lo hagas!»

«¿No puedes entenderlo? ¡Yo le amo! Significa todo para mí...»

«Suéltalo... ¡tienes que dejarle vivir!»

En la visión, la expresión de la mujer se había quebrado al comprobar que él no se dejaba persuadir, ni siquiera por ella. En la visión, la mujer había gritado con el corazón partido por la angustia un instante después de que Cazador se deshiciera del brazo con que ella lo agarraba para dar el golpe final.

Esa mujer era Corinne Bishop.

Capítulo cinco

Su nombre de pila era Dragos, igual que el de su padre, aunque eran pocos los que lo conocían por ese nombre.

Solo un puñado de sus necesarios socios, sus tenientes en esa guerra de su propia invención, estaban al tanto de su verdadero nombre y sus orígenes. Por supuesto, ahora sus enemigos también lo sabían. Lucan Thorne y sus guerreros de la Orden lo habían expuesto, haciéndolo caer más de una vez. Sin embargo, todavía no habían ganado.

Y no lo lograrían, se dijo a sí mismo mientras caminaba arriba y abajo por el estudio decorado con muebles y paneles en madera de nogal de su finca privada.

Al otro lado de las ventanas herméticamente cerradas que impedían el paso de la escasa luz del mediodía aullaba una tormenta invernal. El viento y la nieve soplaban en ráfagas del Atlántico, golpeando el vidrio y sacudiendo las tejas mientras se colaba por las escarpadas rocas de la isla que le servía de guarida. Los altos árboles de hoja perenne que rodeaban la finca silbaban y gemían cuando el vendaval golpeaba al oeste, encaminándose al continente, solo a unos pocos kilómetros de distancia del peñasco aislado que él ahora llamaba su hogar.

Dragos se deleitaba con la furia de la tormenta que rugía fuera. Sentía una tempestad similar ardiendo en su interior cada vez que pensaba en la Orden y en los ataques que habían lanzado contra su operación. Quería que la Orden sintiera el látigo de su ira, que supieran que él se cobraría su venganza… lo haría muy pronto… de una manera sangrienta y completa. No perdonaría nada, no concedería misericordia.

Todavía estaba rumiando sobre los planes que tenía para

Lucan y su hasta ahora inquebrantable recinto secreto de Boston, cuando alguien golpeó educadamente la puerta de su estudio.

—¿Qué pasa? —ladró, con tanto mal humor como poca paciencia.

Una de sus secuaces abrió la puerta. Era joven y bonita, con su cabello rubio rojizo y un rostro ingenuo de piel color melocotón. La había encontrado sirviendo mesas en una tasca de pescadores un par de semanas atrás y había decidido que sería divertido llevarla a su guarida.

Y efectivamente así había sido.

Dragos se había alimentado de su sangre detrás de un restaurante junto a un contenedor que apestaba a vísceras de pescado y escabeche. Al principio ella había luchado, arañándole la cara y golpeándolo momentos antes de que él mordiera su delicada garganta. Había dejado escapar un grito y trató de darle una patada entre las piernas.

Él la violó para vengarse de eso, brutalmente, repetidamente, y con placer. Luego le chupó la sangre hasta el punto de casi matarla y la convirtió en lo que era ahora: su secuaz, abnegada, devota, totalmente esclavizada. Ya no se le resistía ante nada que le exigiera, por más depravado que fuera.

La chica entró en su estudio con una recatada inclinación de cabeza.

—Ha llegado esta mañana esta carta del continente, amo.

—Excelente —murmuró él, observándola mientras se acercaba con un puñado de sobres y los colocaba en el gran escritorio que había en el centro de la imponente habitación.

Cuando ella se volvió para mirarlo, su expresión era sosa pero receptiva, el sello distintivo de un secuaz a la espera de instrucciones de su amo. Si le pidiera que se pusiera de rodillas y se la chupara allí mismo, ella lo haría sin la más mínima vacilación. Y respondería con la misma obediencia si le dijera que cogiera el abridor de cartas y se rebanara la garganta de un tajo.

Dragos ladeó la cabeza y la examinó, preguntándose cuál de las dos escenas lo divertiría más. Estaba a punto de decidirse por una cuando sus ojos repararon en un gran sobre apergaminado colocado encima del fajo de correspondencia que había sobre el escritorio. La dirección de Boston, con caligrafía escrita a mano, le llamó la atención.

Echó a la secuaz con un gesto de la muñeca.

Se sentó en la silla acolchada revestida en cuero de su escritorio mientras la chica abandonaba el estudio en silencio, cogió el sobre blanco y sonrió, rozando con los dedos la caligrafía con la que estaba escrito el alias que había estado empleando últimamente entre sus círculos de humanos.

Dragos había asumido tantas identidades falsas a lo largo de los siglos de existencia, tanto entre los de la estirpe como entre los humanos, que ya no se preocupaba por ninguna. Ya no importaban; el tiempo de ocultar quién era y de qué era capaz ya casi había tocado fin. Estaba muy cerca ahora. No importaba la reciente interferencia de la Orden. Sus esfuerzos por boicotearlo eran insignificantes, y además habían llegado demasiado tarde.

La fiesta anunciada por su parte era tan solo un paso más para acercarse al triunfo. Había estado cortejando al senador junior de Massachusetts durante la mayor parte del año, siguiendo cada movimiento del ambicioso joven político y asegurándose de que los bolsillos del senador para la campaña estuvieran más que llenos.

El humano pensaba que estaba destinado a la gloria, y Dragos estaba haciendo todo lo que podía para que ascendiera lo más alto y rápidamente posible. Directo a la Casa Blanca, si fuera por él.

Dragos abrió el sobre y examinó los detalles de la invitación. Era un evento exclusivo, una cena lujosa y de recaudación de fondos para los corredores de poder colegas del senador, por no mencionar sus compañeros contribuidores, de lo más influenciables y de lo más generosos. No se perdería esa fiesta por nada del mundo. De hecho, apenas podía esperar.

Dentro de unas pocas noches la balanza se inclinaría hasta tal punto a su favor que nadie sería capaz de impedirle ver su ambición cumplida. Desde luego no los humanos. No tendrían ni la menor pista hasta el final, justo como él pretendía.

La Orden tampoco sería capaz de detenerlo. De eso ahora estaba seguro, tras haber enviado a uno de sus secuaces a recuperar las armas especiales que necesitaba para combatir con

Lucan y sus guerreros en su nuevo estilo de conflicto armado y asegurarse de que nadie en la Orden quedara en pie para volver a interponerse en su camino.

Al dejar la invitación del senador de nuevo en su escritorio, su ordenador portátil sonó avisando que había entrado un nuevo correo electrónico de un servidor libre no rastreable. Justo a tiempo, pensó Dragos, mientras abría el informe de su secuaz en el campo. El mensaje era simple y sucinto, justo lo que se esperaba de un antiguo soldado militar.

Recursos localizados.
Contacto inicial con éxito.
Avanzando para la recuperación según los planes.

No era necesario responder. El secuaz sabía los objetivos de su misión, y por motivos de seguridad la dirección de correo electrónico ya habría sido desactivada al otro extremo. Dragos borró el mensaje y se reclinó en su silla.

Fuera, la borrasca invernal continuaba con sus ráfagas violentas. Se recostó y cerró los ojos, escuchando su furia en un estado de calma satisfecha, contento al comprobar que todas las piezas de su plan estaban por fin en su sitio.

Su nombre era Dragos, y pronto cada hombre, cada mujer y cada niño se inclinarían ante él como su gobernante y rey.

Todo había cambiado.

Ese era el pensamiento que había estado tamborileando en la cabeza de Corinne desde el momento en que ella y Cazador llegaron a Detroit la noche siguiente.

Las décadas de prisión en los laboratorios de Dragos le habían impedido adaptarse a los innumerables cambios y avances del mundo que un día había conocido, desde la forma de vestir y de hablar de la gente hasta la manera en que vivían, trabajaban y viajaban. Desde el momento de su liberación, Corinne se había sentido como errante en otro plano de la realidad, una extraña perdida en un extraño mundo futuro.

Pero nada había calado tan hondo en ella como la sensación que tuvo desde que salió del aeropuerto con Cazador en un coche proporcionado por la Orden y emprendieron la marcha hacia el Refugio Oscuro de sus padres. La vibrante ciudad que recordaba ya no existía. Junto al río, lo que antes era terreno abierto estaba ahora lleno de edificios: algunos agradablemente modernos, con luces brillantes en las altas oficinas; otras estructuras parecían llevar mucho tiempo vacías, abandonadas y estropeadas. Solo había un puñado de personas caminando por las calles, arrastrando los pies a paso rápido por la avenida principal, ignorando las zonas abandonadas.

Incluso en la oscuridad, el contraste del paisaje de Detroit era chocante, increíble. Bloque tras bloque, parecía como si el progreso que había sonreído a una parcela de tierra le fuera negado a la otra.

Ella no se dio cuenta de lo preocupada que estaba hasta que Cazador detuvo el enorme sedán negro frente al Refugio Oscuro que antes llamaba hogar y ahora aparecía iluminado por la luna.

—Dios mío —susurró mientras el alivio la envolvía—. Ya estoy aquí. Por fin estoy en casa…

Pero incluso el Refugio Oscuro tenía un aspecto distinto al que ella recordaba. Corinne soltó el cinturón que la confinaba en el asiento, ahora ansiosa y más que dispuesta a liberarse de la incómoda restricción que Cazador había insistido que llevara puesta durante el trayecto. Se inclinó hacia delante, escudriñando en la oscuridad a través de la ventanilla ahumada. Dejó escapar un suspiro al contemplar las pesadas rejas de hierro de la entrada y la verja que envolvía todo el perímetro. Nada de eso existía antes en su casa.

¿Era simplemente un signo de los tiempos peligrosos que corrían en la ciudad, o acaso su desaparición había hecho sentir a su padre tan vulnerable que se había parapetado junto a su familia en una prisión construida por ellos mismos? Fuera cual fuera la causa, la culpa y la tristeza acongojaron su corazón al ver la deslucida barrera que rodeaba aquellos parajes en otro tiempo pacíficos.

Más allá de aquella entrada que parecía una fortaleza, se alzaba la señorial mansión de ladrillo rojo cuyas numerosas ventanas con cortinas brillaban con luz tenue a lo largo de la calle adoquinada. Los altos robles que flanqueaban el camino habían crecido y se habían ensanchado durante su ausencia, y sus ramas desnudas se alzaban sobre el pavimento como un toldo de brazos que servían de refugio. Más adelante, en medio del césped que se extendía frente a la enorme casa de inspiración griega, la fuente de piedra caliza y la piscina donde ella y su joven hermana adoptada, Charlotte, solían jugar al calor del verano cuando eran pequeñas habían sido en algún momento reemplazadas por rocas decorativas y una colección de arbustos podados con distintas formas.

Qué vastos le habían parecido esos terrenos cuando vivía allí de niña. Qué mágico le había parecido por entonces aquel mundo privado y especial.

Qué terrible que se lo hubieran arrebatado apenas unos pocos años después, cuando era una joven obstinada a la que no le parecía ir lo bastante lejos ni lo bastante rápido.

Ahora quería regresar dentro con una necesidad que se parecía mucho a la desesperación.

Corinne se llevó los dedos a la boca, reprimiendo un pequeño sollozo en el fondo de su garganta.

—No puedo creer que esté de verdad aquí. No puedo creer que esté en casa.

Un impulso la había hecho agarrar el pomo de la puerta, ignorando el gruñido que dio su compañero, sentado junto a ella. Corinne salió del vehículo y dio unos pasos por el camino privado hacia la verja de hierro. Una ráfaga de aire frío sopló a través del paisaje nevado frente a ella, helándole la cara y obligándola a hundirse un poco más dentro de su grueso abrigo de lana.

A su espalda, sintió un repentino calor y supo que Cazador estaba allí. Ni siquiera lo había oído salir del coche, de tan furtivamente como se movió. Su voz detrás de ella sonó grave y profunda.

—Deberías quedarte en el coche hasta ser entregada sana y salva a la puerta.

Corinne se apartó de él y avanzó hacia las altas rejas negras de la entrada.

—¿Sabes cuánto tiempo llevo fuera? —murmuró. Cazador no respondió, solo permaneció detrás en silencio. Ella cerró los dedos alrededor del frío hierro, exhalando un soplo de vapor al soltar una risa relajada—. El verano pasado hizo setenta y cinco años. ¿Puedes imaginarlo? Esa es la cantidad de vida que me fue robada. Mi familia está allí en esa casa… todos piensan que estoy muerta.

Le dolió pensar en el dolor que sus padres y sus hermanos habrían sufrido a causa de su desaparición. Durante algún tiempo después de haber sido raptada, a Corinne le había preocupado mucho cómo saldría adelante su familia. Durante mucho tiempo se aferró a la esperanza de que la continuaran buscando… la esperanza de que no se detendrían hasta dar con ella, en especial su padre. Después de todo, Victor Bishop era un hombre poderoso en la sociedad de la estirpe. Por entonces era rico y tenía muchos contactos. Tenía todos los medios a su disposición, ¿por qué entonces no había removido toda la ciudad hasta que su hija fuese encontrada y traída sana y salva a casa?

Era una pregunta que la había carcomido durante cada hora de su cautiverio. Lo que no sabía entonces era que su raptor se las había ingeniado para convencer a su familia y a todos sus conocidos de que estaba muerta. Brock, que había sido su guardaespaldas desde niña mucho antes de convertirse en guerrero de la Orden, la había llevado a un lado después de su rescate y le había explicado todo lo que sabía sobre su desaparición. Aunque intentó ser delicado al contarlo, no podía pasar por alto los espantosos detalles de lo que Brock le había revelado.

—Unos meses después de mi secuestro, el cuerpo de una mujer fue hallado en el río no muy lejos de aquí —le dijo a Cazador en voz baja, asqueada por lo que sabía—. Era de mi misma edad, el mismo peso y la misma constitución. Alguien la había vestido con mi ropa, con el mismo vestido que yo llevaba la noche en que fui raptada. También le hicieron algo más. Su cuerpo…

—La mujer había sido mutilada —intervino Cazador cuando la aversión la obligó a tomar aliento. Ella lo miró con expresión interrogante. Él le devolvió una mirada flemática—. Brock ha hablado de tu desaparición. Estoy al tanto de que el cuerpo había sido manipulado en un intento de ocultar la identidad de la víctima.

—Manipulado —replicó Corinne. Dejó caer la barbilla, frunciendo el ceño al tiempo que se miraba la mano derecha, esa que llevaba la marca distintiva de nacimiento—. Para convencer a mi familia de que la mujer muerta era yo, el asesino o los asesinos le cortaron las manos y los pies. También le arrancaron la cabeza.

La bilis se agolpó en su estómago al considerar la crueldad, la horrible depravación que suponía hacerle eso a una persona.

Por supuesto, las cosas que Dragos les había hecho a ella y a las otras compañeras de sangre prisioneras en sus laboratorios habían sido ligeramente menos atroces. Corinne cerró los ojos con fuerza ante la descarga de emociones que voló hacia ella como los murciélagos en la oscuridad: las celdas de cemento de Dragos. Frías mesas de acero equipadas con argollas de grueso cuero de las que era imposible escapar. Había habido muchas agujas y pruebas. Test y procedimientos. Dolor, furia y completa desesperanza.

Los terribles aullidos que rompían el alma de las que enloquecían, las que agonizaban y las que estaban a medio camino entre las dos cosas.

Y sangre.

Mucha sangre… suya y también esa que regularmente le obligaban a tomar a ella y a las otras mujeres para permanecer siempre jóvenes y servir como especímenes viables para los retorcidos propósitos de Dragos.

Corinne se estremeció, envolviendo sus brazos alrededor del profundo y frío vacío que ahora parecía soplar en su centro. Era un dolor hueco, el tipo de dolor que había estado tratando de mantener a raya durante mucho tiempo. Desde que la habían rescatado ese vacío solo se había hecho más grande.

—Hace frío —dijo su estoico compañero de Boston—. Deberías volver al vehículo hasta que yo pueda entregarte sana y salva a casa.

Ella asintió, pero sus pies permanecieron inmóviles. Ahora que estaba allí, ahora que había llegado el momento que había anhelado durante tanto tiempo, no estaba segura de tener el coraje suficiente para enfrentarse a él.

—Ellos creen que estoy muerta, Cazador. Durante todo este tiempo no he existido para ellos. ¿Y si me han olvidado?

¿Y si son más felices sin mí? —Las dudas la oprimieron—. Tal vez debería haber intentado contactar con ellos antes de salir de Boston. Tal vez venir aquí de esta manera no ha sido una buena idea.

Se dio la vuelta para enfrentarse a él, a la espera de encontrar algún consuelo, algún indicio de que sus miedos no tenían fundamento. Quería oírle decir que su repentino ataque de angustia no era más que eso... oírle decir algo reconfortante como lo que habría dicho Brock si estuviera ahora a su lado. Pero la expresión de Cazador era inescrutable. Sus dorados ojos de halcón la miraban fijamente, sin pestañear. Corinne dejó escapar la respiración.

—¿Qué harías tú si fuera tu familia la que está en esa casa, Cazador?

Un hombro musculoso se levantó ligeramente bajo el pesado abrigo de cuero negro.

—Yo no tengo familia.

Lo dijo con tanta naturalidad como el que señala que se está haciendo de noche. La constatación de una evidencia. Una que no invita a hacer preguntas y, sin embargo, le hacía desear saber más cosas de él. Era difícil imaginarlo de otra manera que no fuera la del serio y casi triste guerrero que había ante ella. Era difícil imaginarlo con el rostro suavemente redondeado de un niño en lugar de los afilados ángulos de sus mejillas y las líneas cuadradas e implacables de su mandíbula. Era imposible imaginarlo sin el traje negro de combate y el arsenal de cuchillos y armas que brillaban en los pliegues de su abrigo largo.

—Pero has de tener padres —le aguijoneó ella, ahora con curiosidad—. ¿Alguien debe de haberte criado, no?

—No hay nadie. —Apartó la mirada de ella, su mandíbula se puso tensa y sus ojos dorados se afilaron y endurecieron—. Nos han visto.

Tan pronto como lo hubo dicho los reflectores de seguridad montados alrededor de la finca se encendieron uno tras otro, iluminando el patio y el camino. El resplandor era cegador, y no se podía escapar. La angustia se filtró en la sangre de Corinne cuando media docena de hombres armados salieron de alguna parte detrás de las luces. Los guardias eran de la estirpe, por supuesto, y llegaron ante ella y Cazador tan rápidamente que Corinne apenas pudo seguirlos.

Cazador no tuvo ese problema.

Se colocó delante de ella en un instante, guiándola detrás de su espalda con firmeza y suavidad a la vez mientras se colocaba ya en postura de combate. No sacó ninguna de sus armas cuando los guardias de su padre cargaron contra la puerta con un aire de amenaza en los ojos y blandiendo grandes rifles negros, con los cañones apuntando ahora al pecho de Cazador.

Corinne no podía dejar de notar que, incluso sin armas en la mano, la sola presencia de Cazador parecía mantener a los guardias de su padre más que impresionados. Ninguno de los de su raza dudaría de que era de la estirpe, y a juzgar por las miradas cautelosas que se dirigieron al reparar en su traje de combate negro y sus armas letales, no tardaron más de un segundo en descubrir que era también un miembro de la Orden.

—Bajad las armas —dijo Cazador con una calma desconcertante que nunca había sonado tan letal—. No tengo intención de hacer daño a nadie.

—Esta es una propiedad privada —consiguió soltar uno de los guardias—. Nadie atraviesa esta verja sin ser anunciado.

Cazador ladeó la cabeza.

—Bajad esas armas.

Dos de ellos obedecieron como movidos por el instinto. Cuando otro comenzaba a bajar también su rifle, sonó un pitido de un aparato que llevaba al cuello. Una distante voz masculina salió de alguna parte.

—¿Qué demonios está pasando ahí fuera, Manson? ¡Informa de una vez!

—¡Oh, dios mío! —susurró Corinne. Reconoció la resonante voz de barítono en el instante en que la oyó, aunque estuviera teñida de una ira no acostumbrada. La esperanza se disparó en ella por oleadas, resquebrajando todos sus miedos e inseguridades que antes había tenido. Escudriñando desde detrás de Cazador, prácticamente gritó con alivio—: ¡Papi!

Los guardias no podían haberse mostrado más atónitos. Pero cuando ella trató de salir de detrás de Cazador y avanzar, uno de ellos la apuntó con el cañón de su rifle. Cazador quedó enfrentado contra la puerta en un segundo... incluso en menos que eso, pensó Corinne. Observó perpleja cómo el guerrero se colocaba frente a ella como un escudo vivo de músculos, huesos y pura intención letal.

No podía saber cómo había sido capaz de hacerse con el rifle del guardia sin el menor esfuerzo, pero en un momento el cañón de acero negro la estaba apuntando a ella y al momento siguiente estaba inclinado en un severo ángulo metido entre las rejas de hierro de la puerta. Cazador lanzó una mirada de advertencia al resto de los hombres de Bishop, y ninguno parecía con ganas de ponerlo a prueba.

La voz de Victor Bishop se oyó de nuevo a través del aparato de comunicación.

—¿Alguien quiere decirme qué demonios está pasando? ¿Quién está con vosotros?

Corinne ahora reconoció al guarda llamado Mason. Había formado parte del servicio de la casa de los Bishop durante tanto tiempo como ella podía recordar, un macho de la estirpe serio pero de buen corazón que se había hecho amigo de Brock y amaba el *jazz* casi tanto como ella. Por entonces, llevaba su pelo rubio cobrizo engominado. Ahora lo tenía más corto, como un gorro de brillo anaranjado que hacía que sus ojos parecieran aún más grandes.

—¿Señorita Corinne? —preguntó vacilante—. Pero... cómo... Quiero decir, Dios bendito... esto es... ¿de verdad eres tú?

Cuando ella asintió en silencio, una amplia sonrisa se dibujó en su cara. El guardia dejó escapar un taco por lo bajo mientras cogía el aparato de comunicación de la solapa de su abrigo y se lo acercaba a la boca.

—¿Señor Bishop? Aquí Mason. Estamos ante la puerta principal y... bueno, señor, no se lo va a creer, pero ahora mismo estoy contemplando un milagro.

Capítulo seis

*L*a mujer estaba a salvo y su trabajo estaba hecho. Eso es lo que Cazador se dijo cuando Corinne fue puesta en manos del servicio de seguridad de su padre. Los guardias inmediatamente le abrieron las puertas en medio de repetidas disculpas por el recibimiento inmerecidamente hostil que le habían hecho. Aquel que se llamaba Mason tenía los ojos húmedos al contemplarla, y la voz se le quebraba con emoción apenas contenida mientras se frotaba la cara con la mano y murmuraba su incredulidad al verla allí delante de él. Hizo un gesto con la mano a los guardias para que se adelantaran y envolvió con un brazo protector los delicados hombros de Corinne mientras la acompañaba por el camino de adoquines.

Cazador se quedó detrás de la verja, contemplándola avanzar hacia la mansión.

Había cumplido la tarea de entregarla sana y salva a casa, y eso lo hacía libre para volver al aeropuerto, donde lo esperaba el avión privado de la Orden que lo llevaría de vuelta a Boston. Dentro de un momento, Corinne Bishop estaría cómodamente instalada en el Refugio Oscuro de su familia, y él, al cabo de unas pocas horas, podría reanudar la tarea más urgente, que era perseguir a Dragos y al ejército de vampiros de la primera generación que lo servían.

Sin embargo, ahí estaba ese asunto de la visión de Mira…

Corinne se volvió a mirarlo mientras avanzaba por el camino con los guardias de su padre. La brisa fría agitaba su largo cabello negro, y algunos mechones azotaban sus mejillas pálidas y su frente. Separó los labios como si fuera a hablar, pero las palabras se perdieron, como una nube de aliento arrastrada por el viento. Ella continuaba mirándolo. Él sintió que esa prolongada mirada, como encantada, lo alcanzaba a través de la distancia, tan palpable como un contacto físico.

Al observar cómo Corinne Bishop se alejaba de él, vio también aquel rostro anegado en lágrimas y salvajemente desesperado que había visto en la visión premonitoria de Mira. Oyó su voz, preñada de miedo y angustia.

«Por favor, te lo ruego...»

«Le amo...»

«Tienes que dejarle vivir...»

Por debajo de la lógica que le recordaba que el don profético de la niña hasta ahora no había fallado nunca, algo raro agitaba a Cazador por dentro. Su parte cautelosa y estratégica le sugería que la visión era un rompecabezas que exigía ser resuelto. El asesino que había en él le recordaba que la premonición de Mira podía conducirlo hacia un enemigo que debía descubrir y destruir.

Pero había otra parte de él que miraba a Corinne Bishop en ese momento, con su tierna belleza y esa resistencia de acero que la había hecho salir del calabozo de Dragos con la cabeza bien alta, y no podía entender que él fuera quien la hiciera quebrarse en la visión de Mira.

Sentía un extraño respeto por ella, por lo que debía de haber sufrido en las manos de Dragos. Por muy raro que fuese para él, se dio cuenta de que no quería ser quien provocara en Corinne Bishop dolor y lágrimas.

Fue esa parte ilógica y demasiado humana la que lo hizo apartar la mirada de ella y volverse hacia el vehículo que lo esperaba en la carretera. Si se marchaba ahora, había muchas posibilidades de que no volviera a cruzarse en su camino con aquella mujer.

Regresaría a Boston, y la visión se desvanecería.

Mientras daba los primeros pasos, la puerta principal de la mansión se abrió de golpe y se oyó el gemido agudo de una mujer.

—¡Corinne! ¡Tengo que verla! ¡Quiero ver a mi hija!

Cazador se detuvo para mirar por encima del hombro a una atractiva mujer morena que salía corriendo de la casa. No se había detenido a coger abrigo, por lo visto había salido inmediatamente vestida tan solo con una blusa blanca de satén y una estrecha falda oscura. Sus zapatos de tacón alto provocaron un chasquido y patinaron cuando se lanzó hacia el camino de adoquines, sollozando mientras corría hacia los guardias y Corinne, a mitad del largo recorrido hasta la puerta de la mansión.

Corinne se separó de los demás y corrió a su encuentro.

—¡Mamá!

Las dos mujeres se dieron un intenso abrazo, ambas sollozando y riendo, apretándose con fuerza la una a la otra mientras susurraban apresuradas palabras interrumpidas por lágrimas de alegría.

Victor Bishop estaba solo a unos pasos de su aliviada compañera. El cabeza de familia del Refugio Oscuro salió en silencio, con el rostro pálido y lánguido a la luz de la luna y las cejas negras inclinadas sobre unos ojos oscuros que se abrían sin pestañear. Un sollozo ahogado se abrió paso en la garganta del macho de la estirpe.

—Corinne...

Ella alzó la mirada al oír su nombre, asintiendo mientras él se aproximaba a ella con cautela.

—De verdad soy yo, papá. ¡Oh, Dios... creí que nunca volvería a verte!

Cazador observaba el encuentro, escuchando como el conmocionado padre de Corinne trataba de encontrarle algún sentido a lo que estaba pasando.

—No entiendo cómo puede ser... —murmuró Bishop—. Has estado desaparecida tanto tiempo, Corinne. Estabas muerta...

—No —lo tranquilizó ella, deshaciéndose de su abrazo para hallarse con su mirada estupefacta—. Me raptaron esa noche. Os hicieron creer que estaba muerta, pero no lo estaba. Durante todo este tiempo he estado retenida. Pero nada de eso importa ahora. Estoy tan contenta de estar de nuevo en casa. Nunca creí que volvería a ser libre.

Victor Bishop sacudió la cabeza lentamente. Sus cejas se hundieron aún más, aumentando su expresión de confusión.

—Casi no puedo creerlo. Después de todos estos años... ¿cómo es posible que estés aquí frente a nosotros?

—La Orden —respondió Corinne. Su mirada se encontró con la de Cazador a través del grupo de guardias de Bishop—.

Debo mi vida a los guerreros y sus compañeras. Ellos encontraron el lugar donde estaba presa. La semana pasada nos rescataron a mí y a otras cautivas y nos llevaron a una casa segura en Rhode Island.

—La semana pasada —murmuró Bishop, sonando a la vez sorprendido y contrariado—. ¿Y nadie pensó en decírnoslo? Deberíamos haber sido informados de que estabas bien... nos deberían haber dicho que estabas viva, por el amor de Dios.

Corinne sujetó sus manos con suavidad.

—No podía permitir que lo oyeras de otra persona que no fuera yo. Quería ver vuestras caras y rodearos con mis brazos al explicaros lo que me había pasado. —Su expresión se hizo solemne, casi triste, un cambio que a Cazador no le pasó inadvertido—. Oh, papi... hay tantas cosas que necesito contaros a ti y a mamá.

Mientras la madre de Corinne la abrazaba con fuerza y reprimía otro sollozo, la mandíbula de Victor Bishop se ponía cada vez más tensa.

—¿Y qué pasa con tu secuestrador? Dios santo, por favor, dime que el bastardo que te raptó está muerto...

—Lo estará —replicó Cazador, logrando, con su intervención, que todos los ojos se desviaran hacia él—. En este mismo momento está siendo perseguido por la Orden. Muy pronto el que lo hizo no seguirá con vida.

La mirada afilada de Bishop recorrió a Cazador de pies a cabeza.

—Pronto no es suficiente cuando mi familia está en peligro, guerrero. —Hizo un gesto a sus hombres—. Cerrad esa puerta y armad los sensores del perímetro. No deberíamos quedarnos más tiempo aquí. Regina, lleva a Corinne dentro de la casa. Yo iré detrás de vosotras.

Los guardias de Bishop se apresuraron a seguir sus órdenes. Cuando la madre de Corinne la conducía hacia la casa, Corinne se dio la vuelta y regresó junto a Cazador. Le ofreció la mano.

—Gracias por traerme a casa.

Él la observó un momento, dividido entre su fuerza y su mirada firme y la pálida y delicada mano que le ofrecía, a la espera de su reconocimiento.

Cazador dio un apretón a sus delgados dedos.

—De nada —murmuró, con cuidado de no hacerle daño cuando su enorme mano devoró la de ella, mucho más pequeña.

Él no estaba acostumbrado al contacto físico, y nunca había tenido ninguna necesidad de gratitud. Sin embargo, era imposible no advertir la suavidad de la piel de Corinne contra su palma y las yemas de los dedos. Como un cálido terciopelo contra la áspera rozadura de su mano ruda y con callos por culpa de las armas.

No tenía por qué significar nada, pero de alguna manera la idea de tocar a esa mujer despertó todo tipo de intereses en su interior. Intereses no deseados e injustificados que en un punto aclaraban algo de las súplicas angustiadas de la visión de Mira que hacía eco en su mente.

«Suéltalo, Cazador...»

«Por favor, te lo ruego... ¡No lo hagas!»

«¿Puedes entenderlo? ¡Le amo! Significa todo para mí...»

Le soltó la mano, pero incluso cuando el contacto ya había sido roto, su calidez permanecía anidada en el hueco de su palma cuando cerró el puño y colocó el brazo a un lado.

Corinne se aclaró la garganta y se cruzó de brazos.

—Por favor, dile a todo el mundo en la Orden, y también a Claire y a Andreas Reichen, que les estaré eternamente agradecida por todo lo que han hecho.

Cazador inclinó la cabeza.

—Que tengas una buena vida, Corinne Bishop.

Ella lo miró fijamente durante un largo momento, luego asintió débilmente y se dio la vuelta para unirse a su madre. Mientras las dos mujeres se dirigían juntas hacia la casa, Victor Bishop se colocó en la línea de visión de Cazador, volviendo la cabeza para ver cómo las mujeres se alejaban por el sendero. Cuando ya no podían oírle, dejó escapar una maldición.

—Nunca creí que llegaría este momento —murmuró mientras volvía a mirar a Cazador—. Enterramos a esa chica hace décadas. O, por lo visto, creímos enterrar a esa chica. A Regine le llevó mucho tiempo renunciar a la esperanza de que hubiera algún error y el cuerpo que mis hombres sacaron del río no fuera realmente su hija.

Cazador escuchaba en silencio, observando cómo el rostro de Bishop se tensaba y se acaloraba por la emoción mientras hablaba.

—La pérdida de Corinne casi destrozó a Regina. Continuaba esperando un milagro. Se aferró a esa esperanza mucho más tiempo del que yo creía posible. Finalmente, se rindió. —Bishop se pasó la mano por la frente y sacudió lentamente la cabeza—. Y ahora... gracias a Dios y a la Orden, esta noche al fin ha tenido su milagro. Todos lo hemos tenido.

Cazador no reconoció la alabanza ni la mano extendida que le ofrecía el vampiro que tenía delante de él. Continuó siguiendo con los ojos a Corinne mientras ella y su madre caminaban lo que quedaba del sendero y luego entraban por la puerta de la casa cálidamente iluminada. Observó hasta que la puerta se cerró tras ellas y estuvo seguro de que su pupila temporal estaba de nuevo bajo la protección y el amparo de su familia.

Durante el largo silencio, Victor Bishop se aclaró la garganta y dejó caer la mano a un lado.

—¿Cómo podré recompensar a la Orden por lo que ha ocurrido aquí esta noche?

—Manteniéndola a salvo —dijo Cazador. Luego se dio la vuelta y se dirigió al vehículo que lo esperaba en la calle.

Las venas de Lucan latían con furia mientras se hallaba sentado junto a varios miembros de la Orden en el laboratorio de tecnología del recinto. Tenía los codos apoyados en un extremo de la larga mesa de conferencias y él y los demás escuchaban con disgusto los hallazgos de Gideon acerca de Murdock, el agente de las Fuerzas de la Ley que había huido la pasada noche del club privado de Boston y todavía no había aparecido por ninguna parte.

—Además de los clubes de copas y desnudos que suele frecuentar, nuestro Murdock por lo visto prefiere además encontrar sus huéspedes de sangre entre los más jóvenes. Hay más de una mancha en los informes de la Agencia por prostitución de menores, y no solo por prostitución, también por el intento de alimentarse y algunas citaciones por conductas violentas entre los ciudadanos de los Refugios Oscuros y los humanos. Hay que tener en cuenta que esta es la basura que hay en su informe general, pero, si cavamos más hondo por debajo de la superficie, desde luego encontramos otra enorme pila de porquería.

Gideon había pirateado los informes del vampiro de una base de datos que tenía información de prácticamente cada individuo de la estirpe. Había excepciones, por supuesto, excepciones como Lucan y un número no conocido de otros vampiros de la estirpe nacidos muchos siglos antes de que existiera cualquier tipo de tecnología. Lucan miró el monitor, donde la foto de un hombre remilgado, de cabello castaño, con una sonrisa empalagosa y demasiado engreída llenaba la pantalla.

—¿Y qué me dices de su familia? ¿Hay alguien a quien podamos presionar para conseguir información acerca del posible paradero de este capullo?

Gideon negó con la cabeza.

—Nunca tuvo compañera de sangre, y no hay ningún informe de parientes en ninguna parte. Por otro lado, Murdock solo ha vivido aquí durante los últimos cincuenta años. Antes de eso, más o menos cuando empezó a tener problemas legales por abuso de menores y por violencia, formaba parte de la Agencia en Atlanta. Parece que el director de esa región recomendó personalmente a Murdock para ser trasladado y promocionado aquí.

Al otro lado de la mesa, sentada con su traje negro de combate y sus herramientas de patrulla, igual que los otros guerreros masculinos, Renata, la compañera de Nikolai, soltó una risa burlona. La melena castaña que le llegaba a la altura de la mandíbula se agitó cuando se inclinó hacia atrás y cruzó los brazos sobre el pecho.

—¿Acaso no es la manera más fácil de desembarazarse de un problema: empaquetarlo y enviarlo a otro lugar? He visto muchos casos de esos entre los empleados de los orfanatos de Montreal.

—Parecería que esa escoria de Murdock ha de ser descartada —dijo Rio, sentado al otro lado de Niko y Renata. Sus ojos color topacio brillaban con desprecio, de modo que las cicatrices de combate que tenía en el lado izquierdo de su rostro adquirían un matiz aún más salvaje.

Otro de los guerreros, Kade, asintió con su cabeza de pelo corto y negro.

—Es una pena que Cazador y Chase no acabaran con él esa noche en el club. Tal vez le habrían hecho un favor al mundo.

—Murdock es pura escoria —intervino Lucan—. Pero si hay alguna posibilidad de que esté conectado con Dragos o su operación, aunque sea remotamente conectado, necesitamos asegurarnos de que continúe respirando el tiempo suficiente para que nos conduzca hasta él.

—¿Y qué pasa con Sterling? —Fue Elise la que habló, con voz cautelosa mientras se volvía para mirar a Lucan desde su asiento. Mientras el resto de los reunidos habían estado hablando de su misión y de la nueva prioridad de localizar al agente Murdock, Elise se había mantenido silenciosa y pensativa. Ahora la preocupación se reflejaba en la expresión de su boca y de sus ojos color lavanda—. Lleva fuera casi veinticuatro horas. ¿Habéis tenido alguna noticia de él?

Por un momento nadie dijo nada. La ausencia de Sterling Chase era el tema tabú, el asunto que estaba en la mente de todos aunque nadie lo mencionara.

—No hemos sabido nada —respondió Gideon—. Su teléfono tiene activado el contestador y no me devuelve las llamadas.

—A mí tampoco —señaló Dante desde el otro lado de la mesa de conferencias. Entre todos los guerreros, el compañero de Tess era el mejor aliado de Chase. Apenas un año atrás, cuando Chase se había unido a la Orden, él y Dante eran uña y carne. Desde entonces, se habían dado mutuamente apoyo, amistad y camaradería. Pero incluso Dante parecía tener dudas sobre Chase ahora—. Traté de localizarlo justo antes de que entráramos en la reunión, pero no me respondió. Harvard nos está esquivando esta vez de una forma demasiado obvia.

—Eso no es propio de él. —Elise miró a Tegan al tiempo que le cogía la mano—. Es demasiado responsable como para largarse sin dar ninguna explicación.

—¿Lo es? —La pregunta de Tegan sonó suave, pero su mandíbula estaba tensa, con una actitud de protección violenta, cuando miró a su compañera de sangre—. Sé que quieres pensar lo mejor de Chase, pero ahora necesitas mirarlo con la mente clara. Tú misma lo viste anoche, Elise. Me contaste cómo se comportó contigo en la capilla. ¿Es ese el Chase que tú crees conocer?

—No —respondió ella tímidamente, bajando los ojos a la vez que sacudía lentamente su cabeza rubia.

Aquel mismo día, más temprano, Elise les había contado a todos su enfrentamiento con Chase momentos antes de que él abandonara el recinto, cómo había descargado contra ella, lleno de ira y groseramente. Lucan se había enfurecido al oírlo, pero no más que Tegan. El otro vampiro de la primera generación todavía vibraba con palpable beligerancia por las acciones de Chase, a pesar del tacto que tenía con los sentimientos de su querida compañera de sangre hacia el antiguo pariente.

—No tendría que haberlo atacado —murmuró Elise—. Sabía que estaba atormentado. Debería haberme alejado y haberlo dejado solo. Eso es lo que me pidió. No debería haberlo provocado...

—Escucha —dijo Tegan, levantándole tiernamente la barbilla con la yema de los dedos—. Tú no lo provocaste para que se marchara. Lo hizo por su propia voluntad. —Tegan miró a Lucan—. Vamos a afrontarlo. Harvard está a punto de cruzar una línea ya demasiado fina. Tal vez es hora de que todos comencemos a analizarlo con objetividad. La hora de que dejemos de inventar excusas para Chase y reconozcamos lo que estoy seguro de que más de uno hemos estado pensando de él últimamente.

Lucan captó en la mirada de Tegan a qué se refería, y también lo captó en el silencio que se instaló después de pronunciar la frase en la habitación como una mortaja. Cómo demonios le iba a pasar inadvertida la alusión de Tegan, teniendo en cuenta la reciente historia del propio Lucan, la batalla que había enfrentado no hacía tanto tiempo para resistirse a caer víctima de la debilidad que suponía una plaga para todos los de la estirpe.

—Lujuria de sangre —dijo Lucan, sombrío ante aquel pensamiento. Alzó la vista hacia los rostros de sus hermanos de la estirpe sentados alrededor de la mesa, más consciente que cualquiera de ellos, excepto Tegan, de lo que significaba convertirse en un adicto a la sangre. Una vez que un vampiro daba un paso en esa dirección, la decadencia era rápida. Una caída en picado de la que ya no se conseguía regresar—. No te ofendas, Tegan, pero espero que estés equivocado.

La mirada de Tegan permaneció firme, demasiado segura.

—¿Y si no lo estoy?

Como nadie más se atrevió a llenar el silencio que se instaló en respuesta, Dante soltó un taco.

—De cualquier modo, necesitamos arrastrar a Harvard de vuelta al recinto y aclarar las cosas. Alguien necesita decirle que acabe con esa mierda antes de que sea demasiado tarde. Yo se lo meteré en la mollera personalmente, si hace falta.

Lucan quería mostrarse de acuerdo con la opinión de Dante, pero se sorprendió a sí mismo negando con la cabeza cuanto más lo consideraba.

—Chase sabía lo que estaba haciendo al salir de aquí. Y si no lo sabía entonces, me juego la cabeza a que lo sabe ahora. Tenemos problemas más grandes que tratar de arreglar otro de los desastres de Harvard. Él ha desertado, y eso además de jodernos una misión que aún podría haber sido mucho peor si Cazador no hubiera estado con Chase en la patrulla. No olvidemos que fue Chase quien falló a la hora de mantener a salvo a Lazaro y a Christophe Archer durante el rescate de Kellan la semana pasada. Lo está jodiendo todo a diestro y siniestro. Francamente, se está convirtiendo en una carga.

—Yo podría ir tras él, tratar de traerlo y hacerlo entrar en razón —insistió Dante—. Me refiero... por Dios, Lucan... ha demostrado ser sólido en el combate. Me ha salvado el culo más de una vez, y ha hecho mucho bien a la Orden desde que está con nosotros. ¿No crees que merece por lo menos el beneficio de la duda?

—No si su comportamiento representa un riesgo para los objetivos de la Orden —replicó Lucan—. Y no si su presencia aquí pone en peligro este recinto o a cualquiera de los que habitan entre estas paredes. Como ha dicho Tegan, nadie ha empujado a Chase a hacer lo que ha hecho. Se ha marchado de aquí por propia voluntad.

Dante le miraba serio y fijamente, junto con sus otros compañeros sentados en torno a la mesa.

Ese no era un pronóstico que Lucan quisiera hacer, pero él

era el líder aquí, y últimamente su palabra era ley. Ninguno de los guerreros discutiría ese tema en el futuro. Ni siquiera Dante, que se reclinó en su asiento y murmuró un insulto.

Lucan se aclaró la garganta.

—Ahora volvamos a ocuparnos de Murdock...

Antes de que pudiera terminar la frase, las puertas de cristal del laboratorio se abrieron de golpe y Dylan, la compañera de Río, entró como una ráfaga en la habitación. Su rostro pecoso estaba pálido en contraste con su intenso color de pelo, y sus ojos se abrían con pánico.

—Me envía Tess —soltó, derrapando al detenerse de golpe—. Está en la enfermería. ¡Necesita ayuda inmediatamente!

Dante salió disparado de su asiento.

—Oh, joder. ¿Se trata del niño?

—No —Dylan sacudió la cabeza—. Nada de eso. Tess está bien. Es Kellan Archer. Algo le está pasando... algo muy malo. Tiene mucho dolor. No podemos detener sus convulsiones.

La reunión se rompió inmediatamente, con Lucan y Dante poniéndose en marcha en primer lugar. Todos se dirigieron hacia la enfermería, al otro extremo del corredor.

Dylan no había exagerado al decir que la situación de Kellan Archer era mala. El joven de la estirpe estaba doblado sobre la cama de la enfermería, agarrándose el abdomen y gimiendo con evidente dolor.

—Sus náuseas empeoraron hace media hora —intervino Tess mientras el grupo se congregaba en la habitación. El abuelo de Kellan, el vampiro civil de la primera generación Lazaro Archer, se hallaba de pie a un lado de la cama, y Tess en el otro. Una mano de ella descansaba sobre la espalda del joven mientras el cuerpo del chico se retorcía en otra oleada de convulsiones.

—¿Qué le ocurre a Kellan? —preguntó la pequeña Mira, de pie junto a Savannah, la compañera de Gideon. La chica apretaba un libro abierto contra su pecho, como si lo hubiera estado leyendo recientemente. Tenía los ojos muy abiertos por la ansiedad—. ¿Se pondrá bien?

—A Kellan le duele el estómago —le dijo Savannah, mirando a Gideon y a Lucan mientras apartaba a la niña de la cama. Hablaba y se movía con mucha calma, pero sus ojos oscuros estaban llenos de preocupación.

El hecho era que nadie sabía qué le ocurría a Kellan Archer. En lugar de recuperarse después del rescate, tras ser torturado bajo las órdenes de Dragos, parecía estar cada vez más débil. Necesitaba alimentarse, eso era cierto, pero no estaba en forma para aventurarse fuera y encontrar un huésped por su propia cuenta.

Ya era bastante malo que Lucan se hubiera visto forzado a abrir los cuarteles del recinto a Lazaro Archer y a su nieto después de que Dragos demoliera su Refugio Oscuro y acabara con sus parientes. Si las cosas no mejoraban pronto para Kellan, Lucan tendría que romper también otra regla del recinto y traer a un ser humano dentro para alimentar al chico.

Renata se acercó a coger la mano a Mira.

—Vamos, ratón. ¿Por qué no vienes un rato conmigo y con Savannah? Volveremos cuando Kellan esté mejor, ¿de acuerdo?

Mira asintió, pero mantuvo la vista clavada en el chico que sufría en la cama mientras las dos compañeras de sangre la sacaban de la habitación. Tan pronto como se marcharon, el joven vampiro se dobló presa de un profundo espasmo, derramando saliva por la boca abierta.

—Por favor —dijo Lazaro Archer—. Por favor, haced algo para ayudar a mi chico. Es todo lo que me queda…

Un gruñido terrible salió de la garganta del joven de la estirpe. Tuvo varias arcadas y jadeos hasta que con un gran esfuerzo, se inclinó por encima de la cama de la enfermería y empezó a vomitar. El líquido salió a raudales de su boca mientras era presa de las arcadas una y otra vez.

Dante avanzó y apartó a Tess hacia un lado, protegiéndola con su cuerpo. Dylan y Río se apresuraron para coger toallas de papel del armario cercano mientras Elise avanzaba para reconfortar al joven y ayudarlo a limpiarse.

Continuó vomitando, los espasmos sacudían su cuerpo mientras expulsaba lo poco que ya le quedaba por expulsar. Trató de hablar, quiso murmurar una disculpa avergonzada, pero solo consiguió emitir una especie de carraspeo.

—Shh —le susurró Elise, acariciándole el pelo mojado

mientras se derrumbaba sobre el colchón—. Todo está bien, Kellan. No te preocupes por nada, salvo por sentirte mejor.

Dylan se había arrodillado para limpiar el desastre que había en el suelo y Río estaba quitando la manta y las sábanas manchadas. Lucan oyó cómo Dylan ahogaba un grito y la vio quedarse de repente muy quieta junto a la cama de Kellan.

—Esto... ¿chicos? —Se levantó, con un fajo de papeles mojados en la mano—. Creo que ya sé lo que ha puesto enfermo a Kellan.

Lucan miró fijamente, y le vino una sensación de náusea en el estómago cuando Dylan mostró una masa sólida y empapada. En el centro de esta había un disco plateado del tamaño de una moneda.

—Ah, Cristo. Joder —murmuró Gideon. La mandíbula se le aflojó cuando cogió el objeto para quitarle toda la baba y ácidos del estómago—. No me lo puedo creer. Qué hijo de puta.

—¿Qué pasa? —preguntó Tegan, tan serio como todos los demás.

—Es un chip GPS —respondió Gideon—. Un maldito aparato de rastreo. —Se llevó una mano a la cabeza y se volvió para mirar a Lucan—. Estamos en peligro.

Lucan soltó el aire. La magnitud de su error lo golpeó como un tren de carga que le pasara por encima.

Ahora todo tenía sentido. El secuestro de Kellan Archer. El rescate demasiado fácil. El ataque simultáneo al Refugio Oscuro de los Archer... un ataque que tenía por finalidad que el chico no tuviera ningún lugar donde regresar y hubiera que llevarlo al recinto de la Orden.

Dragos lo había manipulado todo para sus propios propósitos.

Ahora sabía dónde vivían. Lo sabía desde hacía días, desde que Lucan tomó la decisión de permitir que entraran ciudadanos civiles al hogar de la Orden.

La única pregunta que restaba por hacerse era cuánto tiempo tardaría Dragos en tener a su ejército personal de asesinos ante las puertas principales de la mansión.

Capítulo siete

—¿*T*ienes hambre, cariño? Le he pedido a Tilda que prepare algo sabroso para ti, pero si quieres comer algo antes de que esté preparado el comedor, solo tienes que pedírmelo y te lo traeré. Todo lo que quieras…

—Estoy bien. —Corinne se apartó de la ventana donde llevaba un rato, después de que su madre la hubiera acomodado en la casa y su padre desapareciera en su estudio para deliberar con Mason y los otros guardias del Refugio Oscuro.

El trajín y la actividad la hacían sentirse incómoda. Ahora que estaba en casa, lo único que quería era estar un rato en privado a solas con sus padres. El tiempo suficiente para decirles cuánto había echado de menos a su familia… y cuán desesperadamente necesitaba su ayuda.

Cuando su madre comenzó a preguntarse en voz alta si debía ir a la cocina y traer una bandeja con comida a la habitación, Corinne fue hacia ella y le cogió las manos.

—Estoy bien, de verdad. Por favor, no sientas que tienes que preocuparte por mí.

—Pero no puedo evitarlo. ¿Sabes cuántas veces he rezado por volver a tener la oportunidad de preocuparme por ti? —La piel de Regina Bishop estaba húmeda y fría, y los dedos le temblaban al agarrar con ansiedad el brazo de Corinne. Las lágrimas inundaron sus amables ojos—. Dios bendito, ¿de verdad estás aquí? Te estoy mirando… te siento, tan viva y hermosa como siempre, pero apenas puedo creer que esto esté pasando. Hemos vivido una pesadilla desde que te perdimos.

—Lo sé —reconoció Corinne suavemente—. Siento todo lo que habéis tenido que pasar.

—Lottie lloró semanas enteras después de tu desaparición. Estará tan contenta al saber que estás en casa otra vez.

Corinne sonrió ante la idea de volver a reunirse con su hermana menor. Aunque las dos habían nacido con la marca de las compañeras de sangre, ella y Charlotte no estaban unidas por un vínculo de sangre. Sin embargo, estaban apasionadamente entregadas la una a la otra... tal vez más todavía por el hecho de haber sido abandonadas de niñas, antes de ir a parar bajo la tutela de la familia Bishop.

—¿Está aquí, madre?

—Oh, no, cariño. Charlotte tiene su propio Refugio Oscuro en Londres junto con su compañero y dos hijos. De hecho, el más joven de sus hijos y su compañera de sangre han celebrado el cumpleaños de su primer niño hace tan solo unas semanas.

Corinne sintió una sacudida agridulce en su interior. Lottie, cinco años menor, era una adolescente desgarbada cuando ella fue secuestrada. Ahora ya había crecido y tenía un compañero y un hijo. Corinne debía sentirse feliz por su hermana, y en el fondo lo estaba. Pero esas noticias remarcaban con más fuerza todo el tiempo que había transcurrido desde su ausencia.

Mucho más doloroso era el recuerdo de todas las cosas que se había perdido, las cosas preciosas que le habían sido arrebatadas, mientras Dragos la retenía prisionera. Ahora que estaba de vuelta allí, ahora que había regresado al hogar de sus padres, podría usar toda su energía para recuperar las piezas de su vida hecha pedazos.

—No he visto a Sebastian al entrar —dijo, recordando al aplicado y atractivo joven de la estirpe que tan paciente se mostraba con sus hermanas adoptadas. Había cumplido los veinte el día que Corinne fue secuestrada. Ahora probablemente estaría liderando su propio Refugio Oscuro, con una hermosa compañera de sangre y media docena de hijos propios.

El largo silencio que siguió a la pregunta de Corinne la hizo respirar con ansiedad.

La boca de Regina Bishop tembló.

—Por supuesto, no tendrías por qué saberlo. Perdimos a Sebastián, víctima de la lujuria de sangre, hace más de cuarenta años.

Corinne cerró los ojos.

—Oh, Dios. Nuestro dulce Sebastian.

—Lo sé, cariño. —La voz de su madre era débil, todavía

llena de dolor por su hijo a pesar de todas las décadas transcurridas—. Sebastian cambió mucho en los años que siguieron a tu desaparición. Sabíamos que estaba luchando, que su sed lo consumía, pero él se apartó de nosotros. Trató de ocultarnos sus problemas, no quería aceptar nuestra ayuda. Una noche estuvo en una terrible juerga en la ciudad. Cuando volvió a casa, estaba cubierto de sangre. Ninguno de los dos pudimos acercarnos a él. Por entonces ya se había convertido en un renegado, era demasiado tarde para salvarlo. Y él lo sabía. Sebastian fue siempre muy intuitivo, tan inteligente y sensible. Se encerró en el estudio de tu padre. Oímos el ruido del disparo apenas un momento después.

—Lo siento tanto. —Corinne la abrazó, sintiendo la angustia mientras su madre reprimía un sollozo—. Debe de haber sido espantoso.

—Lo fue. —Una mirada llena de pesar se encontró con la suya al separarse del abrazo de su madre—. Nadie que no haya perdido un hijo… y hasta esta noche yo creía haber perdido dos… puede imaginarse lo que es sentir semejante vacío en el corazón.

Corinne no dijo nada, pues no sabía qué responder. Soportaba su propio vacío, padecía su propia pérdida, incluso ahora. Era esa pérdida lo que la había llevado de vuelta a su hogar, más aún que su propia necesidad egoísta de encontrar consuelo y protección en brazos de su familia.

—¿Debes de reconocer esta habitación, verdad? —preguntó su madre repentinamente, limpiándose las comisuras de los ojos.

Sin gran entusiasmo, pero aliviada por la distracción momentánea, Corinne se fijó en su entorno. Paseó la mirada por la elegante cama estilo trineo color cereza oscuro, el antiguo escritorio y el tocador, que todavía le resultaban tan familiares, a pesar de los años transcurridos. La ropa de cama y las telas de las ventanas eran diferentes. También las paredes, que ya no estaban revestidas de un papel con franjas color melocotón, sino pintadas de un tono gris paloma con un acabado mate.

—Esta era mi habitación.

—Todavía lo es —replicó Regina, con un entusiasmo forzado en la voz—. Podemos decorarla exactamente como antes si eso es lo que quieres. Podemos empezar mañana mismo, cariño. Te llevaré a comprar ropa nueva por la mañana, y podemos concertar una cita con el decorador para volver a amueblar toda la habitación, de arriba abajo. Lo pondremos todo en su sitio y será como si no hubiese pasado nada. Todo puede volver a ser exactamente como antes, Corinne. Ya lo verás.

Corinne ni siquiera se dio cuenta de que estaba negando con la cabeza hasta no ver la expresión decaída de su madre.

—Nada puede volver a ser lo mismo. Todo ha cambiado.

—Lo arreglaremos, cariño. —Su madre asentía como si con su certeza ya bastara—. Ahora estás en casa y eso es lo más importante. Nada más importa ahora.

—Sí —murmuró Corinne—. Sí que importa. Me pasaron cosas cuando estaba fuera. Cosas terribles que necesito contaros. A ti y a papá...

No quería soltarlo de esa forma. Su intención había sido sentarse junto a sus padres y revelarles suavemente las condiciones de su cautividad lo mejor que pudiera. Ahora, mientras contemplaba el terror reflejado en el hermoso rostro de Regina Bishop, se daba cuenta de que no existía un modo agradable de expresar la verdad.

Las dos podían ser tomadas por hermanas en público, ambas de apariencia joven, con su proceso de envejecimiento detenido alrededor de los treinta años. Para todas las compañeras de sangre era así, debido a las anomalías genéticas y el poder vital que les procuraba la sangre de los machos de la estirpe. Corinne tenía más de setenta años, pero apenas había envejecido. La habían mantenido con vida, deliberadamente joven porque ese era el valor que tenía para su captor.

Regina Bishop se daba cuenta de la verdad ahora; Corinne observaba cómo ocurría, aunque su madre ni siquiera podía mirarla de cerca en ese momento.

—Cuéntamelo —susurró—. Cuéntame qué te ha ocurrido, Corinne. ¿Por qué querría alguien hacerte daño?

Corinne sacudió lentamente la cabeza.

—¿Por qué querría alguien hacer daño a cualquiera de las compañeras de sangre que fueron capturadas conmigo? Por demencia, quizás. Por maldad, sin duda. Esa es la única manera de explicar las cosas que nos hizo. La tortura y los experimentos...

—Oh, querida —lloró Regina, ahogando las palabras al tomar aire con dificultad—. ¿Todo este tiempo? Todos estos años, ¿has estado sufriendo ese tipo de cosas? ¿Con qué fin?

—Nos usaban con un propósito específico —replicó Corinne, con la voz tensa hasta para sus propios oídos—. El monstruo que nos raptó, el que nos encerró en una prisión sin luz y nos trató peor que si fuésemos ganado, necesitaba nuestros cuerpos para criar su propio ejército. No éramos sus únicas cautivas. Tenía también otra, una criatura de la que yo solo había oído hablar en las historias que Sebastian nos contaba a mí y a Lottie para asustarnos.

El rostro de su madre perdió todo su color.

—¿De qué me estás hablando?

—Había un Antiguo también prisionero en los laboratorios —dijo ella, hablando por encima del grito contenido de Regina—. Nuestro raptor lo usaba también para sus experimentos. Y lo usaba para la crianza, para engendrar vampiros de la primera generación que crecían a su servicio, como esclavos más bien, esclavos de ese loco que los controla a todos.

Durante un largo momento, su madre se limitó a mirarla fijamente, muda y pálida. Una lágrima rodó por sus mejillas mientras acababa de comprender plenamente.

—Oh, mi niña querida…

Corinne se aclaró la garganta. Ahora que había llegado tan lejos, necesitaba explicar el resto.

—Luché cada vez que tuve una oportunidad, pero ellos eran más fuertes. Me llevó mucho tiempo, pero finalmente, hace unos trece años, pude adivinar lo que querían de mí. —Tuvo que inspirar profundamente para poder continuar—. Mientras estaba en las espantosas celdas de ese laboratorio, di a luz un hijo. Tengo un hijo en alguna parte. Me lo robaron pocas horas después de nacer. Ahora que estoy libre, pretendo recuperarlo.

Algo no iba bien.

Mientras Cazador aparcaba el coche en el hangar privado de la Orden en el aeropuerto, continuaba pensando en el encuentro de Corinne con su familia en el Refugio Oscuro. Continuaba preguntándose por qué sus instintos de depredador seguían dando vueltas en torno a Victor Bishop como los de un perro de caza siguiendo un rastro ya casi desaparecido.

Casi, pero no del todo.

Había algo en la reacción de Bishop ante la reaparición de Corinne que no le sonaba verdadero. El macho de la estirpe había parecido conmocionado, desde luego, y evidentemente agitado al ver a la joven que creía muerta hacía tanto tiempo.

Como cualquier otro líder de los Refugios Oscuros, Bishop se había mostrado notoriamente preocupado por la seguridad inmediata de su hogar y de sus habitantes. Había procedido con cautela y actitud protectora, como era de esperar. Sin embargo, Cazador había detectado algo más en Bishop, algo que parecía correr por debajo de su expresión externa de sorpresa y alivio ante la llegada inesperada de Corinne.

Había algo distante en la forma en que Victor Bishop miraba a su hija. Había habido cierta vacilación en ese hombre, un matiz de distracción en su comportamiento, incluso al abrazarla y al decirle cuánto lo aliviaba verla. Escondía algo que tenía que ver con Corinne; Cazador estaba seguro de eso.

Por otra parte, ¿quién era él para juzgar cualquier expresión de emoción?

Había sido criado para tratar con la lógica y los hechos, no con los sentimientos. Sus instintos estaban centrados en la acción furtiva y el combate, en la persecución y destrucción de cualquier blanco que se le ofreciera. En esas cosas, era un experto. Y eran esas las cosas que lo esperaban en Boston… por un lado perseguir al agente de las Fuerzas de la Ley que había huido del club de Chinatown, y por otro erradicar y destruir a Dragos y el incontable número de asesinos que había fabricado.

Y, sin embargo…

Las sospechas preocupaban a Cazador mientras salía del vehículo y se dirigía hacia el avión que lo esperaba dentro del hangar privado. Por delante de él, ante los escalones inferiores del Cessna, uno de los pilotos salió a recibirlo con una sonrisa de cortesía.

—Señor Smith —murmuró el humano. Él y su copiloto formaban parte del discreto servicio alquilado a disposición permanente de la Orden. Cazador sabía poco acerca del acuerdo, tan solo que se trataba de humanos que operaban los aviones privados exclusivamente para la Orden y que recibían una gran suma a cambio de no hacer preguntas a esos clientes siempre nocturnos—. Despediremos el taxi y partiremos en cuanto usted esté listo, señor Smith.

Cazador asintió débilmente, con sus instintos aún agitados mientras ponía el pie en el primer escalón. Fue entonces cuando comprendió.

Se trataba de algo que Victor había dicho.

«¿Y qué pasa con tu secuestrador?», había preguntado a Corinne.

«Dios santo, por favor, dime que el bastardo que te raptó está muerto…»

Aunque ni Corinne ni Cazador habían mencionado ningún detalle acerca de dónde estaba o de quién la había retenido, Victor Bishop había hablado como si supiera que la culpa de su captura descansaba en un solo individuo.

Un individuo que ponía al líder del Refugio Oscuro visiblemente nervioso. «Paranoico» era la palabra que a Cazador le venía a la cabeza al recordar las órdenes precipitadas que Bishop había dado a sus guardias, instándolos a que pusieran en marcha los sensores de la finca y se apresuraran a conducir a su compañera y a Corinne al interior de la mansión. Ahora que Cazador lo pensaba, Victor Bishop había actuado como un hombre a punto de ser asediado.

La cuestión era por qué.

—¿Ocurre algo, señor Smith?

Cazador no respondió. Dio la espalda a las escaleras del avión y comenzó a atravesar el suelo de cemento del hangar del aeropuerto, sus botas golpeando con fuerza a cada pisada. Volvió a subirse al coche y puso en marcha el motor.

El sedán negro rugió con fuerza, y los neumáticos chirriaron cuando apretó el pedal del acelerador, dispuesto a regresar para confrontar a Victor Bishop y cualquiera que fuese el secreto que escondía.

Capítulo ocho

Corinne estaba sentada junto a su madre ante la mesa del comedor, observando en un estado de tranquila distracción mientras Tilda traía la última fuente de plata de la cocina del Refugio Oscuro. La comida tenía un aspecto excelente, y olía todavía mejor, pero ella no tenía apetito. Su mirada continuaba desviándose hacia el vestíbulo contiguo, en dirección a las puertas del estudio de su padre.

—Estoy segura de que acabará enseguida, cariño —le dijo Regina sonriente desde el asiento de su derecha—. Él no querría que lo esperáramos ni que permitamos que la deliciosa comida de Tilda se enfríe.

A la cabecera de la mesa, la silla de su padre permanecía vacía. La mesa estaba puesta también para él, pero la vajilla y la copa eran solo una cuestión de tradición; nadie de la estirpe consumía comida ni bebida humanas. Corinne no hizo ningún movimiento para empezar a comer. Miraba fijamente la silla caoba vacía, deseando que Victor se apartara de sus negocios y ocupara su lugar como el sostén y protector de su familia.

—¿Y si empezamos con la sopa? —dijo Regina, levantando la tapa de la gran sopera de plata colocada en la mesa entre ellas. El intenso aroma emergió del profundo cuenco. Cogió un cucharón y comenzó a servir a Corinne—. ¿No huele de maravilla? Es un consomé de ternera, muy suave, con cebolletas y champiñones silvestres.

Corinne sabía que su madre solo estaba tratando de cuidarla, tratando de dar cierto aire de normalidad a una situación que era cualquier cosa menos normal. Observó su tazón de porcelana color hueso lleno de la sabrosa sopa de verdura y sintió ganas de gritar.

No podía comer ahora. No podía hacer nada hasta que hablara con su padre y le oyera decir que nadie, ni siquiera un monstruo sádico como Dragos, podría mantener a su hijo apartado de ella. Hasta que oyera esas palabras y fuese capaz de creerlas, creer que sería posible encontrar a su hijo y recuperarlo, nada más importaba.

—Tal vez debería ir al estudio a hablar con él —dijo, ya moviéndose de la silla para levantarse de la mesa.

Su madre dejó la cuchara y frunció las finas cejas.

—Cariño, qué ocurre...

Corinne salió del comedor y atravesó el vestíbulo, apretando las manos en un puño con ansiedad a cada paso.

Mientras se acercaba a las puertas cerradas de la oficina privada de Victor Bishop, oyó un fuerte ruido de cristales rotos en el interior.

—¿Papá? —El miedo la atenazó. Corinne colocó las palmas contra la superficie de madera pulida y dio unos golpecitos en la puerta. Sonaron temblorosos, como bofetadas vacilantes mientras una súbita oleada de miedo se apoderaba de ella—. Papá, ¿va todo bien?

Movió el pomo de la puerta. Afortunadamente no estaba cerrada con llave. Su madre y un par de guardias de su padre, Mason y otro macho de la estirpe, se hallaban justo detrás de ella cuando abrió la puerta y entró en la habitación.

Para su sorpresa, para su total confusión e incredulidad, Victor Bishop había sido colocado de espaldas sobre la mesa y luchaba por respirar a pesar de la mano que lo mantenía aferrado por la garganta. La persona que había asaltado a su padre era la última persona que Corinne hubiera esperado volver a ver.

—Cazador —susurró, incrédula y aterrorizada.

Su madre chilló el nombre de Victor, y luego rompió a llorar.

Detrás de Corinne, Mason y el otro guardia se movieron con cautela. Ella notó su tensión, sintió que los dos machos de la estirpe estimaban las posibilidades de sacar sus armas y controlar esta amenaza imprevista. Nunca tendrían éxito.

Corinne vio la verdad en el rostro sin emociones de Cazador. La expresión de sus ojos dorados era escalofriante, de una calma letal. Corinne vio en un instante que a aquel guerrero no le costaría nada quitar una vida. Solo tenía que apretar un poco más, tan solo con flexionar sus fuertes dedos arrebataría la vida de su padre en un segundo.

El miedo la apuñaló, y en un instante de terror y preocupación sintió que una corriente de poder se desataba en su interior. Era su don que se despertaba lentamente, el grave zumbido de energía sonokinética que le permitía atrapar cualquier sonido y manipularlo hasta niveles ensordecedores. Su don cosquilleaba ahora en ella, preparado para ser empleado. Pero no podía arriesgarse. No con la garganta de su padre aferrada por las manos de Cazador.

Cuando Mason avanzó unos centímetros, más dispuesto que ella a poner a prueba a Cazador, Corinne lo instó a retroceder con un débil movimiento de la cabeza.

Estaba aturdida, confusa. ¿Por qué había vuelto Cazador al Refugio Oscuro? No necesitaba preguntarse cómo había podido entrar. Las pesadas cortinas de las puertas acristaladas del estudio se agitaban con la brisa invernal que venía del exterior. Había entrado furtivamente, un intruso con un único propósito, con un único blanco en mente.

—¿Por qué? —murmuró ella—. Cazador, ¿qué es lo que ocurre?

—Díselo. —Él volvió a depositar aquella mirada despiadada sobre su padre. Victor Bishop balbuceó, tratando de arañar las inflexibles manos aferradas a su garganta, pero era inútil. Sus músculos se desplomaron y su cabeza cayó hacia atrás sobre el escritorio, dejando escapar un gemido desesperanzado. Cazador apenas pestañeó—. Di la verdad, o te mataré aquí mismo y en este mismo instante.

A Corinne le latía el pulso con fuerza en las sienes, y el miedo la atenazaba por dentro. No sabía qué era lo que desataba su mayor preocupación… ¿la amenaza letal a aquel macho de la estirpe que la había criado o el pavor que carcomía su mente al mirar a Cazador y advertir que aquel no era un hombre con tendencia a actuar precipitadamente?

No, estaba claro que se trataba de alguien que deliberaba. No lo conocía desde hacía mucho tiempo, pero Cazador se comportaba con una prudencia fría y calculada, que no dejaba lugar para irracionalidades o para errores.

El hecho de que su padre estuviera en el punto de mira de la ira del guerrero le provocaba un nudo en el estómago. Tenía la sensación, instintiva y profunda, de que el mundo estaba a punto de partirse en dos delante de ella. No sabía si podría soportarlo, no después de todo lo que ya había pasado. No después de todo aquello a lo que había sobrevivido.

—No —dijo, queriendo negar la sensación que la inundaba. Se aferró a esa negación, a pesar de que pareciera tan frágil como un hilo a punto de romperse—. Por favor, Cazador… no lo hagas. Por favor, suéltalo.

Él ladeó la cabeza ligeramente hacia ella mientras hablaba. Un matiz peculiar apareció en su mirada, una repentina distracción. ¿Tal vez un momento de duda? Pero no hizo ningún movimiento para soltar a su padre. Luego bajó las cejas frunciendo levemente el ceño.

—Él sabe lo que te ocurrió la noche de tu desaparición. Lo sabe todo acerca de tu secuestro y de quién es el responsable. Sabe mucho más que eso.

—No. Eso es imposible. —Su voz sonaba tan pequeña, apenas un poco de aire saliendo de sus pulmones. Sintió que el hilo de su negación comenzaba a deshilacharse—. Te equivocas, Cazador. Estás cometiendo un error terrible. Papá, por favor… dile que se equivoca.

Victor Bishop pareció desinflarse aún más en ese instante. Sudaba, temblaba, se veía rendido y débil bajo el poder inexorable de Cazador. El rostro atractivo que solía infundir tanto consuelo a Corinne cuando era niña ahora se hundía, enrojecido y con el brillo de gotas de sudor. La miró a los ojos, y murmuró algo que sonó como una débil disculpa.

Corinne quedó paralizada, sintiendo que toda la sangre de la cabeza y de los miembros se le escapaba. Sintió todo el peso en los pies, y casi se cayó de rodillas. En torno a Mason y el otro guardia, el aire se notaba palpablemente tenso; ambos machos esperaban que la situación explotara o se disolviera.

Corinne sintió que el cuerpo de su madre, que estaba junto a ella, también temblaba, con el mismo desequilibrio.

—Victor, tú no puedes haber sabido semejantes cosas —insistió Regina. Se llevó su pálida mano a la boca. Tan delicada como un pájaro, al cabo de un momento esta cayó sin fuerzas a un lado de su cuerpo—. Tú lloraste a esta niña cuando desapareció. Estabas hecho pedazos, como todos nosotros. No puedes haber fingido esos sentimientos. Tengo un lazo de sangre contigo… si no hubieras sido sincero yo lo habría sabido.

—Sí —consiguió mascullar. Corinne observó que los tendones de la mano de Cazador se aflojaban, pero solo lo suficiente como para permitirle un mínimo de libertad. Victor Bishop continuaba atrapado, completamente a merced del guerrero—. Sí, Regina. Yo lloré su pérdida. Estaba destrozado. Hubiera hecho cualquier cosa por proteger a mi familia. Y eso es lo que de hecho hice. Solo trataba de proteger lo que quedaba de mi familia, y para eso no tenía más alternativa que la de guardar silencio.

Corinne cerró los ojos mientras asumía esas palabras, inesperadas y amargas. No podía hablar, solo pudo levantar los párpados y sostener la mirada dorada del guerrero, cuyo rostro no revelaba ni sorpresa ni piedad. Solo una grave comprensión.

—No tenía elección —repitió Victor Bishop—. No tenía ni idea de que iba a contraatacar como lo hizo. Debes creerme…

—Victor. —Regina ahogó un grito—. ¿Qué estás diciendo?

Los ojos de él se apartaron de Corinne para dirigirse a la compañera de sangre que había formado parte de su vida durante más de cien años.

—Él dijo que me apoyaría de una manera o de otra, Regina. Yo creí que era más inteligente que él. Sabía que yo estaba mejor conectado. Pero eso es precisamente lo que quería de mí… mis contactos. Él necesitaba mi apoyo para ascender más rápidamente en la Agencia.

Todavía dispuesto a matar a su antojo, Cazador soltó un gruñido grave mientras el padre de Corinne dejaba escapar su espantosa confesión.

No, se corrigió internamente. Victor Bishop no era su padre. Ya no. Era un extraño para ella, se había vuelto más extraño para ella en los últimos diez minutos que en las décadas que había pasado fuera de su hogar.

—Hubo amenazas cuando rechacé unirme a su causa —dijo Bishop, pronunciando las palabras con dificultad—. En aquel momento no me di cuenta de lo que era capaz. Dios mío, ¿cómo iba a saber de qué era capaz?

—¿Quién te amenazó, Victor? —preguntó su compañera, con voz y gestos titubeantes—. ¿Quién nos robó a nuestra hija?

—Gerard Starkn.

—¿El director Starkn? —murmuró Regina—. Ha estado en esta casa más de una docena de veces a lo largo de los años. Ha estado aquí antes y después de la desaparición de Corinne. Dios santo, Victor, deben de haber pasado ya cincuenta años, pero recuerdo que hablaste en su gala cuando fue elegido para el alto consejo de la Agencia de la Ley. ¿Estás diciendo que él tiene algo que ver con esto?

Corinne frunció el ceño, ahora confundida. Aquel nombre de la estirpe que no le era familiar le daba una esperanza a la que aferrarse. Tal vez, después de todo había algún tipo de malentendido. Si él no sabía que fue Dragos quien la raptó, tal vez las manos de Victor Bishop no estaban tan manchadas de sangre como ella temía.

Pero la expresión sombría de Cazador le arrebató incluso esa frágil esperanza. Él hizo un leve gesto con la cabeza, como si supiera cuál era el curso de sus pensamientos.

—Dragos ha usado muchos alias distintos. Incluyendo este. Gerard Starkn y Dragos son uno y el mismo.

Corinne miró a Victor Bishop, buscando algún rastro de honestidad en un rostro que ya no reconocía.

—¿Tú sabías eso? ¿Sabías que el hombre que llamabas Gerard Starkn era el mismo monstruo llamado Dragos?

Él frunció aún más el ceño, y sus ojos mostraban que no comprendía.

—Te he dicho todo lo que sé.

—No —murmuró ella—. No me lo has dicho todo. Sabías lo que me había pasado, pero no fuiste a buscarme. Te esperé. Rezaba, cada día. Me decía a mí misma que no descansarías hasta encontrarme. Hasta que estuviera a salvo, y de vuelta en casa. Pero nadie vino a buscarme.

—No podía —dijo él—. Starkn me advirtió que si intentaba algo en contra de él habría más dolor. Dijo que si vacilaba en el apoyo político que le procuraba, o si intentaba exponerlo por lo que había hecho para obtener su posición en la Agencia, el precio de mi desafío sería mucho mayor que el que ya había pagado. Tienes que entender... todos tenéis que entender...

que hice lo que hice para proteger a mi familia, a lo que quedaba de ella.

Regina respiró temblorosa.

—¿Y simplemente dejaste que se quedara con nuestra hija? Corinne era nuestra familia... ella es nuestra familia, maldito seas. ¿Cómo puedes haber sido tan desalmado?

—Él no me dejó otra alternativa —respondió Bishop, llevando esos extrañados ojos de nuevo hacia Corinne—. Starkn me prometió que si intentaba encontrarte, o si permitía que alguien sospechara que te retenía, Sebastian sería el próximo que debería llorar. Así que guardé silencio. Me aseguré de que sus exigencias fueran obedecidas. —Se quedó sin voz por un momento—. Lo siento, Corinne. Tienes que creerme.

—No puedo volver a creer nada de lo que digas —respondió ella, herida, pero no a punto de romperse.

Había pasado por cosas peores que aquello. Se sentía magullada y agotada por el peso de esa traición, pero le esperaba todavía un largo camino oscuro por delante.

Mientras estaba allí de pie, tratando de asumir todo lo que estaba oyendo, un nuevo horror comenzó a asediarla.

—La chica —dijo, sintiendo que nuevas piezas encajaban en el rompecabezas de aquel engaño—. Después de mi secuestro, hubo una chica que encontraron en el río...

Victor Bishop le sostuvo su mirada horrorizada.

—Tú habías desaparecido y Starkn dejó claro que nunca volverías. Mientras hubiera interrogantes acerca de tu desaparición... habría esperanzas de que siguieras con vida...

La verdad cayó sobre ella con todo su peso y su frialdad.

—Tú fuiste quien quiso convencer a todo el mundo de que estaba muerta. Oh, Dios... tuviste que matar a una chica inocente. La cortaste en pedazos, solo para encubrir tus propios pecados.

—Ella no era nada —argumentó Bishop para justificar su asesinato. La ira empezó a asomar a su voz mientras continuaba—. Era basura de alcantarilla, que se vendía a sí misma en los muelles.

—¿Y qué pasa conmigo? —preguntó Corinne, sintiendo crecer su propia indignación, que se fue derramando como una ráfaga furiosa—. Yo tampoco debo de haber sido nada para ti.

Dejaste que él me raptara, que me mantuviera todo este tiempo encerrada en una jaula como un animal. Peor que eso. ¿Nunca te preguntaste qué me estaría ocurriendo en sus manos? ¿Nunca te detuviste a pensar de qué modo me podía estar torturando, degradando… destrozando todo lo que yo era, pedazo a pedazo? ¿Nunca imaginaste el tipo de tortura que un sádico lunático como él sería capaz de llevar a cabo en las entrañas de la prisión donde me retenía, junto con otras prisioneras?

Regina Bishop estalló en un torrente de lágrimas. Bishop no dijo nada, se limitó a mirar a Corinne y a su compañero con un silencio inexpresivo.

—Déjame —le gruñó a Cazador, cuyos dedos habían vuelto a apretar con más fuerza su garganta—. He dicho que me sueltes. Ahora ya debes de estar satisfecho. Tienes la confesión que has venido a sonsacarme.

Cazador se inclinó sobre él.

—Ahora vas a decirme todo lo que sabes sobre Gerard Starkn. Necesito saber dónde está y cuándo fue la última vez que lo viste. Necesito saber quiénes son sus socios, tanto dentro de la Agencia como fuera. Me darás cada detalle, y lo harás ahora.

—No sé nada más —escupió Bishop—. Llevo más de una década sin ni siquiera pensar en ese hombre, y desde luego no lo he visto. No tengo nada más que decirte, te lo juro.

Pero Cazador no parecía convencido. Y tampoco era que pareciera inclinado a soltar a Victor, ni siquiera si le daba las respuestas que estaba buscando. Corinne podía ver la verdadera intención letal de Cazador en la firme llama de sus ojos.

Bishop también se dio cuenta de eso. Comenzó a retorcerse y a luchar. Se agitó sobre la superficie de su escritorio, pateando y haciendo caer al suelo una pila de libros encuadernados en cuero.

El don de Corinne, que zumbaba ahora con más intensidad en sus venas, se acopló al ruido que hicieron los libros al caer. No pudo contenerlo. El ruido aumentó rápidamente, explotando en un prolongado trueno que hizo temblar la habitación y lo agitó todo.

—¡Corinne, para! —gritó su madre, tapándose los oídos mientras el estruendo se hacía cada vez más y más insoportable.

Bajo el efecto del estrépito, los labios de Bishop se separaron de la dentadura, dejando ver las puntas de sus colmillos. La ira y el miedo transformaron sus ojos, normalmente marrones, en los feroces ojos ámbar de la estirpe. Sus pupilas se afilaron como las de los gatos.

Cazador, sin embargo, permanecía frío, imperturbable, manteniendo el control. Dedicó al estallido de poder kinético de Corinne apenas un breve atisbo de reconocimiento antes de desconectarse completamente de la distracción. Sus ojos mantuvieron su matiz dorado, y los afilados ángulos de su rostro se mantuvieron tensos, concentrados, pero no furiosos. Apretó los dedos con más fuerza en torno a la laringe de Bishop.

Corinne separó los labios, jadeante y agotada. Quería sosegar su talento y estaba a punto de ponerse a gritar para que toda aquella locura cesara.

Pero fue Regina quien habló primero.

—Henry Vachon —soltó. Victor gruñó, y era difícil saber ahora si su ira estaba dirigida a su atacante o a su agitada compañera de sangre. Regina apartó la vista de él, levantando la barbilla y hablándole directamente a Cazador—. Recuerdo a otro macho de la estirpe, también de la Agencia de la Ley. Estaba al lado de Starkn casi constantemente cuando aparecía en público. Se llamaba Henry Vachon. Era de alguna parte del sur... Nueva Orleans, creo recordar. Si quieres encontrar a Gerard Starkn, o cómo demonios se llame, empieza por Henry Vachon.

Cazador inclinó la cabeza con una vaga señal de reconocimiento, pero continuó aferrando la garganta de Bishop.

—Suéltalo —murmuró Corinne en voz baja. Estaba enferma por todo lo que había oído, pero no había sed de venganza en su corazón. Ni siquiera por el padre que la había traicionado tan despiadadamente—. Por favor, Cazador, suéltalo.

Él le dirigió la misma mirada extraña del principio, de la primera vez que ella le había pedido que no dañara a Victor Bishop. Corinne era incapaz de interpretar el desconcertante brillo que asomaba a sus ojos dorados. Era una actitud interrogante, una silenciosa pausa de inseguridad o de expectación.

—No merece la pena —dijo ella—. Déjale vivir con lo que ha hecho. Él ya no existe para mí.

Cuando Cazador aflojó su mano, Bishop rodó hacia el suelo, tosiendo y escupiendo. El rostro de Regina estaba apenado y rojo de tanto llorar. Comenzó a sollozar de nuevo, disculpándose ante Corinne, suplicándole el perdón por lo que había hecho Victor. Trató de cogerla en brazos, pero para ella la idea de ser tocada por alguien ahora era mucho más de lo que podía soportar.

Corinne retrocedió. Se sentía atrapada en aquella habitación, asfixiada en los confines de ese Refugio Oscuro que ya no era su hogar y nunca podría volver a serlo. Las paredes parecían estrecharse sobre ella y el suelo se movía, le ardía el estómago y le daba vueltas la cabeza.

Tenía que salir de allí.

Mason extendió la mano para sostenerla cuando dio un paso torpe hacia las puertas abiertas del estudio. Ella lo esquivó, evitando el apoyo de su mano y sus ojos piadosos.

—Necesito aire —susurró, jadeando ante el esfuerzo de pronunciar las palabras—. No puedo… necesito salir… salir de aquí.

Y echó a correr.

Atravesó el vestíbulo de la imponente casa y salió a la carretera. Desde algún lugar cercano, oyó una alegre melodía navideña, animados villancicos llevados por el aire nocturno. Sintió un dolor en lo más profundo del alma. Se afanó en respirar el aire frío, con respiraciones rápidas y entrecortadas sacudiéndole los pulmones mientras corría a lo largo de la carretera nevada.

Capítulo nueve

Corinne iba de camino hacia la puerta cerrada que daba a la calle cuando Cazador dejó a Victor a solas con el peso de sus pecados y salió del Refugio Oscuro, al campo helado. Ella parecía tan pequeña, tan frágil, a pesar de la fuerza que había demostrado en el interior de la casa. Ahora que estaba allí fuera, sola en la oscuridad, él se dio cuenta de lo herida que estaba realmente. Su cuerpo temblaba, sacudido por un dolor que él solo podía adivinar mientras se aferraba a las verjas de hierro negro de la puerta, con la cabeza inclinada.

Sollozaba suavemente cuando él se acercó. Su aliento dejaba en el aire pálidas nubes en la oscuridad. Sus sollozos eran discretos pero parecían salir de un lugar muy profundo en su interior. Cazador no sabía qué decir mientras se acercaba. No tenía palabras de consuelo, no tenía ni idea de qué era lo que necesitaba oír.

Extendió su mano, intentando colocarla en su hombro tembloroso como había visto hacer a otros en los momentos de aflicción. Inexplicablemente, sintió la urgencia de reconocer su dolor. Parecía tan sola en ese momento, quería demostrarle que él sabía que había dejado atrás algo muy importante en esa casa: su verdad.

Ella advirtió su presencia antes de que él tuviera la oportunidad de tocarla.

Sollozando, levantó la cabeza y lo miró por encima del hombro.

—¿Le has hecho... algo?

Cazador negó lentamente con la cabeza.

—Vive, aunque no entiendo por qué su muerte te resultaría tan inaceptable.

Ella frunció sus finas cejas.

—Él antes me quería. Hasta hace unos minutos era mi padre. ¿Cómo puede haberme hecho esto?

Cazador la miró fijamente a los ojos y comprendió que ella no le estaba pidiendo respuestas. Tenía que saber, al igual que él, que la cobardía de Victor Bishop había demostrado ser más fuerte que el vínculo que la unía a esa niña que había criado como su propia hija.

Corinne miró más allá de él, en la oscuridad.

—¿Cómo puede haber vivido con eso durante todo este tiempo, sabiendo lo que había hecho... no solo a mí, sino al resto de la familia también con todas esas mentiras? ¿Cómo puede haber dormido después de asesinar a esa chica y usar su muerte como parte del engaño?

—No merece la piedad que le has demostrado esta noche —replicó Cazador, sin ninguna malicia en la afirmación, solo como la llana verdad—. Dudo que él hubiera tenido la misma consideración contigo.

—No quiero que muera —susurró ella—. No podría hacerle eso a mi madre... a Regina. Tendrá que encontrar una manera de responder ante ella, no ante mí. Y tampoco ante ti ni ante la Orden.

Cazador gruñó por lo bajo, menos que convencido. La principal razón por la que Victor Bishop todavía respiraba era el ruego de su hija traicionada. Cazador se había refrenado cuando ella le pidió que lo salvara. No debería haberlo hecho. Después de todo, la visión de Mira así lo pronosticaba.

Sin embargo, lo ocurrido no había sido exactamente igual que la visión. La situación parecía algo diferente. Corinne parecía diferente, suplicando pero no con la impaciencia desesperada que él había visto en los ojos de Mira, sino con un agotamiento derrotado.

Y no solo eso, reflexionó Cazador. El resultado final había sido diferente al que los ojos de la niña le habían mostrado. En la visión él no retiraba su mano. El curso había sido alterado, y eso nunca había ocurrido antes.

Todo aquello parecía un error.

Todavía allí de pie, una parte de él lo impulsaba a regresar a la residencia del Refugio Oscuro. Había sido entrenado para no dejar cabos sueltos que pudieran jugarle una mala pasada más tarde. Cazador había sido testigo de un hombre corrompido, alguien que había demostrado ser débil e influenciable. Alguien más fuerte podría manipularlo, tal y como había hecho Dragos durante todos esos años. Mientras que esta noche Victor Bishop parecía un adversario de poca importancia, a pesar de su riqueza y de las conexiones políticas que le quedaban, el depredador experto que había en Cazador se sentía aguijoneado por la necesidad de terminar su trabajo.

Sabiendo lo que sabía gracias al extraordinario don de la pequeña Mira, se preguntaba cómo era posible que se hubiera resistido a los ruegos de Corinne y no le hubiera dado el golpe final que le estaba predestinado.

La miró temblar delante de él cuando una ráfaga de aire frío pasó a través de las rejas de hierro de la puerta cerrada.

—Necesito salir de aquí —murmuró ella, volviéndose hacia los altos barrotes—. No pertenezco a este lugar. Ya no.

Se agarró con fuerza a la verja con ambas manos y la agitó, más y más fuerte, mientras un llanto silencioso surgía de lo profundo de su garganta. Echó la cabeza hacia atrás y despotricó contra el cielo negro salpicado de estrellas.

—¡Déjame salir, maldita sea! ¡Necesito salir de este lugar ahora mismo!

Cazador se le acercó por detrás y colocó las manos sobre las suyas. Ella permaneció quieta, con cada músculo en su interior tenso e inmóvil. A pesar de que había estado temblando, el cuerpo de ella era cálido contra su pecho. El calor estaba vivo, casi una presencia insoportable que encendió todos sus sentidos como si un circuito se pusiera en marcha de repente.

Corinne debía de haberlo sentido también. Sacó las manos de debajo de las de Cazador y se cruzó de brazos. Él se dio cuenta ahora de lo cerca que estaban; apenas unos centímetros separaban la espalda de ella de su pecho y su torso, su pequeño cuerpo atrapado contra él en la jaula de su brazos.

Era tan pequeña y delicada, y, sin embargo, una energía desafiante irradiaba de ella. Se acercó más, tentado de olerla, de volver a tocar el suave dorso de sus pequeñas manos, de probar cómo era la calidez sedosa de su larga melena negra, que le rozaba la mejilla.

No estaba acostumbrado a reconocer la tentación, y mucho

menos a entregarse a ella. Así que se quedó quieto durante aquel momento desconcertante, ignorando el repentino temblor de su pulso y el calor que encendía sus venas.

Cuando ella se apartó, Cazador sintió un rápido alivio. El aire frío llenó el espacio entre sus brazos. Corinne estaba de pie a su lado mientras él se acercó a las rejas de hierro y las separó lo bastante como para que pudieran escapar a través de ellas.

Las alarmas inmediatamente se dispararon. Los reflectores se encendieron, iluminando la entrada del Refugio Oscuro y todo el perímetro de la finca.

Corinne lo miró bajo el pálido halo de las luces de seguridad.

—Sácame de aquí. No me importa dónde vayamos; solo sácame de este lugar, Cazador.

Él asintió con gravedad, y luego le hizo señas para que lo siguiera hasta el coche que había aparcado en la calle cuando regresó para confrontar a Bishop. Corrieron juntos, y Corinne se colocó de un salto en el asiento del acompañante a la vez que Cazador se ponía tras el volante.

Arrancó el coche y advirtió que ella no se daba la vuelta ni una vez mientras dejaban tras ellos el Refugio Oscuro sumido en la oscuridad. Permanecía sentada rígida a su lado, con la mirada distante, contemplando fijamente el parabrisas pero sin estar concentrada en nada.

Condujeron en silencio durante más de veinte minutos, hasta que llegaron a la parte más tranquila de la ciudad y encontraron un sitio donde detener el coche.

—Tengo que informar al recinto —dijo él, sacando el móvil del bolsillo de su chaqueta de cuero.

Corinne apenas reaccionó, con los ojos vacíos todavía fijos en el horizonte lejano.

Cazador marcó el número, a la espera de oír al otro lado el típico «dime» de Gideon. En lugar de eso, fue Lucan quien respondió.

—¿Dónde estás?

—Retrasado en Detroit —respondió Cazador, detectando el tono de urgencia... de tensa impaciencia en el líder de la Orden—. Las cosas se han torcido, ¿verdad? —dijo en voz alta—. ¿Ha pasado algo relacionado con Dragos?

Lucan murmuró un taco.

—Sí, ya puedes decirlo. Acabamos de enterarnos de que conoce la localización del recinto. Suponemos que la conoce. Hace unas horas, Kellan Archer vomitó un aparato de rastreo. Gideon lo está analizando mientras hablamos.

—El secuestro era una trampa —dijo Cazador, encajando las piezas. Ahora tiene sentido, un ataque a civiles sin que hubiera una provocación en el curso de la semana pasada—. Dragos tenía que asegurase de que la Orden se compadeciera del chico, por eso mató a su familia y arrasó su Refugio Oscuro. El muchacho fue aislado, y la única posibilidad de la Orden era ponerlo bajo su protección.

—Llegamos a esa conclusión enseguida —señaló Lucan con tensión—. Yo tomé la decisión de romper el protocolo y traer al chico al recinto. Demonios, podría haber abierto la maldita puerta directamente a Dragos para invitarlo a pasar.

Cazador nunca había oído lamentase a Lucan. Si aquel vampiro de la primera generación tenía dudas nunca antes las había aireado ante Cazador. El hecho de que lo hiciera solo subrayaba la gravedad de la situación.

—Sé cómo funciona Dragos —dijo Cazador—. He visto cómo piensa, sus estrategias. El joven Archer lleva en el recinto más de dos días…

—Setenta y dos horas —intervino Lucan.

Cazador notó la mirada de Corinne en él al mencionar el nombre de Dragos. Le escuchaba en silencio, con su bonito rostro consternado, bañado por la luz verdosa del salpicadero del sedán detenido. Cazador podía sentir el miedo que la helaba mientras continuaba hablando con Lucan.

—Dragos tenía que saber que no pasaría mucho tiempo sin que el aparato fuera detectado. Ya debía de tener organizado el asedio, incluso antes de poner su trampa en funcionamiento. Cuando emprenda el ataque al recinto lo hará de la forma que asegure el mayor daño para la Orden.

—Quiere sangre —respondió Lucan—. Mi sangre.

—Sí. —Cazador sabía, por su tiempo al servicio de ese loco del poder que era Dragos, que su batalla entre él y la Orden se había convertido en algo personal. Dragos buscaba eliminar aquel obstáculo que impedía sus metas, pero su rabia lo impulsaba a hacerlo de la forma que pudiera infligir el mayor dolor en Lucan y en aquellos que estaban a su cargo.

El recinto de Boston ya no era seguro para nadie, pero no era necesario que Cazador lo dijera. Lucan lo sabía. Su voz sombría reverberaba ante la gravedad de la situación, pero su silencio era todavía más revelador.

—Ha habido complicaciones con mi misión en Detroit —le dijo Cazador, y su informe fue recibido con un fuerte taco. Le hizo a Lucan un resumen rápido de lo que había pasado en el Refugio Oscuro con Corinne y su familia, desde la sospecha que él tuvo de que Victor Bishop estaba ocultando algo hasta la constatación de que aquello había dejado el futuro de Corinne en el limbo pero había proporcionado a la Orden una posible pista acerca de uno de los socios de Dragos en el pasado.

—Henry Vachon —dijo Lucan, repitiendo el nombre que Regina Bishop les había dado—. No lo conozco, pero seguro que Gideon puede seguir la pista del bastardo. No tengo ni que decirte lo importante que es para nosotros explorar cualquier pista que podamos tener sobre Dragos.

—Por supuesto —admitió Cazador.

—Pediré a Gideon que investigue a Vachon y te informaré de lo que encuentre. Deberías tener datos dentro de una hora —dijo Lucan—. ¿Y qué pasa con Corinne? ¿Está todavía contigo?

—Sí —respondió Cazador, mirándola mientras hablaba—. Está conmigo en el coche justo ahora.

Lucan gruñó.

—Bien. Quiero que la mantengas cerca. Mientras continuemos con este caos en el recinto no es una buena idea para ninguno de vosotros regresar.

Cazador frunció el ceño, todavía contemplando el rostro interrogante de Corinne.

—¿La estás poniendo bajo mi custodia?

—De momento no se me ocurre ninguna alternativa más segura para ella.

A pesar de las malas noticias que habían golpeado a la Orden esa noche, Lucan no había cancelado ninguna de las patrullas asignadas. Más bien, la actividad del recinto había aumentado.

A Dante le parecía que una bomba de relojería se había activado en el instante en que Kellan Archer vomitó el chip de rastreo de Dragos. Todo el mundo entendía lo que eso significaba, y la expectativa de problemas en el horizonte, la expectativa de que pudieran atacarlos en cualquier momento, no dejaba a nadie indemne.

El miedo y la falta de acción no detendrían la tormenta que se avecinaba. Tenían que volverse más agresivos, registrar cada rincón, remover cada piedra, si eso podía significar acercarse tan solo un centímetro más al paradero de Dragos. Tenía que ser localizado, y tenía que ser detenido... ahora más que nunca.

Esa lógica, y la furia que le seguía los talones, era lo único que dio fuerza a Dante para dejar allí a Tess y salir a patrullar con Kade esa noche.

Su corazón seguía en el recinto, pero su cabeza estaba completamente concentrada, buscando incluso las más remotas pistas acerca de Murdock, el agente que se había escapado, la constatación de la presencia de asesinos de Dragos en la ciudad...

Y durante toda la noche, una parte de él había estado pendiente de encontrar también otro tipo de pistas.

—Espera —le dijo a Kade, justo cuando el Rover giró por el sórdido tramo de carretera que iba hacia el Mystic, en el sur—. ¿Has visto a ese tipo de ahí?

Kade aminoró la marcha del todoterreno negro y escudriñó en la dirección que Dante le indicaba.

—No veo a nadie más que a una pareja de prostitutas demasiado mayores pero empeñadas en usar tacones de plataforma y la moda típica de los veinte años. Eso es clase.

Dante era incapaz de compartir el humor del otro guerrero, a pesar de que tenía razón acerca de las prostitutas que se arrastraban por la esquina al otro extremo de la manzana.

—Creí que podía tratarse de Harvard —dijo, bastante seguro de que la larga silueta que había desaparecido al otro lado de un viejo almacén de ladrillos era de la estirpe. Y por la forma en que el macho se movía, aunque se hubiera escabullido en las penumbras de aquel destartalado bloque industrial, Dante estaba más que dispuesto a apostar que se trataba de Sterling Chase—. Para el coche.

—Incluso si fuera Harvard, no creo que sea una buena idea, amigo…

—A la mierda lo que creas —soltó Dante, preocupado por su amigo desertor por encima de cualquier otra cosa—. Para el coche, Kade. Voy a bajarme.

No esperó a que el vehículo se detuviera del todo. Bajó de un salto y echó a correr hacia el lugar por donde había visto irse al vampiro. Kade fue detrás de él, maldiciendo por lo bajo, pero preparado para cubrirle la espalda a pesar de todo.

Bordearon el almacén de ladrillos y se hallaron contemplando una zona de vías de ferrocarril. A un lado había una hilera de vagones huérfanos, y en uno de ellos, cubierto de grafiti, se había abierto un agujero lo bastante grande como para que alguien pudiera pasar. Cerca había un grupo de humanos, reunidos alrededor de un cilindro de metal que brillaba y echaba chispas porque estaban quemando basura en su interior. Se calentaban las manos sobre el contenedor y se pasaban una pequeña pipa unos a otros.

Los drogatas apenas levantaron la vista cuando Dante y Kade pasaron junto a ellos. Sus rostros eran vacíos, fantasmales. Apestaban a narcóticos, bebidas alcohólicas y ropa podrida. Tenían el pelo asqueroso, y sus cuerpos eran malolientes por la falta total de higiene. Miraban sin enfocar con ojos vidriosos, sus mentes idas, perdidos en la seductora garra de sus adicciones.

—Dios santo —silbó Kade, asqueado—. Si Chase anda merodeando en este agujero de mierda tiene que estar realmente jodido.

Incapaz de negar la verdad de esa afirmación, Dante sintió la mandíbula tirante hasta el punto de dolerle. Chase estaba jodido. Lo supo tan pronto como oyó lo que le había ocurrido en la capilla con Elise. El hecho de que se hubiera escaqueado de la Orden era solo otro clavo más en el ataúd que él mismo se estaba construyendo.

Pero Dante no estaba preparado para renunciar a él.

Necesitaba creer que Harvard no estaba completamente perdido. Tal vez si pudiera encontrarlo, le haría entrar en razón. Lo pondría al corriente del desastre que había ocurrido en la Orden horas atrás y le haría saber que lo necesitaban.

Y si todo eso fallaba, Dante estaba dispuesto a patear el autodestructivo culo de Harvard desde ahora hasta la próxima semana.

—Se fue por aquí —dijo Dante—. Tiene que estar por alguna parte por aquí detrás.

Kade levantó la barbilla, haciendo un gesto hacia el vehículo abierto. Dante asintió. Era prácticamente el único sitio donde Chase podía haberse escondido, aunque Dante sabía tan bien como cualquier otro en la Orden que si Chase no quería ser encontrado su talento para convocar las sombras había probado ser el manto más efectivo.

Juntos, él y Kade se acercaron al vagón. Dante caminó hasta el agujero de oscuridad que había en la gran caja de metal. El olor fétido de más humanos abandonados flotaba en el aire mientras daba un vistazo rápido a ese lugar tenebroso. Su visión era perfecta en la oscuridad, como en todos los de su raza. No vio ninguna señal de Chase entre los hombres y mujeres dormidos, y tampoco entre los que estaban acurrucados bajo una manta compartida, que se fijaron en él con miradas vacías.

Chase no estaba allí, ni siquiera en las profundidades de las sombras.

—Harvard —dijo, tratando de llegar a él de alguna forma. Tal vez si escuchaba una voz familiar...

Nada más que silencio.

Esperó durante un momento, una parte de él entristecida por las vidas malgastadas tiradas en el interior de aquel vehículo y por esos otros que perdían el juicio ante el barril de basura quemada. Eran extraños, humanos, nacidos para vivir y morir en un período que abarcaba menos de un siglo. Pero en sus expresiones perdidas y sin esperanza, él veía a su amigo Sterling Chase.

¿No era eso lo que esperaba a Harvard si no detenía su caída en espiral? No quería llegar allí, no quería imaginar que Harvard pudiera estar inmerso en una guerra con sus propios demonios. No quería creer que Tegan y Lucan pudieran tener razón... que Chase pudiera haberse convertido en un adicto a la sangre. No había peor destino para un vampiro de la estirpe que el de sucumbir a la lujuria de sangre y convertirse en un renegado.

Y una vez se caía allí, casi no había ninguna esperanza de recuperar la cordura.

—Maldito sea —masculló con los dientes apretados.

Bajó del vagón al terreno helado junto a las vías. Al saltar, sintió el golpe de su móvil en el bolsillo del abrigo.

Lo sacó y le dio a una tecla de marcación rápida antes de poder soltar una explicación a Kade.

—Su móvil —le dijo, oyendo ya el primer timbre al otro lado de la línea—. Si Harvard ha ido por aquí, tal vez lleve su móvil con él y…

Se calló al oír un débil sonido a unos cuantos metros de allí.

Los ojos plateados de Kade brillaron bajo sus cejas negras.

—Lo tenemos.

Echaron a correr, ambos pisando fuerte sobre las vías en dirección a ese sonido amortiguado.

Dante no quería crearse expectativas, una fría oleada de temor le advertía de que incluso si encontraba a Harvard puede que no le gustase lo que le aguardaba al otro lado de la línea. Con moderada expectación, siguió a Kade más allá de las vías, entre un par de edificios de almacenamiento con muy mala pinta. Tuvo que desconectar la llamada bruscamente, insultando cuando le saltó el contestador. Apretó de nuevo la tecla de llamada rápida y el timbre sonó ahora más cerca.

Dios bendito, ahora estaban prácticamente encima de él.

No había nadie alrededor. Ni un alma, ni siquiera humanos.

Él y Kade corrieron más rápido, hasta que el timbre del teléfono de Chase estaba sonando en estéreo sobre el oído de Dante y en algún lugar muy cercano.

—Por aquí —dijo Kade, arrodillándose sobre una pila de lona helada y de plásticos que servían de sábanas. Escarbó dentro del montón, apartando la porquería hasta que llegó al fondo.

Cuando se inclinó y soltó un insulto, Dante supo que habían llegado a un callejón sin salida.

Kade levantó el teléfono móvil, reflejando en su rostro preocupación, pero no sorpresa.

—Se ha deshecho de nosotros, amigo. Estaba aquí, como decías. Pero no quiere que lo encontremos.

—¡Harvard! —gritó Dante, completamente jodido en ese

momento. La preocupación le retorcía el estómago y el corazón le latía con fuerza en el pecho. Lanzó su rabia en todas direcciones, dándose la vuelta para revisar la zona, por más inútil que fuera—. ¡Chase, maldita sea, si estás aquí, di algo!

Kade apagó el teléfono y se lo metió en el bolsillo.

—Vamos, larguémonos de aquí. Harvard se ha ido.

Dante asintió en silencio. La noche anterior, Sterling Chase había abandonado la Orden después de numerosas cagadas y excusas. Ahora se deshacía del amigo más íntimo que tenía entre los guerreros. Estaba dando la espalda a todos sus camaradas, y a juzgar por lo que había pasado allí esa noche, Dante tenía que reconocer que Chase estaba haciendo todo eso deliberadamente.

El Harvard que él conocía nunca se habría comportado así.

Kade tenía razón.

Harvard se había ido, y probablemente para bien.

Capítulo diez

Cazador no le había dirigido ni dos palabras en el tiempo transcurrido desde su llamada a la Orden y el trayecto hasta el aeropuerto a las afueras de Detroit. No es que Corinne buscara conversación. Su cabeza todavía le daba vueltas a lo ocurrido en el Refugio Oscuro; su corazón todavía estaba en carne viva, como una herida abierta en el centro de su ser.

Había vuelto a casa en busca de su familia y se había encontrado con una traición. Todavía era más doloroso el hecho de que sus esperanzas de contar con el poder y los recursos de Victor Bishop para encontrar a su hijo perdido habían quedado completamente destruidas.

¿En quién se suponía que iba a confiar ahora, cuando la única familia que conocía la había abandonado conscientemente en manos de un monstruo?

La desesperación le obstruyó la garganta mientras permanecía en la oscuridad del vehículo, observando el paisaje a la luz de luna con la mente perdida, mientras Cazador circulaba por el laberinto de carreteras de acceso al aeropuerto, en dirección al complejo de hangares abovedados adyacente a la terminal pública y las carreteras.

Corinne no podía parar de pensar en su hijo, el precioso niño que Dragos le había arrebatado de los brazos apenas un momento después de su nacimiento. Ahora habría crecido... sería un adolescente que nunca había conocido a su madre.

Indefensa como todas las prisioneras de Dragos, no había tenido calendarios, ni relojes, ni el más mínimo consuelo. Había contado los años de su hijo de la única manera que podía: por los intervalos de nueve meses, marcando el paso del tiempo a través de la observación de los embarazos de las otras compañeras de sangre cautivas. Habían pasado trece ciclos de nacimiento desde que sostuvo en sus manos a su hijo recién nacido y hasta el día de su rescate, una semana atrás.

A pesar de las circunstancias de su espantosa concepción, Corinne había amado a su hijo profundamente desde el instante en que lo vio. Era suyo, una parte vital de lo que ella era, por más que hubiera llegado a este mundo de una manera salvaje. Recordaba la angustia de haberlo perdido. Todavía la sentía, el dolor de notar en su propio interior que estaba vivo pero sin saber dónde lo habían llevado ni qué había sido de él.

Ese dolor la carcomía incluso ahora. Soportó aquella renovada sensación de duelo mientras Cazador aparcaba en el interior de un hangar sin distintivos, donde los esperaba el elegante *jet* blanco de la Orden. Él sacó su móvil e hizo una llamada. Su voz grave y profunda no parecía más que un ruido de fondo: un zumbido extrañamente reconfortante. Simplemente el sonido de él hablando, con fuerza y calma, una presencia confiada capaz de llevar tan fácilmente el control de todo lo que ocurría a su alrededor, ayudaba a que las mareas de sus recuerdos le parecieran más navegables.

Dejó que ese sonido le sirviera de ancla en medio de las olas de recuerdos dolorosos, aunque su incapacidad de conservar a su hijo cerca y a salvo la continuaba abrumando.

Si el desastroso reencuentro de esa noche le había dado algo a lo que aferrarse era su resolución, que se había vuelto de hierro, al comprender hasta qué punto era brutal sentirse abandonado. Ella no renunciaría a su hijo. Caminaría a través del fuego del mismísimo infierno para encontrarlo. Ni Dragos ni su maldad le impedirían reunirse con su hijo. No permitiría que nada ni nadie se interpusiera en su camino.

Advirtió que Cazador estaba terminando la conversación telefónica. Desconectó la llamada y luego guardó el pequeño aparato en el bolsillo de su abrigo.

Ella alzó la vista y sus ojos se encontraron en el interior del coche débilmente iluminado.

—¿Va todo bien con tus amigos de Boston?

Aunque él no le había confiado nada acerca de la primera llamada que había hecho al recinto de la Orden, Corinne había oído lo bastante como para saber que algo malo había ocurrido mientras Cazador estaba con ella. Había oído el nombre de Dragos y la mención de un joven de los Refugios Oscuros que había perdido recientemente a su familia y su hogar por la violencia de Dragos. Por lo poco que había entendido, y por la expresión evasiva, casi intimidatoria, que Cazador tenía ahora, parecía bastante claro que Dragos había logrado de alguna manera ganar una mano.

—¿Corren grave peligro, Cazador?

—Estamos en medio de una guerra —respondió, y su voz, exasperadamente calmada, sonó más desalentada que apática—. Mientras Dragos no esté muerto, todo el mundo corre peligro.

No estaba hablando solo de los residentes del recinto de la Orden. Y tampoco solo de los guerreros en combinación con la nación de la estirpe. La guerra a la que Cazador se refería incluía algo mucho mayor que eso. Estaba hablando de la amenaza que Dragos representaba para el mundo en su totalidad.

Si hubiera sido otro quien dijera semejante cosa, ella lo habría tachado de dramático. Pero se trataba de Cazador. La exageración no formaba parte de su vocabulario. Era práctico y conciso. Era tan exacto con sus palabras como con sus hechos, y eso solo contribuía a hacer más duro para ella el peso de su afirmación.

Corinne se echó hacia atrás, incapaz de sostener su penetrante mirada dorada. Volvió la cabeza a un lado y miró a través de la ventanilla ahumada del coche, observando cómo se abría un lateral del pequeño avión y unas escaleras descendían hasta el suelo de cemento del hangar.

—¿Vas a enviarme de regreso a Boston?

—No. —Cazador apagó el motor del coche—. No voy a enviarte a ninguna parte. De momento te quedarás conmigo. Lucan me ha encargado que me ocupe de tu seguridad temporalmente.

Ella apartó la vista del avión que los esperaba y aventuró otra mirada a su distante acompañante. Quería argumentar que ella no necesitaba a nadie que la mantuviera a salvo, no ahora que acababa de probar la libertad, con un gusto tan amargo como el que aquella podía tener. Pero lo que él acababa de decirle la llevaba a otra pregunta de mayor calado.

—Si no vamos a Boston, ¿adónde se dirige ese avión?

—A Nueva Orleans —respondió él. Gideon había comprobado el dato que les había dado Regina Bishop acerca de Henry Vachon. Este poseía varias propiedades en la zona de Nueva Orleans y presumiblemente residía allí—. En este momento, Vachon es nuestra pista más viable para llegar a Dragos.

A Corinne le dio un vuelco el corazón. Henry Vachon era la mejor pista de la Orden para llegar a Dragos... lo cual significaba que era también la mejor pista para ella. Tal vez la única pista que tenía para averiguar lo que había pasado con su hijo.

Por mucho que quisiera rechazar la idea de estar atada a Cazador o a cualquier otro, una parte de ella entendía que tenía pocas alternativas y todavía menos recursos a su disposición. Si unir sus fuerzas a Cazador la acercaba a Henry Vachon y a cualquier información respecto a su hijo, tendría que hacerlo. Cualquier cosa por su hijo.

—¿Qué vas a hacer —preguntó ella— si consigues encontrar a Vachon?

—Mi misión es simple: determinar su conexión con Dragos y extraer toda la información útil que pueda. Luego neutralizar el blanco para impedir cualquier complicación potencial futura.

—Quieres decir que pretendes matarlo —dijo Corinne, más como una confirmación que como una pregunta.

Los severos ojos de Cazador no mostraban ningún titubeo.

—Si logro comprobar que Vachon tiene efectivamente una conexión con Dragos, ya sea pasada o presente, debe ser eliminado.

Ella se sorprendió a sí misma asintiendo débilmente, pero en su interior no sabía qué pensar. No podía sentir lástima por Henry Vachon si él tenía algo que ver con su sufrimiento, pero otra parte de ella se preguntaba cómo debía de impactar a Cazador una ocupación tan brutal, en la que se enfrentaba tan a menudo con la muerte.

—¿Alguna vez te han molestado el tipo de cosas que tienes que hacer? —Soltó la pregunta antes de tener la oportunidad de decidir si era el momento de preguntar eso o no. Antes de tener tiempo de preguntarse si quería o no quería saber la respuesta—. ¿De verdad la vida significa tan poco para ti?

El rostro atractivo y severo de Cazador no se inmutó. Los ángulos de sus altas mejillas y su mandíbula de corte cuadrado estaban rígidos, tan implacables como afilados. Solo su boca parecía suave; sus labios ni estaban fruncidos ni sonreían, únicamente mantenían una plácida y exasperante neutralidad.

Pero fueron sus ojos los que la dejaron más paralizada. Bajo la corona de su pelo rubio muy corto, sus ojos eran penetrantes, inquisidores. A la vez que se clavaban en ella, sin embargo, parecían incluso más determinados a no revelar nada de sí mismos, por muy hondo que ella buscara.

—Yo trato con la muerte —respondió entonces, sin disculparse ni excusarse—. Es un rol para el que nací, y un talento para el que fui muy bien entrenado.

—¿Y nunca tienes dudas? —No podía evitar presionarlo, necesitaba saber. Quería entender a ese formidable macho de la estirpe que parecía tan solitario—. ¿Nunca te cuestionas lo que haces? ¿Jamás?

Algo oscuro asomó a su rostro por un instante. Un atisbo de evasión en sus ojos, pensó ella. Fue breve pero imposible de no advertir, y desapareció un segundo más tarde, cuando bajó las pestañas, palpó las llaves del coche y las sacó del centro de la consola del vehículo.

—No —respondió finalmente—. No cuestiono nada de lo que mi deber requiere que haga. Jamás.

Abrió la puerta del conductor y se dispuso a bajar del coche.

—El avión está listo para nosotros. Debemos irnos, mientras la noche esté todavía de nuestra parte.

—Van de camino a Nueva Orleans.

Lucan alzó la vista mientras Gideon terminaba su conversación con Cazador y volvía a la mesa de conferencias donde estaban él y Tegan, escudriñando un plano que habían extendido.

—¿No ha ocurrido nada más con Corinne Bishop o sus parientes en Detroit?

—Cazador no parece preocupado —replicó Gideon—. Dice que tiene la situación bajo control.

Lucan gruñó, irónico a pesar de la gravedad de la discusión que acababan de tener.

—¿No he oído esa frase antes? Son las palabras más famosas de más de uno de nosotros en el curso de este último año y medio.

—Pues sí. —Gideón subió una ceja por encima de los cristales azul pálido de sus gafas—. Esas palabras normalmente van seguidas de una llamada que se produce no mucho después para comunicar que la situación que se aseguraba tener bajo control está ahora totalmente jodida.

El propio Lucan no estaba libre de culpa en ese sentido, y tampoco Tegan ni Gideon. Sin embargo, era de Cazador de quien estaban hablando.

Tegan pareció recoger esa línea de pensamiento.

—Si en muchas ocasiones no hubiera visto a ese hombre volver sangrando de sus peores misiones, diría que está hecho de acero y de cables, en lugar de músculos y huesos. Es una máquina, eso es. Él no jode las cosas... no está en su ADN. No habrá ninguna sorpresa por parte de Cazador.

—Será mejor que no la haya —respondió Lucan—. Está condenadamente claro que ya tenemos las manos llenas de sorpresas.

Tras este intercambio, los tres volvieron a dirigir la atención a los planos que Lucan había extendido sobre la mesa. Eran planos en los que alguien había estado trabajando en secreto los pasados meses, poco después de darse cuenta de lo vulnerable que podía volverse el recinto cuanto más tiempo tardara Dragos en ser atrapado por la Orden.

Era el diseño de unos nuevos cuarteles.

Ya se había procurado el terreno: una extensión de ochenta hectáreas en las montañas Verdes de Vermont. Y los planos estaban casi completos para la construcción de un búnker de última generación y alta seguridad que podría albergar una pequeña ciudad con sus numerosas habitaciones subterráneas y sus instalaciones especialmente diseñadas. Era inmenso, increíble, exactamente el tipo de lugar que la Orden necesitaba ahora que Dragos conocía la localización del recinto.

El único problema era que una instalación de ese tamaño y ese alcance tardaría fácilmente más de un año en ser construida.

Necesitaban algo hoy, no en el futuro.

—Tal vez deberíamos pensar en separarnos —sugirió Gideon después de un rato—. Todos tenemos dinero y propiedades. Ya sé que ninguna de nuestras propiedades es tan segura como este recinto... bueno, en realidad podemos decir que hasta ahora era seguro. Pero al menos no nos hallamos sin alternativas. Tal vez lo más inteligente y más rápido sería que cada uno de nosotros cojamos a nuestra compañera y salgamos de aquí.

Los ojos verdes de Tegan brillaban oscuramente cuando dirigió una mirada grave a Lucan. No había necesidad de preguntar lo que estaba pensando el otro vampiro de la primera generación. Lucan y él, aunque históricamente no siempre habían mantenido la mejor relación, eran los últimos miembros fundadores de la Orden que quedaban. Durante siete siglos, desde la implantación de la Orden, habían luchado juntos soportando numerosos infiernos personales y disfrutando de algunos triunfos. Habían matado el uno por el otro, sangrado el uno por el otro... a veces incluso llorado el uno por el otro. Solo para llegar a este lugar juntos.

Juntos, no divididos.

Lucan vio una ferocidad cruda y medieval en los ojos de Tegan ahora. Él lo comprendía. Él sentía lo mismo también.

—La Orden no se separará —repuso Lucan, brusco por la furia ante lo que Dragos los estaba obligando a considerar—. Somos guerreros. Hermanos. Somos parientes. No permitiremos que nadie logre dispersarnos por el terror.

Gideon asintió, solemne y silencioso.

—Sí —dijo, mirándolos a los ojos—. ¿Qué jodido estoy, verdad? Una idea de mierda. No sé en qué demonios estaría pensando.

Compartieron una risita tensa, los tres plenamente conscientes de que el resto del recinto había confiado en ellos para decidir el destino de todos. Y sus alternativas eran muy escasas. Dragos los tenía ahora atrapados como peces en un barril, y en cualquier momento podía empezar a disparar.

—Reichen y Claire tienen propiedades en Europa —señaló Gideon—. Quiero decir, no es que sea ideal vaciar el recinto aquí y relocalizarnos en el extranjero, y menos aún con carácter inmediato...

Lucan consideró la opción.

—¿Qué pasaría con el laboratorio tecnológico? No podemos permitirnos perder la pista de Dragos, incluso si nos marchamos de aquí. ¿Cuánto tardaríamos en poner todo esto en funcionamiento en otra localización?

—No sería sin interrupciones —respondió Gideon—. Pero todo es posible.

—¿Y qué pasa con Tess? —La pregunta de Tegan cayó sobre ellos como un martillo—. ¿De verdad pensáis que está en condiciones para el traslado que nos estamos planteando? ¿Y creéis que Dante estará dispuesto a correr ese riesgo?

Tegan negó con la cabeza, y Lucan sabía que tenía razón. No podían pedir a Tess y a Dante que pusieran en peligro la salud de Tess, o la del niña que estaba a punto de llegar, con el esfuerzo que suponía un traslado de esa magnitud.

Por no mencionar el hecho de que Lucan tenía sus dudas acerca de la viabilidad de asentar los nuevos cuarteles de la Orden tan lejos de la presumible base de operaciones de Dragos. Sería mucho más fácil continuar ejerciendo presión sobre el bastardo si se hallaban más cerca.

Mientras Lucan se debatía con las dificultades de la situación, captó un movimiento en la periferia y advirtió que Lazaro Archer pasaba junto a las paredes de vidrio del laboratorio. El civil vampiro de la primera generación se detuvo ante las puertas e hizo un gesto con la mano pidiendo permiso.

Lucan miró a Gideon.

—Déjale entrar.

Gideon se inclinó sobre sus aparatos y apretó un botón, dejando que las puertas del laboratorio se abrieran con un suave sonido hidráulico.

Lazaro Archer entró, alto y formidable; sus genes de la primera generación le daban el aspecto de un guerrero a pesar de que hubiera vivido sus muchos cientos de años ajeno al combate y el derramamiento de sangre.

Hasta que Dragos puso la vista en la familia Archer.

—¿Cómo está Kellan? —preguntó Lucan, viendo el estrés de todo lo que había ocurrido reflejado en la mirada sombría del viejo macho de la estirpe.

—Está cada vez mejor —respondió Archer—. Por lo visto

era el aparato lo que lo había hecho enfermar. Es un chico fuerte. Superará todo esto, no me cabe duda.

Lucan asintió lentamente.

—Me alegro por los dos, Lazaro. Lamento que tu familia se haya visto atrapada en medio de esta guerra con Dragos. Tú no lo buscaste. Estoy seguro de que no merecéis haber tenido que pasar por esto.

Los oscuros ojos de Archer se volvieron un poco más afilados al acercarse a la mesa para unirse a los guerreros. Su mirada se detuvo brevemente sobre los planos desplegados antes de volver a mirar a Lucan.

—¿Recuerdas lo que te dije aquella noche, después de que mi Refugio Oscuro quedara reducido a escombros y cenizas y mi único hijo, Christophe, fuera asesinado ante mí en el coche mientras esperábamos que Kellan fuera rescatado? Te hice una promesa.

Lucan lo recordaba.

—Me dijiste que querías ayudar a destruir a Dragos. Nos ofreciste tus recursos.

—Eso es —respondió Archer—. Lo que sea que necesitéis es vuestro. La Orden tiene mi más completa lealtad y respeto, Lucan. Y mucho más ahora, después de lo que ha ocurrido hoy con Kellan. Dios mío, cuando pienso que todos vosotros corréis peligro simplemente por habernos procurado vuestra ayuda...

—No —lo interrumpió Lucan—. Aquí no hay culpa. La culpa no es tuya ni del chico. Dragos nos usó. Y pagará por lo que ha hecho.

—Quiero ayudar —volvió a decir Lazaro—. He oído decir a alguna de las mujeres que estáis discutiendo planes para trasladarnos del recinto.

La mirada de Lucan se dirigió hacia Tegan y Gideon y volvió de nuevo hacia Archer.

—Esperábamos poder hacerlo, pero puede que no sea factible en este momento.

—¿Por qué no?

Lucan señaló los planos.

—Tenemos planes, pero no pueden llevarse a cabo en el tiempo que necesitamos. Nuestra única alternativa es relocalizar el centro de operaciones en el extranjero. Pero con Dragos focalizando sus esfuerzos aquí en Nueva Inglaterra, hasta donde sabemos, alejarnos varios miles de kilómetros no es exactamente nuestra mejor opción.

—¿Y qué hay de Maine?

Lucan frunció el ceño.

—Tenemos un puñado de hectáreas aquí y allá, pero nada que pueda servir como base viable para todo el recinto, aunque sea temporalmente.

—Vosotros no lo tenéis —replicó Archer lentamente—, pero yo tengo un lugar precisamente como el que necesitáis.

Capítulo once

Chase se despertó lentamente, un hedor cargado de humo y empalagosamente dulce llegó a sus orificios nasales y lo sacó de la densa oscuridad de un sueño pesado.

Sus ojos se negaban a abrirse. Sentía el cuerpo perezoso; los miembros le pesaban; parecían de plomo, echado como estaba, boca abajo, sobre una superficie dura que por lo visto le había servido de cama. Gruñó con la garganta sedienta, con la boca como algodón seco. Con esfuerzo, consiguió levantar un párpado y escudriñar el fétido entorno que lo rodeaba.

Estaba en un viejo vagón de tren. Con algunas zonas oxidadas y pequeños agujeros por donde ahora se colaba la cegadora luz del exterior.

La luz del día.

Los rayos brillaban por encima de su cabeza, donde el techo era poco más que un delicado tejido, anárquicamente remendado con pedazos de madera y tiras de plástico. No bastaba para cubrirlo lo suficiente. Un brillante halo de luz solar le daba directamente en el dorso de su mano desnuda. Le había hecho una fea quemadura en la piel… en parte responsable del hedor que lo había despertado.

—Joder. —Chase se incorporó y se puso de cuclillas en un rincón en sombras.

Fue entonces cuando vio la otra fuente del hedor que había en el vagón. Un humano yacía muerto en el suelo, cerca de donde él había estado durmiendo. Llevaba una parca verde del ejército rota por los hombros, su rostro conservaba una mueca de terror y una palidez fantasmal. Su garganta estaba agujereada en numerosas zonas. Una «salvajada» parecía la mejor manera de describir la grotesca evidencia del enajenado banquete de Chase.

Recordaba su sed libertina. Recordaba cómo se había colado dentro del vagón ocupado y cómo los drogatas sin techo se largaron chillando al ver sus ojos brillantes y sus colmillos desnudos. Mientras los humanos huían de su improvisado refugio, él seleccionó a la presa más fácil del rebaño y atrapó al más lento del grupo.

El hombre, que era grandote, había peleado, pero no le sirvió de mucho. Nada podría haber detenido la feroz necesidad que subía en espiral desde lo más oscuro y profundo del interior de Chase mientras arrojaba al humano al asqueroso suelo del vagón y se alimentaba.

Lo consumió.

Lo asesinó.

La culpa por aquello envolvió a Chase mientras contemplaba lo que había hecho. Había cruzado una línea, había roto un principio inmutable de la ley de la estirpe. Había ensuciado su propio sentido del honor, la única cosa a la que se había aferrado incondicionalmente a través de toda su vida.

Y estaba la cuestión de la Orden. Había arruinado su confianza. La pasada noche cuando Dante y Kade lo habían localizado, cuando habían ido tras él llenos de preocupación, se había ocultado cobardemente entre las sombras de las vías como un canalla. Ellos sabían que estaba allí, pero él usó su talento para ocultarse, ignorando deliberadamente sus llamadas. Si les quedaba alguna fe en él, la había hecho pedazos al negarse a enfrentarse a ellos.

Le había dolido rechazarlos, especialmente a Dante, pero más le habría dolido todavía permitir que alguno de los guerreros lo viera en el estado en que estaba. Llevaba toda la noche cazando, ya se había alimentado una vez pero no había tenido suficiente para saciarse. La sed lo había conducido hasta esa miserable zona industrial cercana al río, donde prostitutas y adictos, desechos como él, solían juntarse. Su sed no conocía la vergüenza, sino solo el ansia y la necesidad.

Chase todavía era presa del ansia, a pesar de haber bebido más que suficiente para llenarse tan solo horas antes.

Miró al humano muerto, molesto por la visión y el hedor. Necesitaba salir de allí. Con un renovado dolor y ansia creciendo en sus entrañas, Chase le quitó el abrigo al cadáver, y luego le sacó también el suéter gris y los pantalones anchos. Su propia ropa, el traje de combate negro que llevaba al dejar el recinto de la Orden la noche antes, estaba asquerosa y empapada de sangre por la forma salvaje en que se había alimentado. Se desvistió y se puso la ropa del humano. Los pantalones y el suéter eran pequeños para alguien del tamaño de Chase, y probablemente no habían sido lavados desde que su anterior dueño los recogiese en la beneficencia.

A Chase no le importó, lo único que quería era caminar sin llamar la atención como si hubiera matado a alguien. Con su traje destrozado en una mano, caminó hasta la puerta entreabierta del vagón. La abrió un poco más y contempló un espectáculo que pocos de su raza hubieran contemplado de buena gana.

La luz del sol golpeaba desde el cielo de media mañana. Iluminaba el terreno, dejando destellos en la nieve sucia y el barro helado de la zona de las vías. A pesar de la fealdad del entorno, había cierta belleza en el momento, ese primer atisbo de luz solar sobre un fresco amanecer, que desafiaba la suciedad que había ante él.

Desafiaba incluso la urgencia de su sed, obligándolo a detenerse donde estaba y simplemente contemplar el milagroso mundo que habitaba. Ese que sentía escaparse entre sus dedos con cada pulsación palpitante de sus venas.

Chase levantó el brazo como un escudo protector de sus hipersensibles ojos ante aquella vida imposible. Alzó la cabeza y permitió que ese glorioso calor de la mañana, tan poco familiar, calentara su rostro.

Comenzó a escocerle.

No mucho después comenzó quemarse.

¿Cuánto tiempo tardaría ese sol en abrasarlo? Probablemente media hora, supuso, saboreando la ácida quemadura que crecía en la piel de sus mejillas y de su frente. Treinta minutos y ya no habría más hambre. No más vergüenza. No más lucha para mantenerse al margen del abismo que parecía darle la bienvenida, con su oscura y eterna bendición.

Consideró la idea durante un rato largo, intenso, poniendo a prueba su voluntad.

Pero falló, incluso en eso.

Con las garras de su sed hundiéndose en él aún más profundamente, Chase abandonó el borde del vagón y se dejó caer al suelo. Cruzó las vías y arrojó su traje de guerrero arruinado en un cubo de basura que aún ardía.

Luego se escabulló rápidamente para encontrar un refugio donde esperar la llegada de la noche, momento en el que podría dar comienzo a su cacería una vez más.

Habían llegado a Nueva Orleans temprano por la mañana, todavía a oscuras, y habían cogido un taxi desde el aeropuerto hasta un hotel que se hallaba en el corazón de la zona turística, supuso Cazador. El ruido de la calle y la música hacían llegar su eco desde abajo hasta la ventana del cuarto piso, formando un barullo que le hacía mantener sus sentidos plenamente alerta, anticipando la más ligera señal de problemas.

No es que tuviera ninguna intención de dormir. Apenas necesitaba descansar; una hora o a lo sumo dos horas por día. Así había sido entrenado, con una disciplina que mantenía su cuerpo preparado para cualquier situación y su mente lista para reaccionar en respuesta al instante.

Corinne, por su parte, había dormido profundamente desde que llegaron.

Él sabía que estaba exhausta, físicamente agotada. Sus emociones también habían sido puestas a prueba, a pesar de que ella no quisiera colapsarse en un improductivo ataque de autocompasión y lágrimas; él tenía que reconocerle ese mérito. Se había contenido con una fuerza notable. Parecía muy decidida desde que habían abandonado el Refugio Oscuro de los Bishop. Desafiante, incluso.

Se había mostrado de acuerdo cuando él le había dicho que se hallaba bajo su custodia, y no había habido ninguna muestra de histrionismo irracional en el momento en que le comunicó que su misión para la Orden iba a llevarle —los iba a llevar a los dos— directamente al territorio de su potencial enemigo Henry Vachon, un conocido aliado de su carcelero y torturador. Corinne había parecido casi entusiasmada ante la idea, cosa que había encendido en él una atenta curiosidad.

Ahora escuchaba los sonidos del agua moviéndose en la

bañera del cuarto de baño contiguo. Corinne había entrado allí para refrescarse, poco después del mediodía, tras haber pasado toda la mañana durmiendo mientras él examinaba mapas de la ciudad y de los distritos periféricos bajo la débil penumbra de la sala de estar de la habitación, donde las cortinas estaban corridas.

Cazador advirtió que Corinne, por descuido, no había cerrado del todo la puerta, y durante treinta y siete minutos —el tiempo que ella estuvo recostada desnuda en la bañera— él tuvo que proponerse no dirigir la vista hacia la ranura de luz que se colaba en la oscuridad donde estaba sentado.

Centró su atención en los mapas extendidos que había recogido en la recepción del hotel a su llegada. Eran listados abreviados de calles, destinados principalmente a los turistas cuyos principales objetivos fueran, por lo visto, encontrar los restaurantes, bares y clubes de *jazz* más cercanos. En breve, Cazador obtendría más información acerca de Henry Vachon gracias a las pesquisas de Gideon; hasta entonces emplearía su tiempo en familiarizarse con las calles y distritos. Llevaría a cabo un reconocimiento virtual antes de la caída del sol, a partir de entonces ya podría aventurarse fuera y ver la ciudad de Vachon por sí mismo.

Cualquier cosa para mantener la mirada alejada de esa puerta entreabierta al otro lado de la habitación.

Su determinación fue puesta a prueba cuando oyó el borboteo del agua en el desagüe al quitar el tapón de la bañera. La piel de ella chirriaba al contacto con la porcelana cuando se movía y el sonido de salpicaduras indicó que estaba saliendo de la bañera. Vio cómo su delgado brazo alcanzaba una gruesa toalla blanca de una barra metálica colgada en la pared. Oyó el crujido de la tela cuando ella empezó a frotar su cuerpo para secarlo.

Él se esforzó para que sus ojos volvieran al trabajo que cubría la mesilla de café que tenía frente a él. Con total concentración estudió la parte del mapa donde se hallaban ahora, entregándose a la tarea de memorizar las cuadrículas de colores y los nombres de sus correspondientes calles: el hotel estaba en una zona llamada «barrio alto francés». Esta parte de la ciudad abarcaba numerosas manzanas entre la calle Iberville y Saint

Anne, y estaba limitada a un lado por una calle llamada North Rampart y al otro por Misisipi...

A través de la ranura de la puerta, atisbó un muslo desnudo de Corinne. La toalla viajó hacia abajo y luego su pie descansó sobre la tapa cerrada del inodoro mientras ella seguía secando toda la longitud de su pierna.

Un calor que había estado albergado en su vientre se hizo ahora más fuerte.

Cazador quería apartar la vista.

Pretendía hacerlo.

Pero ella se movió otra vez, y la mirada de él reparó en la pequeña y redondeada curva de su pecho. El pezón que lo coronaba era de un rosado intenso, un tentador contraste con su piel cremosa. Él contempló aquel dulce brote rosado asomando en el perfecto montículo de su carne pálida. Nunca antes había visto el pecho desnudo de una mujer. Sí en las películas y en la televisión del recinto ocasionalmente, por supuesto, pero ninguno de esos ejemplos extremadamente inflados y difíciles de mirar podían compararse con esa delicada perfección que se apreciaba en la desnudez de Corinne.

Quería ver más; lo sorprendió hasta qué punto quería ver más. Mientras observaba ella salía y entraba de su campo de visión, y la excitación se fue acentuando en él cada vez con más fuerza. Sentía la piel ardiente y confinada, demasiado tirante en torno a su pecho y a lo largo de su cuello. Más abajo, esa tirantez empeoraba por segundos; su sexo se excitaba, poniéndose rígido por la repentina ráfaga de sangre en sus venas.

Gruñó suavemente por lo bajo, no sabía si por la sorpresa o la vergüenza. No quería sentir aquella curiosidad por ella, aquel inesperado despertar sexual. Había sido entrenado —disciplinado sin descanso desde que era un niño— para estar por encima de sus necesidades o deseos.

Sin embargo, ahora no podía apartar la atención de Corinne Bishop.

Incluso mientras se movía para aliviar la incomodidad que le producía ahora su ropa demasiado apretada, dirigió otra mirada furtiva, con la esperanza de ver algo más. Deseando que un breve titubeo de la larga toalla blanca le permitiera recrear su vista en ella completamente y saciar la curiosidad que lo había hecho inclinarse sobre su codo para obtener un campo de visión más privilegiado.

Le latían las sienes, casi con tanta insistencia como su entrepierna. Si no hubiera recibido una educación tan rígida, tan despiadada, habría caído en la tentación de pasarse la mano por el exigente bulto de su erección, al menos para aliviar el dolor. En lugar de eso, luchó contra la urgencia. Débilmente.

Todo lo que había de masculino en él estaba centrado en ella en aquel momento, y Corinne tenía que ser completamente inconsciente para no sentir el peso de sus hambrientos ojos en ella.

Tal vez sí estuviera notando algo, en realidad.

Ella se dio la vuelta de repente y dio un paso a un lado apartándose de la estrecha abertura de la puerta. Al moverse, la toalla que él deseaba dejar caer se deslizó de sus manos. Se inclinó hacia un lado, dejando al descubierto su espalda desnuda y la parte superior de su trasero con forma de corazón.

Él contuvo la respiración, que apenas era un débil rugido en sus pulmones. No fue por la femenina belleza de su cuerpo, sino por la brutalidad que evidentemente le habían infligido.

Una red de rabiosas cicatrices atravesaba el suave lienzo de su espalda, desde los hombros hasta las nalgas. Eran las espantosas ronchas dejadas por un látigo... y probablemente por una cadena también, a juzgar por lo destrozada que estaba su piel. Él sintió un dolor sordo al ver aquello.

¿Qué era lo que se había visto obligada a soportar?

¿Hasta qué punto era profunda la herida que la maldad de Dragos le había causado?

Todo el ardor que sentía él un momento antes quedó eclipsado a la vista de aquellas cicatrices. Sintió que algo impreciso y poco familiar lo inundaba en aquel instante, sensaciones que parecían crecer desde algún lugar profundo en su interior, un lugar inaccesible, fuera de su alcance. El dolor por lo que le habían hecho lo inundó, desatando una intensa ola de oscura furia hacia la bestia que había sido el responsable.

Lo maldijo en voz alta, incapaz de contenerse.

Corinne volvió la cabeza, el pelo húmedo golpeó contra sus hombros desnudos mientras se apresuraba a cubrirse con una toalla. Los ojos de ella se toparon con su mirada a través de la delgada ranura de la puerta entreabierta. Había algo desafiante en la mirada resuelta de ella, una crudeza que a él le hizo sentir que la contemplación de sus heridas era para ella una violación tan profunda como el propio castigo.

Cazador apartó la vista, volviendo a fijar la mirada en los mapas.

Mantuvo los ojos apartados con un respeto y una compasión que no se había dado cuenta de que fuera capaz de sentir hasta ahora. Escuchó mientras los pies desnudos de Corinne daban un par de pasos sobre los azulejos del cuarto de baño.

La puerta chirrió mientras ella la cerraba lentamente y ponía el pestillo, dejándolo fuera.

Capítulo doce

—Sí, por supuesto. Lo entiendo. —Victor Bishop estaba de pie cerca de la chimenea en su estudio aquella tarde, hablando a través de la línea privada de su Refugio Oscuro. Se había debatido antes de hacer la llamada, pero solo por la ira potencial que sus malas noticias podrían desatar.

Finalmente, imaginó que lo mejor para sus intereses era reafirmar la alianza, asegurarse de izar una bandera del color apropiado ante el temor de hallarse de nuevo bajo el fuego enemigo.

—Si puedo proporcionar más información puedes estar seguro de que contactaré de nuevo contigo. —Se aclaró la garganta, menospreciando el hecho de que el miedo daba un titubeo de torpeza a su voz—. Y, por favor, si pudieras… asegúrate de que él sepa que no he tenido nada que ver con este reciente giro de los acontecimientos. Nunca he traicionado su confianza. Estoy ahora, y lo seguiré estando, a su servicio.

Con apenas una señal de asentimiento, el murmullo de una despedida, la llamada se desconectó bruscamente al otro lado.

—Maldita sea —gruñó Bishop, con ganas de reventar el teléfono inalámbrico contra la pared más próxima. Se detuvo en seco, al comprobar con sorpresa que no estaba solo.

Regina se hallaba de pie detrás de él, silenciosa, condenándolo con sus ojos enrojecidos.

—Creía que estabas todavía en la cama —señaló él, intencionadamente cortante mientras pasaba por su lado y volvía a colocar cuidadosamente el teléfono en su consola sobre el escritorio—. Pareces cansada, cariño. Quizá deberías regresar a la cama y descansar un rato más.

Ella se había metido en la cama justo después de que Corinne y el guerrero abandonaran el Refugio Oscuro. Él no había tratado de hablar con ella desde entonces; sabía que la confesión de la pasada noche era una brecha que nunca podría enmendar. Ni siquiera el lazo de sangre que compartía con Regina sería suficiente para reparar lo que ahora se había roto. Permanecían unidos el uno al otro por la sangre y por los votos, pero su confianza, su amor, nunca volvería a pertenecerle. Y tenía que reconocer que una parte de él se sentía aliviado. La mentira había sido una carga durante demasiado tiempo, era excesivamente agotadora esa máscara del desconsuelo, y era aún más difícil de sostener dado que su conexión con Regina estaba siempre allí, a punto de ponerlo en evidencia. Le sentaba bien que ahora todo estuviera al descubierto. Era liberador a pesar del desprecio que sentía filtrarse en su interior como un veneno.

El desprecio de Regina se colaba en él a través de su mirada acusadora y el frenético ruido sordo de su pulso, que reverberaba dentro de sus propias venas.

—¿Con quién estabas hablando, Victor?

—No era nadie importante —respondió él, despidiéndola con una afilada mirada de odio.

Ella dio un paso hacia él, con las dos manos apoyadas sobre las caderas.

—Me estás mintiendo otra vez. O mejor dicho, me sigues mintiendo. Me enferma pensar cuánto tiempo llevas mintiéndome.

La ira lo inflamó.

—Vuelve a la cama, querida. Es evidente que estás alterada, y odiaría que dijeras cosas que más tarde vas a lamentar.

—Ahora mismo lo lamento todo —dijo ella, mirándolo con el ceño fruncido por el dolor—. ¿Cómo puedes haber hecho las cosas que hiciste, Victor? ¿Cómo puedes vivir con eso, sabiendo lo que le habías hecho a Corinne?

—Lo que no pareces capaz de entender —gruñó él— es que lo que hice lo hice por nosotros. Por nuestro hijo. Sebastian habría sido la siguiente víctima de Starkn. No estaba dispuesto a poner en peligro a nuestro chico, carne de nuestra carne...

Regina ahogó un grito ante aquella idea que él había lanzado.

—Corinne también era nuestra hija, Victor. Ella y Lottie eran tan hijas nuestras como Sebastian. Nosotros las trajimos a nuestra vida, les dimos un lugar en nuestros corazones, del mismo modo que si hubieran nacido de nosotros.

—¡Para mí no era lo mismo! —le espetó él, golpeando con el puño sobre el escritorio.

Una rabia impotente lo invadía al pensar en su chico, un chico sensible y reflexivo que debería haber tenido el mundo en la palma de la mano. Un hijo prometedor que habría podido tener todo eso y más de no haber sido por la red de engaños que Bishop había tejido tan cuidadosamente en torno a ellos.

Por lo visto no tan cuidadosamente, se daba cuenta ahora.

Fue esa misma red la que finalmente apresó a Sebastian, estrangulando su bondad, su futuro.

—No importa —murmuró Bishop a su encolerizada compañera de sangre—. Lo hecho hecho está. Fue todo para nada, de cualquier modo. Perdimos a Sebastian a pesar de todo lo que hice para protegerlo.

Los ojos de Regina lo observaban demasiado estrechamente. Mantenía la vista fija en él, demasiado consciente.

—Él nunca fue el mismo después de la desaparición de Corinne —dijo, más para sí misma que para Victor—. Recuerdo qué reservado se volvió Basti unos años después, qué distante parecía de nosotros esas últimas semanas... antes de que su lujuria de sangre lo dominara.

Bishop odiaba aquel recuerdo. Odiaba recordar lo doloroso que había sido darse cuenta de que su único hijo se había convertido en renegado... se había perdido en su sed, en su adicción a la sangre, la misma sustancia que le daba toda la vida, la fuerza y el poder de la estirpe. Basti había sido débil, pero fue el descubrimiento de la corrupción de su padre lo que lo colocó al borde del abismo.

Regina descubriría su culpa ahora, incluso sin el lazo de sangre que compartían.

—¿Qué ocurrió, Victor? También traicionaste a Sebastian, ¿verdad?

Bishop apretó los dientes, furioso porque ella le estaba haciendo revivir el peor momento de su vida. El segundo peor... pues eso había sido poco comparado con el día en que Sebastian, embriagado por la lujuria de sangre, tomó uno de los revólveres de Victor, se lo llevó a la cabeza y apretó el gatillo antes de que nadie pudiera detenerlo.

—Él se lo imaginaba, ¿verdad? —presionó ella—. Nos engañaste a todos los demás, pero no a él. De algún modo él descubrió la verdad.

—Cállate —rugió Bishop, con la mente inundada de recuerdos.

Sebastian y su sentido de la organización y el orden. Qué orgulloso había estado del armario de madera de caoba que él mismo había construido para las armas de su padre, un regalo hecho con sus propias manos. Quería que fuera una sorpresa, y por eso se puso a cambiar la valorada colección de armas antiguas que tenía Victor del viejo armario a este otro hermoso armario nuevo. Fue entonces cuando descubrió el panel oculto al fondo.

Todos los oscuros secretos de Victor estaban en ese escondite privado.

Sebastian supo de la prostituta que había matado para hacerla pasar por Corinne. Había recibos de la tienda de un sastre para diseñar ropa según las precisas indicaciones de Victor. Una nota de uno de los amigos joyeros de Victor que contenía el diseño del collar que se ordenó fabricar igual a aquel que Corinne llevaba la noche de su desaparición.

Recuerdos insensatos que deberían haber ardido junto con la esperanza de volver a ver a Corinne.

Sebastian había quedado horrorizado ante este descubrimiento, pero guardó silencio. Victor le prohibió que hablara del tema; llegó a amenazarlo, por el amor de Dios. Dijo a Sebastian que destapar su mentira sería igual que una invitación para que los mataran a todos.

Aquel terrible secreto era una carga que Sebastian no podía soportar.

—Fuiste tú —dijo Regina con la voz rígida—. Tú fuiste el responsable de lo que le ocurrió a nuestro hijo. Dios mío… fuiste tú quien lo condujo a la lujuria de sangre, a volarse los sesos en esta misma habitación.

Esa afirmación sacó a Bishop de sus casillas.

—¡He dicho que te calles!

Aunque Regina se sobresaltó ante la brusquedad de su voz, no flaqueó. Seguía con los puños apretados, con los nudillos blancos por la indignación, y se acercó al escritorio junto al que él se hallaba.

—Sin duda destruiste la vida de Sebastian igual que destruiste la de Corinne, y todavía no es suficiente para ti. Todavía volverías a traicionarla. —Miró el teléfono ahora encajado en su consola—. Ya lo has hecho, ¿verdad? Esa llamada... fue para salvar tu propio culo, aunque tenga que ser a costa de ella. No puedo vivir con esto, no puedo vivir contigo. Eres un cobarde, Victor. Me das asco.

Él la atacó, saltó por encima del escritorio para darle un puñetazo en plena cara.

Ella cayó al suelo por la fuerza del golpe. Bishop la miró desde arriba con odio, hirviendo de ira, con los colmillos llenando su boca. Regina no se acobardó. Levantó la cabeza y lo miró directamente a los ojos, sin pestañear siquiera ante la visión de sus iris transformados, que bañaban su rostro de un brillo ámbar. Ella se pasó la lengua por la comisura de los labios, comprobando que tenía un corte y que un hilo de sangre caía por su barbilla.

—¿Tienes idea de lo que le han estado haciendo durante todos estos años? —lo desafió con amargura—. Fue violada, Victor. Golpeada y torturada. Experimentaron con ella como si fuese un animal. Tuvo un hijo en esa prisión. Como lo oyes, Corinne ha tenido un hijo. Y se lo arrebataron. En realidad ella pensaba que quiza tú podrías ayudarla a encontrarlo, a recuperarlo. Lo único que quería era que volviésemos a ser de nuevo una familia, una familia que la incluyera a ella y a su hijo.

Bishop escuchaba, pero permanecía inmóvil. Ni siquiera las lágrimas de Regina, que ahora corrían por sus mejillas, causaban ningún efecto sobre él. Ya estaba demasiado metido en el asunto, y desde hacía demasiado tiempo. Antes que derrochar energías sintiendo lástima o remordimientos por cosas que no podía cambiar, prefería calcular la manera de darle la vuelta a la situación para ganarse el favor de Gerard Starkn... o Dragos, como se hacía llamar ahora el poderoso macho.

Sin decirle una palabra ni ofrecerle la mano, observó cómo

Regina se ponía en pie. Ella lo despreciaba; él podía sentir ese desprecio hirviendo en su sangre.

—Quiero que te vayas, Victor. Esta noche, quiero que te vayas de este Refugio Oscuro.

Era una exigencia tan ridícula que él se echó a reír en voz alta.

—¿Esperas que me largue de mi propia casa?

—Eso es —respondió ella, tan firme como siempre—. Porque, si no lo haces, expondré tu corrupción ante la nación entera de la estirpe. Os expondré a ti, a Gerard Starkn, a Henry Vachon... a todos vosotros.

Desafiante, dio la vuelta sobre sus talones y se dirigió hacia la puerta abierta del estudio. Él no la dejó llegar.

En un segundo, en menos que eso, pasó de estar de pie en el centro de la habitación a encontrarse directamente frente a ella, bloqueándole el paso hacia el vestíbulo.

La agarró ferozmente por la parte superior de los brazos y le habló apretando los dientes.

—No harás tal cosa. Tú, querida, tendrás cuidado con tu maldita lengua. Cuidarás de tu compañero, ya que sabes que eso es lo mejor para ti.

Los ojos de ella estaban un poco más abiertos y él vio cómo su garganta se movía para tragar saliva. Antes de que hablara, lo tomó por una señal de miedo.

—¿O qué es lo que harás? —preguntó, con demasiado atrevimiento para él—. ¿Qué es lo que harás, Victor? ¿Matarme?

Aunque era muy raro y prácticamente inaudito, especialmente en estos tiempos modernos y civilizados, él no sería el primer macho de la estirpe capaz de dejarse llevar por el lado más salvaje de su naturaleza y matar a su compañera.

Mientras miraba a Regina, se dio cuenta de lo fácil que sería acabar con ella en es mismo momento. Sus pecados morirían con ella. Y si a Corinne, dondequiera que estuviese, se le ocurriera alguna vez interponerse en su camino, no le costaría nada apartarla del medio como se desharía de un erizo sobre su silla de montar. Ahora ella no era nada para él, incluso menos de lo que significaba la noche en que Gerard Starkn la había raptado.

Aferró a su compañera con más fuerza, casi sin darse

cuenta. Ella frunció el ceño, con el dolor reflejado en su hermoso rostro.

—Me haces daño —se quejó, lanzando una mirada nerviosa por encima del hombro de él, como buscando ayuda.

Victor estaba ahora poseído por la ira, y con la frialdad de darse cuenta de que, así como la confianza en él que ella tenía se había hecho pedazos, también con su fe en ella había ocurrido lo mismo.

—Amenazarme ha sido muy estúpido por tu parte, Regina. Yo habría sido capaz de excusar tu desprecio por mí, pero, como tú misma has señalado, te has convertido en una amenaza para mi modo de vida. Eres un riesgo que no puedo afrontar...

El repentino chasquido de un revólver en la habitación lo hizo darse la vuelta. Pero aún no se había girado del todo cuando notó el frío del metal apoyado contra su sien derecha.

—Sería mejor que le quitara las manos de encima, señor. Ahora mismo.

Mason.

Sin necesidad de mirarlo, reconoció la voz firme y grave de unos de sus guardias más antiguos. Y había visto al macho en acción más de una vez, lo bastante como para entender que se hallaba atrapado en un aprieto muy incómodo. Con su rectitud, Mason no abandonaría una lucha a menos que ya hubiera dejado de respirar. Y mucho más si se trataba de defender a su adorada Regina. Bishop, de hecho durante mucho tiempo, había sospechado que ella significaba para Mason mucho más que la señora del Refugio Oscuro. Mason la protegería hasta la muerte, de eso Bishop no tenía la menor duda.

Lo cual significaba que iba a tener las manos ensangrentadas con las vidas de ambos antes de que acabara el día.

Y qué importaba eso, pensó Bishop, desprovisto de cualquier sentimiento de piedad.

Estaba dispuesto a hacer cualquier cosa que fuera necesaria para que su vida, su futuro, adoptara un curso menos complicado.

—He dicho que la sueltes. —Mason apretó el extremo frío de la pistola con un poco más de fuerza contra la sien de Bishop.

Bishop soltó a Regina, cumpliendo con la orden pero solo

para dejar que el guardia creyera que la situación estaba bajo control. Tan pronto como notó que el dedo de Mason sobre el gatillo se relajaba, Bishop se lanzó contra él con los colmillos al descubierto.

Regina gritó cuando vio soltar el arma al otro macho. Salió corriendo del estudio mientras el revólver repiqueteaba al caer sobre el suelo del vestíbulo.

Bishop se abalanzó sobre el guardia. Estaban igualados como adversarios, aunque Bishop tenía la ventaja de su feroz determinación, la furia que latía enloquecidamente en su sangre y su cerebro. Con un rugido desquiciado, agarró a Mason por el pecho y lo arrojó con todas sus fuerzas contra la pared del estudio. No le dio al guardia ni un segundo para que pudiera reaccionar.

Saltó sobre él y machacó el tacón de su mocasín italiano contra su entrepierna. El vampiro bramó por la agonía, con los ojos ardientes como carbones y los colmillos saliendo de sus encías.

Bishop se rio. No podía evitar recrearse en el dolor que le estaba causando al otro macho. Mataría a Mason lentamente antes de estrangular a Regina con sus propias manos.

Mientras la idea danzaba en su mente, captó una ráfaga de movimiento en el vestíbulo.

Regina había vuelto, de hecho no se había ido muy lejos. Sostenía en las manos el revólver de Mason.

Bishop se volvió a mirarla con dureza, justo a tiempo para oír el chasquido metálico cuando ella apretó el gatillo. La bala salió disparada, navegando hacia él con una pequeña nube de humo. Él la esquivó en el último momento. Detrás, la ventana acristalada explotó con el estrépito de los cristales rotos. La luz de la tarde se coló a través del agujero en las gruesas cortinas, trayendo con ella la brisa fría de diciembre.

Bishop resopló, mofándose de lo ridículas que eran las manos temblorosas de su compañera y su errada puntería.

Pero entonces ella disparó otra vez. Disparó una y otra vez, una y otra vez, y él ya no tuvo ocasión de esquivar el granizo de balas. Disparó hasta que el revólver quedó vacío.

Él se balanceó sobre sus talones, contemplando la gran mancha escarlata que se escurría por su pecho. No podía detener la sangre, solo podía mirar con perplejidad la salvaje carnicería. Notó que su corazón se esforzaba por mantener el ritmo, cada respiración le costaba como si una garra le aferrara el pecho. Sentía las piernas debilitadas.

Y ahora Mason estaba de pie ante él, y la animosidad emanaba de su cuerpo como una oscura tormenta de truenos.

Bishop supo que aquel iba a ser su final.

Puede que las balas por sí solas no lo mataran, pero lo habían debilitado hasta el extremo de dejarlo casi sin fuerzas. Tenía los pulmones perforados, y el corazón también. Pero se aferró a su furia, la única cosa que le quedaba en aquel momento final.

Con un rugido que pareció triturarlo por dentro, Victor Bishop trató de lanzarse contra su compañera.

La manos firmes de Mason lo detuvieron. Lo agarraron y lo levantaron del suelo. Al momento estaba volando por los aires, hacia las ventanas acristaladas que se abrían al jardín de la finca del Refugio Oscuro. Su cuerpo chocó contra las cortinas y el vidrio y aterrizó roto y sangrante sobre la hierba helada del exterior.

Miró fijamente al cielo, incapaz de moverse. Incapaz de salvarse de la muerte terriblemente lenta que lo esperaba mientras contemplaba con asombro la gloriosa y despiadada luz del día.

Capítulo trece

Dragos cerró su teléfono móvil, aún exasperado por las noticias que había recibido horas antes de su teniente de Nueva Orleans.

Henry Vachon, un aliado de su época en la Agencia de la Ley, estaba gravemente preocupado porque creía que pronto recibiría la visita de uno de los miembros de la Orden. Dragos no lo dudaba ni por un momento. Basándose en la información que Vachon había recibido de Victor Bishop, de Detroit, que se había mostrado muy nervioso, Dragos adivinaba que la única duda era cuándo tendría lugar exactamente la represalia de la Orden.

Para tranquilizar a Vachon y asegurarse de que la operación no se echara a perder de nuevo a favor de los guerreros de Lucan, Dragos había convocado refuerzos importantes y les había dado órdenes de matar. En cuanto a Victor Bishop, había servido para sus propósitos mucho tiempo atrás. Ahora no era más que un lastre, no importaba lo mucho que se hubiera arrastrado al llamar a Vachon para advertirle del problema. Si Bishop era lo bastante tonto como para mostrar la cara, Dragos hallaría mucho placer en desgarrársela.

Su asqueroso humor de las últimas horas no mejoraba nada con los horribles empujones de su limusina mientras el conductor circulaba disparado por una sucia carretera rural en penumbra y olvidada de la mano de Dios, al norte de Maine.

—¿Tienes que coger cada maldito bache? —ladró al secuaz. Ignoró las atontadas disculpas que siguieron y miró con ira a través de la ventana, donde kilómetros de oscuridad invadían el bosque y el pantano helado—. Llevo más de cuatro horas dando bandazos aquí detrás desde que llegamos al continente. ¿A qué distancia estamos?

—No andamos lejos, amo. De acuerdo con el GPS, estamos a punto de llegar.

Dragos gruñó, siguiendo todavía con la mirada el desolado paisaje junto al cual pasaban. Habían dejado atrás el último pueblo hacía unos cien kilómetros... si es que un decadente grupo de caravanas de cincuenta años y automóviles inútiles podía llamarse «pueblo». La civilización humana no parecía haber llegado hasta ese extremo del norte. O, si había llegado, acabó huyendo hacia las ciudades por culpa de aquella tierra inhóspita y la falta de industria.

Solo las almas más intrépidas escogerían construir sus viviendas en estos confines remotos. O aquellos que tenían razones contundentes para vivir lejos de cualquier conexión, lo más lejos posible del sistema humano que tanto despreciaban.

Hombres como aquellos con los que Dragos iba a encontrarse ahora.

El gobierno de los humanos los llamaba terroristas, ciudadanos decepcionados que buscaban echar la culpa de su descontento y sus fracasos personales a cualquiera menos a sí mismos. Otros los llamarían sociópatas, bombas de relojería a la espera de la próxima crisis política o financiera para justificar su violencia. En cualquiera de los dos casos, para la mayoría eran hombres presuntamente dementes, anomalías o desviaciones dentro de la norma de la sociedad humana.

Entre ellos, no hay duda de que se llamaban unos a otros héroes, patriotas. A cualquiera de los tres que lo esperaban le gustaría llegar al extremo de convertirse en mártir voluntario emulando al célebre puñado que habían invertido y derrochado sus vidas en los altares de su recta indignación moral. Era esa ferviente creencia en sus causas personales, esa peligrosa dedicación y el entusiasmo a la hora de actuar a favor de ella lo que en primer lugar había atraído la atención de Dragos sobre esos hombres.

El hecho de que todos ellos hubieran estado en la lista de observación del gobierno de Estados Unidos durante la pasada década solo contribuía a hacer aún mucho más dulce la perspectiva de reclutarlos.

Desde el asiento trasero de la limusina, Dragos miró a través del parabrisas mientras su conductor reducía la marcha y luego se adentraba por una carretera sin pavimento todavía más estrecha. Era más un sendero que una carretera, una sábana de nieve y hielo compacto que conducía a una espesa superficie boscosa.

Los rayos de las luces delanteras rebotaban mientras el sedán se balanceaba a lo largo del sendero. Excepto por el débil rastro de una camioneta con cadenas para la nieve en los neumáticos —las huellas dejadas por otro secuaz que había organizado la reunión el día anterior— no parecía que nadie se hubiera adentrado por ese cacho de tierra dejada de la mano de Dios en muchos meses.

Ese secuaz, un antiguo oficial de la armada militar, los esperaba junto a un granero desvencijado al final del sendero.

Caminó hasta la puerta del pasajero de la limusina mientras esta se detenía.

—Amo —saludó, inclinando la cabeza mientras Dragos se bajaba del coche—. Le están esperando dentro.

—Dile a mi conductor que apague el motor y las luces y me espere aquí —murmuró Dragos—. Esto no debería llevarme mucho tiempo.

—Por supuesto, amo.

Dragos caminó con cuidado por el camino helado y serpenteante hacia la débil luz que salía del interior del viejo granero. No pudo evitar reparar en la ruinosa y combada estructura de madera, con sus tablones viejos y podridos, que apestaban a ganado. Ni pudo evitar la sonrisa que asomó a su boca al pensar en la victoria que pronto lo esperaba.

Qué irónico resultaba que dentro de esa chatarra tan desastrosa —en las manos de un grupo radical de fracasados locales— residieran los medios perfectos para asegurarse el total e irrevocable fin de Lucan Thorne y su maldita Orden.

Corinne estaba sentada en una de las dos camas dobles de la habitación del hotel de Nueva Orleans, haciendo *zapping* con el mando del televisor. La actividad había mantenido su mente ocupada durante un rato, evitando que vagara en los confines de la pequeña habitación como un felino enjaulado. Pero la novedad de tanta charla y ruido, la cantidad de vívidas imágenes que aparecían en la pantalla con solo apretar un botón, ya se había agotado hacía rato.

Miró a Cazador, que parecía cada vez más distante y silencioso a cada minuto que pasaba desde que el sol se había puesto. Había hablado con Gideon a través del teléfono móvil hacía una hora, discutiendo el plan de Cazador para localizar e infiltrarse en las propiedades de Henry Vachon conocidas en la zona. Cuando encontrara a Vachon lo trasladaría a un lugar aislado y lo interrogaría para sonsacarle información acerca de Dragos. Lo único que necesitaba era descubrir el actual paradero de Vachon y entrar allí sin ser sorprendido ni asesinado en el proceso.

Sonaba muy osado, y extremadamente peligroso.

Ella apagó la televisión, dejó el control remoto sobre la cama y se levantó para mirar el mapa que estaba extendido sobre la mesa que había junto al sofá, al otro lado de la habitación. Cazador ya había descartado ese mapa de papel y estaba usando ahora el mapa virtual de su teléfono móvil.

Ella estudió las zonas que Cazador había marcado con un círculo, aquellas donde la Orden creía que estaban situadas las propiedades de Vachon. Durante el vuelo desde Detroit y el tiempo que había pasado recluida en la habitación del hotel junto a Cazador esperando la llegada de la noche, Corinne había estado tratando de idear una manera de encontrar a Henry Vachon por su cuenta para suplicarle que la ayudara a recuperar a su hijo.

Si dejaba que Cazador lo encontrara primero, Vachon tenía bastantes posibilidades de morir. Pero si lograba hacer algo para interceptar ese encuentro y tratar de obtener la piedad de Vachon negociando con los escasos medios que le quedaran, tal vez tendría una oportunidad de encontrar a su hijo. Eso la preocupaba, le preocupaba la idea de volver a ponerse al alcance de uno de los leales seguidores de Dragos. Pero por otra parte, si Henry Vachon había estado presente la noche en que fue secuestrada, entonces ella ya había visto su peor cara. Se había enfrentado a su depravada crueldad una vez y había sobrevivido; estaba dispuesta a enfrentarse a él y a Dragos otra vez si eso podía conducirla hasta su hijo.

Era un plan desesperado. Un plan estúpido, tal vez equivalente a un suicidio.

Pero ella estaba desesperada. Y estaba dispuesta a arriesgar todo lo que tenía con la esperanza de recuperar a su hijo.

Miró a Cazador, que estaba de pie junto a las puertas correderas de cristal, con su enorme silueta iluminada por el brillo de la luna y de las farolas de la calle. La música sonaba en el aire en el exterior del hotel, el suave gemido de un saxofón de alguien tocando un *blues*. Se dirigió también hacia las puertas de vidrio, atraída como siempre por el reconfortante sonido de la poesía convertida en notas y acordes. Escuchó durante un rato, observando al viejo en una esquina al otro lado de la calle, tocando su gastado cuerno de bronce con toda la pasión de alguien con la mitad de su edad.

—¿Cuándo saldrás a buscar a Vachon?

Cazador volvió la cabeza y se encontró con su mirada.

—Lo más pronto posible. Gideon está buscando informes acerca de las propiedades de Vachon, viejos planos de edificios, diagramas de seguridad, cosas que puedan ayudarme en mi reconocimiento. Si logra encontrar algún dato útil en el plazo de una hora me llamará para trasmitírmelo.

—¿Y si no encuentra nada que pueda ayudarte?

—En tal caso tendré que proceder sin eso.

Corinne asintió, sin sentirse sorprendida por la franqueza de su respuesta. No parecía alguien dispuesto a permitir que los obstáculos se interpusieran en su camino, incluso si eso significaba colarse dentro del campo enemigo con nada más que su inteligencia y las armas que pudiera llevar en su cuerpo.

—¿Crees que Vachon te dirá dónde está Dragos?

El rostro de Cazador era grave y confiado.

—Si lo sabe me lo dirá.

Ella no quería adivinar cómo se aseguraría de eso. Y tampoco podía sostener su penetrante mirada ni un momento más ahora que se hallaba apenas a unos pies de distancia de ella.

Estar tan cerca de él, sentir el palpable peso de su mirada dorada, no hacía más que recordarle lo sorprendida que se había sentido al descubrir que él la estaba mirando mientras se bañaba aquella tarde. Se había sentido más que sorprendida. En realidad atónita... completamente conmocionada ante el ardor que había visto en su mirada normalmente inescrutable. Una oleada de calor la atravesaba al revivirlo, mucho peor ahora que no había entre ellos ninguna puerta que poder cerrar.

Debería afrontar el hecho de que él la había visto. Ahora, como entonces, la mirada de Cazador la incomodaba. No por el miedo que hubiera esperado sentir, sino por su propia sensación de despertar. El estoico guerrero no la había mirado como un objeto necesitado de protección o digno de lástima, sino como a una mujer.

Al menos hasta que vio las cicatrices.

La evidencia exterior de lo que había tenido que soportar era ya lo bastante horrible, pero las heridas más profundas estaban en su interior. Había una parte de ella aún en carne viva que todavía no había logrado escapar de la escalofriante prisión de Dragos, una parte de ella que tal vez nunca lograría volver a ver la luz del día. Había dejado tanto de sí misma en las celdas frías y húmedas de aquel laboratorio que no estaba segura de que algún día pudiera volver a sentirse entera.

Era esa parte de ella la que se sintió turbada ante la idea de encerrarse en el pequeño cuarto de baño. Por eso había dejado la puerta ligeramente entreabierta, solo lo suficiente para tranquilizarse sabiendo que podía mirar por la pequeña abertura, de que podía salir en cualquier momento. Que no estaba allí encerrada ni indefensa, esperando el próximo turno de torturas que le infligiría aquel que guardaba la llave.

Incluso ahora, solo el hecho de pensar en espacios confinados y puertas cerradas la hacía sentir que las paredes se estrechaban a su alrededor. Con el pulso acelerado y la garganta contraída por la ansiedad, Corinne se volvió hacia la ancha puerta transparente que daba al pequeño balcón, por encima de la ciudad. Apoyó las manos, apretando las palmas contra el frío cristal, y se centró en la respiración y en el intento de calmar su corazón.

Pero no era suficiente.

—¿Qué ocurre? —preguntó Cazador, frunciendo el ceño al ver que ella respiraba con dificultad, rápida y entrecortadamente—. ¿Estás enferma?

—Aire —jadeó—. Necesito… aire…

Luchó con el mecanismo de apertura de las puertas de vidrio y finalmente logró abrirlas para salir al balcón atropelladamente. Cazador estaba justo junto a ella cuando se aferró a la barandilla de hierro y tragó una y otra vez el aire limpio de la noche. Notaba la presencia de él como una pared de calor a su lado, su silueta grande y acechante, observándola con silenciosa preocupación.

—Estoy bien —murmuró ella, con todo dando vueltas a su alrededor y los pulmones todavía oprimidos—. No es nada... estoy bien.

Él se acercó y le tomó la barbilla entre las manos con suavidad, volviendo su rostro hacia él en la oscuridad. Frunció todavía más el ceño y sus inquisitivos ojos dorados la escudriñaron.

—Tú no estás bien.

—Estoy bien. Necesitaba algo de aire fresco, eso es todo. Ella se apartó ligeramente y él dejó caer la mano. La calidez del contacto permanecía. Corinne podía sentir aún el tacto de los dedos en su piel mientras soltaba una respiración temblorosa.

Él la miraba fijamente, viendo que temblaba aunque apenas hacía frío en la sofocante noche de Nueva Orleans.

—No estás bien —dijo de nuevo. Su voz sonó más suave esta vez, pero no menos firme—. Tu cuerpo necesita más descanso. Necesitas alimentarte.

La mirada de él se dirigió a sus labios mientras hablaba. Y se quedó allí, despertando un nuevo tipo de clamor en las venas de ella.

—¿Cuándo fue la última vez que comiste, Corinne?

Dios, ni siquiera lo sabía. Probablemente hacía ya más de veinticuatro horas, ya que su última comida había sido en el recinto de Boston antes de partir hacia Detroit. Se encogió ligeramente de hombros. Estaba muy acostumbrada a la sensación de vacío en el estómago durante su período en cautividad. Dragos las alimentaba únicamente lo suficiente como para que siguieran con vida. A veces, cuando su actitud rebelde hacía que la confinaran en soledad, ella se había permitido comer todavía menos que eso.

—Estoy bien —dijo, incómoda ante la mirada escrutadora de Cazador y su preocupación—. Solo necesito estar fuera un poco más. Lo único que necesito es un poco de aire.

Sin parecer nada convencido, lanzó una mirada tasadora desde el balcón a la calle. Los sonidos eran conducidos por la brisa nocturna: gente hablando y riendo al pasar, vehículos resonando contra los adoquines de la avenida adyacente, el músico de la esquina entonando una melodía tras otra. Los aromas de carnes asadas y salsas con especias provocaron un murmullo traicionero en el estómago de Corinne.

Cazador dirigió la vista hacia ella y ladeó la cabeza con expresión interrogante.

—De acuerdo —dijo ella—. Supongo que podré comer algo.

—Entonces ven conmigo —respondió él, dirigiéndose ya hacia la habitación.

Corinne lo siguió, una parte de ella se sentía simplemente entusiasmada ante la idea de bajar a la vibrante calle y hallarse de vuelta entre los vivos. Una parte más precavida entendía que si no lograba poner en marcha su plan esa noche, si no lograba encontrar una manera de contactar con Henry Vachon por su cuenta, sería mejor que llenara su estómago y reuniera fuerzas para la desesperada misión que tenía por delante.

Capítulo catorce

*T*erminaron en un pequeño restaurante a unas pocas manzanas del hotel y lejos de la zona de mayor confluencia de turistas.

No parecía ser muy del gusto de Cazador. Una bodega oscura con no más de veinte mesas reunidas en el lado opuesto de un modesto escenario de madera rugosa y una pista de baile de tamaño minúsculo. El trío del escenario tocaba música lenta y sensual, la mujer que cantaba se detenía para lanzar miradas sugerentes al hombre del piano y a otro que emitía una sucesión de dolorosas notas de una pequeña trompeta de bronce.

El aire estaba cargado de una mezcla de olores de comida grasienta y especias exóticas, humo de parrilla y perfume, y también el olor de demasiados cuerpos humanos para su gusto. Pero Corinne parecía más que contenta de hallarse allí. En cuanto oyó la música que llegaba hasta la calle, había entrado allí como un misil, insistiendo en que era allí donde quería comer.

Cazador no tenía nada que decir. Dado que era el cuerpo de ella el que requería alimento, estaba más que dispuesto a permitir que decidiera adónde ir.

En cuanto a sus propias necesidades, llevaba unos pocos días sin comer. Podía aguantar más, pero no era prudente forzar su metabolismo de vampiro de la primera generación más de una semana sin saciar su sed. Sentía las punzadas de esa sed empujando en sus venas mientras estaba sentado en aquella mesa de la esquina con Corinne, de espaldas a la pared y escudriñando con la mirada al grupo de humanos que llenaba el viejo establecimiento.

No era el único macho de la estirpe que examinaba la multitud de *Homo sapiens*. Había reparado en el par de vampiros en cuanto entró allí con Corinne. No suponían ninguna amenaza, eran tan solo un par de civiles de los Refugios Oscuros valorando potenciales huéspedes, del mismo modo que él. En cuanto advirtieron que él los observaba, se desvanecieron en las difusas sombras como un par de pececitos que acabaran de ver a un tiburón en su piscina.

Después de la desaparición de esos dos jóvenes, él miró a Corinne, al otro lado de la mesa.

—¿Estaba buena tu comida? —preguntó.

—Increíble. —Dejó su bebida, algún brebaje a base de alcohol servido con cubitos de hielo y una rodaja de lima—. Todo está... o, mejor dicho, estaba delicioso.

Él no tenía ni necesidad de preguntarlo, a juzgar por la rapidez y el entusiasmo con que había atacado el plato de pescado rebozado con almendras y verdura al vapor. Y eso había sido después de haber engullido un bol de sopa picante y dos bollitos crujientes del cesto que había en un extremo de la mesa.

Pero a pesar de que claramente había disfrutado de la comida, parecía más callada y pensativa a medida que avanzaba el tiempo que llevaban allí. Cazador observó cómo pasaba la yema del dedo por el borde del vaso de cóctel. Cuando sus miradas se encontraron a través de la mesa iluminada a la luz de las velas, él se sintió apresado en sus exóticos ojos oscuros. El brillo de la pequeña llama jugaba con su color, oscureciendo su habitual tono azul verdoso para darle un toque más verde. Había una trampa en los ojos de Corinne Bishop, sus más dolorosos secretos se escudaban detrás de aquel verde cambiante e impenetrable.

Cazador no creía que ella fuera a contarle sus pensamientos. Y por mucho que sintiera curiosidad, no creía que aquel fuera el lugar más adecuado para preguntar. En vez de eso, permaneció sentado en silencio mientras ella cerraba los ojos y se mecía al ritmo de la música que llegaba del escenario. Por encima del murmullo de voces y el repiqueteo del servicio, oyó que Corinne tarareaba suavemente acompañando las dolientes palabras de la cantante.

Después de un largo momento, abrió los párpados y se encontró con que él la estaba mirando.

—Es una vieja canción de Bessie Smith —dijo ella, observándolo expectante, como si él debiera conocer aquel nombre—. Es una de las mejores.

Cazador escuchó la canción, tratando de entender qué era lo que tanto disfrutaba Corinne. El sonido era bastante agradable, una canción que equivalía a un paseo apacible, pero la letra resultaba convencional, casi ridícula. Él se encogió de hombros.

—Los humanos escriben canciones sobre cosas extrañas. Esta cantante parece tener un cariño excesivo por sus nuevos electrodomésticos de la cocina.

Corinne se había llevado el vaso a los labios, a punto de terminar el último trago de su cóctel. Lo miró larga y fijamente antes de esbozar una sonrisa.

—No está hablando se sus electrodomésticos de cocina.

—Sí lo hace —insistió él, seguro de que no había oído mal las frases. Estudió a la cantante y le hizo un gesto con la cabeza a Corinne cuando la letra empezó de nuevo—. ¿Ves? Dice que después de que el hombre la dejara fue a comprar el mejor molinillo de café que pudo encontrar. De hecho, lo ha dicho más de una vez. —Se rio, incapaz de encontrar lógica a aquellas palabras—. Ahora por lo visto empieza a desarrollar afecto por un buceador de las profundidades.

La sonrisa de Corinne se ensanchó, y luego se echó a reír.

—Sé lo que dice la letra, pero el significado no es ese. Para nada. —Sus ojos todavía danzaban divertidos y ladeó la cabeza con actitud interrogante. Se puso a estudiarlo—. ¿Qué tipo de música te gusta, Cazador?

Él no supo muy bien qué responder. Había oído algunas de las cosas que los otros guerreros ponían en el recinto, pero no sentía afinidad particular por ninguna de ellas. Nunca había pensado en la música de una manera concreta, nunca se había detenido a considerar si le atraía. ¿Qué sentido tendría eso?

Ahora contemplaba a una adorable Corinne Bishop, sentada a tan solo un brazo de distancia de él, bañada por la luz de una vela y mirándolo con una preciosa y apacible mirada. Tragó saliva, sorprendido por lo bellísima que era.

—Me gusta… esta —respondió, incapaz de apartar la mirada de ella.

Ella fue la primera en romper el contacto visual, bajando la vista hacia la servilleta blanca que tenía en el regazo para luego llevársela a la comisura de los labios.

—Hacía tanto tiempo que no disfrutaba de una comida tan deliciosa como esta. Y además con música de *blues*, por supuesto. Solía escuchar este tipo de música todo el tiempo... antes.

—Antes de que te raptaran —dijo él, observando cómo su expresión se volvía más reflexiva y torturada. Él sabía que ella era muy joven cuando Dragos la raptó. Había oído que estaba llena de vida, siempre riendo y dispuesta a la aventura. Podía apreciar algún rastro de eso ahora, mientras se mecía inconscientemente al compás de la melodía que venía del escenario y marcaba el ritmo con el pie suavemente por debajo de la mesa—. Brock mencionó que él solía acompañarte a los clubes de danza cuando te conocía en Detroit.

—¿Acompañarme? —Corinne levantó la cabeza esbozando una sonrisa irónica—. Si eso fue lo que te dijo simplemente estaba siendo educado. Yo era un peñazo insufrible cuando Brock era mi guardaespaldas. Lo arrastraba a todos los clubes de *jazz* a cien kilómetros de la ciudad. Él no lo aprobaba, pero creo que sabía que si se negaba a llevarme, yo encontraría una manera de ir por mi cuenta. Estoy segura de que odió muchas veces tener que vigilarme.

Cazador negó con la cabeza.

—Se preocupaba por ti. Y todavía lo hace.

Su sonrisa interrogante era suave y calmada.

—Me alegró mucho verlo tan contento. Me alegra que haya encontrado una compañera en Jenna. Brock se merece todo lo bueno de la vida.

Guardó silencio mientras la camarera se acercó a retirar los platos y el vaso de cóctel vacío.

—Tráigame otro cóctel de vodka, por favor.

Corinne hizo un gesto disuasorio con la mano.

—Mejor no. Me parece que este ya está a punto de subírseme a la cabeza.

Cazador no quiso nada tampoco, su vaso de cerveza estaba sin tocar, lo había pedido solo por guardar las apariencias cuando llegaron. Cuando la camarera volvió a dejarlos solos, Corinne le lanzó una mirada bajo la luz temblorosa de la vela.

Sus pupilas eran charcos oscuros, fascinantes y sin fin. Cuando habló, su voz sonó ronca y suave, y algo vacilante.

—¿Y qué me dices de ti, Cazador? ¿Cómo fue tu juventud? No creo que fueras de carácter salvaje ni impulsivo.

—No fui nada de eso —admitió, recordando sus tristes comienzos.

Siempre había sido serio y disciplinado. Tenía que serlo; cualquier fallo habría significado la muerte.

Ella lo seguía mirando, tratando aún de encajar las piezas.

—Sé que dijiste que no tenías familia, ¿pero siempre has vivido en Boston?

—No —respondió él—. Fui allí cuando me uní a la Orden el verano pasado.

—Oh. —Pareció sorprendida por eso, y no del todo complacida—. Entonces llevas muy poco tiempo con ellos. —Bajó la mirada hacia la mesa y apartó algunas migas de pan—. ¿Cuánto tiempo estuviste al servicio de Dragos?

Ahora fue él quien se sorprendió.

—Esa primera noche, en el Refugio Oscuro de Claire y Andreas, alguien los oyó hablar de ti —explicó ella—. Dijeron que antes habías sido aliado de Dragos. —Lo observó intensa y cautelosamente—. ¿Es eso cierto?

—Sí. —Simple. Honesto. Un hecho que por lo visto ella ya sabía.

Entonces… ¿por qué sintió la repentina necesidad de retirar esa palabra? ¿Por qué sintió el impulso de asegurarle que por más que hubiera servido a Dragos él no suponía ninguna amenaza para ella?

No pudo decírselo. Porque en sus entrañas se preguntaba si sería cierto.

¿No suponía ninguna amenaza para ella?

La premonición de Mira parecía indicar otra cosa. Desde que habían dejado el Refugio Oscuro en Detroit, él había estado intentando deshacerse de la visión, como si ya se hubiera representado, aunque algo alterada, durante su confrontación con Victor Bishop.

Pero algo no encajaba.

Hasta el momento, las visiones de la niña adivina nunca se habían visto alteradas. Sería un tonto si creyera que ahora eso podía pasar, solo porque se sintiera intrigado por la preciosa y frágil Corinne.

Cazador notó un suspiro rápido y sutil mientras asimilaba su franca admisión. En lugar de inclinarse hacia delante sobre la pequeña mesa, advirtió que ahora se iba alejando gradualmente, retirándose físicamente hasta que su columna quedó apoyada en la silla. Durante un largo momento permaneció silenciosa, mirando a través de la luz tenue y la neblina que había en la habitación.

—¿Cuánto tiempo estuviste a su servicio? —preguntó, ahora en guardia.

—Tanto tiempo como puedo recordar.

—Pero ahora ya no —dijo ella, estudiando su rostro. Buscando, supuso él, alguna señal en su expresión que le indicara que podía confiar en ella.

Él mantuvo sus facciones bajo control, deliberadamente neutrales, mientras trataba de decidir si no sería ella quien tenía algo que ocultarle.

—Ahora hago para la Orden lo mismo que antes hacía para Dragos.

Los ojos de Corinne se mantuvieron fijos en los de él, desolados por lo que acababa de comprender.

—Matar —dijo ella.

Cazador inclinó la barbilla en señal de asentimiento.

—Quiero que él y todos los que le sirven sean destruidos. Si tengo que darle caza a él y a cada uno de sus seguidores uno por uno eso es lo que haré.

Tan solo estaba constatando un hecho, pero Corinne lo miraba con una extraña suavidad en su expresión cansada. Había una interrogación en su mirada, demasiado tierna para su gusto.

—¿Qué fue lo que él te hizo, Cazador? ¿De qué forma te hirió Dragos?

Para su propia sorpresa, Cazador se encontró con que no podía pronunciar palabra. Nunca se había mostrado reluctante a la hora de reconocer la soledad y la disciplina en que había crecido. Nunca se había dado tanta importancia a sí mismo ni a otro como para sentir ni un indicio de humillación ante el hecho de haber sido criado como un animal... o algo peor que eso.

Nunca antes se había sentido avergonzado de sus orígenes como vampiro de la primera generación, engendrado por un Antiguo, el último superviviente de otro mundo que, junto con sus hermanos alienígenas, habían formado la raza entera de la estirpe en la Tierra. Dragos había mantenido secretamente al vampiro drogado y encarcelado dentro de su laboratorio durante décadas. Esa misma salvaje criatura había sido desatada por Dragos para engendrar con incontables compañeras de sangre, como Corinne y las otras mujeres recientemente liberadas.

Como la compañera de sangre desconocida que había dado a luz a Cazador estando prisionera en una de esas fétidas celdas.

No tenía ni idea de qué había sido de ella, y tampoco tenía ningún recuerdo. Pero al ver a Corinne Bishop, al contemplar en su delicada espalda la evidencia de tantas torturas soportadas, Cazador sintió una repentina y profunda vergüenza que lo llevaba a rechazar cualquier vínculo con Dragos y los horrores de sus laboratorios.

Con la mandíbula en tensión, respondió:

—No debes preocuparte por lo que me pasó a mí. Nada de lo que me pasó es peor de lo que Dragos te hizo a ti.

Ella frunció el ceño con desaprobación. Incluso en la oscuridad, él podía ver el color acentuándose en sus mejillas. Sin duda sabía que él se estaba refiriendo a sus cicatrices. Cicatrices que no habría visto si no hubiese estado espiándola mientras se bañaba.

Esperaba que ella se enfadara ante el recuerdo; tenía derecho, supuso. No podía negar que había mirado. Probablemente no podría negar que había admirado lo que vio. Durante toda la noche había estado tratando de olvidar la visión de ella desnuda en la habitación del hotel. El recuerdo regresó ahora vívido e insistente, a pesar de su esfuerzo por apartarlo de su mente.

En cuanto a las cicatrices, lo habían impactado, pero no menoscababan su belleza. No ante sus ojos.

Le sorprendía la tentación que tenía de decírselo, quisiera o no oírlo.

Corinne lo miró fijamente durante un largo momento, luego echó su silla hacia atrás y comenzó a levantarse.

—Voy al lavabo —murmuró.

Él se levantó junto a ella, escudriñando la multitud.

—Iré contigo.

—¿Al lavabo de mujeres? —Ella le dirigió una mirada disuasoria—. Espera aquí. Vuelvo enseguida.

Ella no le dejó más alternativa que la de esperarla en la mesa. Observó cómo se dirigía hacia el letrero iluminado que decía FEMMES para desaparecer después a través de la oscura puerta giratoria.

Corinne pasó apenas un minuto o dos en el lavabo, apoyando la espalda contra la pared que había enfrente de un lavabo de porcelana y un espejo descascarillado. Solo lo suficiente para recuperar el aliento y controlar sus pensamientos lo mejor que pudo. El cóctel que se había tomado durante la cena realmente se le había subido a la cabeza. ¿Por qué otra razón se habría quedado sentada en esa mesa con Cazador, hablando de música y recuerdos de su pasado, cuando debería haber estado interrogándolo para sonsacarle cualquier información que él o la Orden hubieran reunido acerca de Henry Vachon?

Si Cazador no hubiera sacado a colación sus cicatrices, con esa manera no demasiado sutil de recordarle que había visto eso y mucho más en la habitación del hotel, tal vez todavía seguiría allí sentada, perdiéndose en los simples placeres de la comida y la bebida y la música que tanto amaba cuando era una muchacha. Incluso había estado disfrutando de la rígida compañía de Cazador, lo que solo remarcaba hasta qué punto la había afectado el poco alcohol que había tomado.

Salió del lavabo y volvió a adentrarse en la caverna envuelta en humo del restaurante. De pie, sin la pared del lavabo como punto de apoyo, sentía la cabeza ligera y las piernas flojas mientras se dirigía hacia el grupo de música que tocaba para las parejas que se mecían lentamente al ritmo de las canciones en la pista de baile atiborrada.

Corinne se detuvo al borde de la pequeña tarima de madera gastada y observó a la gente moviéndose a la luz de las velas y entre las sombras. Cuerpos que se apretaban, brazos que se envolvían mientras la música llenaba el club entero. Sonrió melancólicamente, incapaz de mantener la sonrisa en los labios mientras reconocía la sensual y desafiante letra. Otra canción de Bessie Smith. Otro empujón hacia el pasado, de vuelta a un tiempo en que era inocente, inconsciente de cuánta crueldad y maldad podía haber.

Cerró los ojos y sintió que esa vieja música familiar la inundaba, conduciéndola seductoramente hacia un puerto seguro. Era solo una ilusión; ella lo sabía. No podía escapar de donde estaba, por mucho que ansiara borrar todo lo que había sufrido. No podía ignorar dónde había estado, lo que había perdido... lo que todavía necesitaba hacer.

Sabía todo eso, pero la voz de la cantante la arrullaba en un suave balanceo junto al borde de la pista de baile y no pudo resistir el arrebato. Fue solo un minuto, una breve indulgencia que saboreó, con los ojos cerrados, los sentidos a la deriva, flotando en una marea tranquila.

Cuando abrió los párpados un momento más tarde, Cazador se hallaba de pie frente a ella.

No dijo nada, solo permaneció como una torre por encima de ella, una acechante pared de músculos y oscura energía. El calor de su presencia hacía que los escasos centímetros que los separaban parecieran nada. Su atractivo rostro, severamente esculpido, tan inescrutable como siempre. Pero sus ojos brillaban con las brasas de un fuego que ardía lentamente.

Era la misma mirada que le había visto en el hotel, solo que ahora no había entre ellos una puerta que cerrar. No había lugar para esconderse de la ardiente mirada de aquel hombre peligroso y letal. Pero no era el miedo lo que inflamaba sus venas cuando Cazador la miraba así ahora. No era nada parecido al miedo.

Algo eléctrico, algo espontáneo y poderoso surgió entre ellos en aquel instante. Era la única manera en que podía explicar que sus manos lo alcanzaran, que sus palmas fueran a descansar sobre sus anchos hombros. La única forma en que podía comprender el impulso que la hizo apoyar la mejilla sobre su fuerte pecho y susurrar:

—Baila conmigo, Cazador. Solo un momento.

Apoyándose en él, se meció lentamente al son de Bessie,

sintiendo los fuertes latidos de su corazón. Él no bailaba, pero a ella no le importaba. Su corazón la envolvía, haciéndola sentirse a salvo a pesar de que probablemente fuera la persona más peligrosa en aquel espacio.

Al cabo de un momento, los brazos de él la rodearon, con sus grandes manos descansando suaves y vacilantes en la base de su columna. Estaba rígido, casi incómodo. Ella ya no podía oír su respiración, sino solo los latidos cada vez más fuertes de su corazón, tan pesados y tan intensos que casi ahogaban cualquier otro sonido.

Levantó la cabeza y lo miró, todavía abrazando con las manos sus gruesos hombros. Sus ojos dorados lanzaban llamas color ámbar y sus pupilas se habían estrechado como las de un gato. El deseo emanaba de ellos, inconfundible y ardiente. Ella se echó hacia atrás con paso vacilante, dejando un pequeño espacio entre ellos, a pesar de que su propio pulso estaba latiendo con una repentina e intensa excitación.

Y necesidad.

La sorprendió hasta qué punto la sentía penetrante y profunda. El deseo era algo extraño para ella después de todo lo que había vivido. Después de cuánto había soportado creyó que jamás desearía ser tocada por un hombre. Pero ahora lo deseaba. Aunque resultaba increíble y tal vez estúpido, en aquel momento ansiaba el contacto de aquel guerrero frío y letal más que nada en el mundo.

Se obligó a sí misma a dar otro paso atrás.

—Gracias por el baile —murmuró. Su confusión desentonaba con el calor que sentía aumentar en espiral en su interior—. Gracias por esto. Por traerme aquí esta noche. Creía que había olvidado lo que era sentirse… normal. —Bajó la mirada, y se apartó del abrasador calor de sus ojos—. No creía que fuera posible que me volviera a sentir… nada más.

Él le tomó la barbilla con suavidad pero a la vez con firmeza, en un gesto interrogante. Le alzó el rostro con la yema de los dedos, hasta que sus miradas se encontraron de nuevo. Bajó la cabeza hacia la de ella.

Y al momento la estaba besando.

Suavemente, sin prisa, rozó con sus labios los de ella. Su beso era casi vacilante, como si no osara tomar más que lo que ella estuviera dispuesta a darle. Por más embriagadora que fuera su boca en la de ella, era también dulce; era la primera vez que había sido tocada con tanto cuidado, tan tiernamente. Que un macho tan impresionante como Cazador pudiera demostrar tanta paciencia y control la dejó atónita.

No era fácil para él. Ella se dio cuenta un momento más tarde, cuando sus labios se separaron y vio sus ojos dorados transformados en dos fuegos gemelos que ardían con su calor ámbar. Inclinó la cabeza hacia la de ella, solo un respiro separaba sus bocas bajo la brumosa penumbra que los envolvía. Las puntas de sus colmillos brillaban blancas detrás de su labio superior. El color prestó rubor a sus dermoglifos, que trazaban elegantes arcos y florituras a ambos lados de su cuello y en su nuca.

Él la deseaba.

Aquel pensamiento debería haberla horrorizado, en lugar de impulsarla a acercarse. Alzó la mirada hacia él, anhelando, contra toda razón, un nuevo contacto de su boca tan sensual. Las manos de él temblaron sobre su espalda, donde se habían apoyado en aquel breve momento de danza. Cuando levantó una mano para tocarle la mejilla el contacto fue leve como una pluma, tan suave como su beso, a pesar de la rudeza de sus dedos acostumbrados a manipular armas.

Corinne soltó el aire con dificultad mientras él le acariciaba el labio inferior con la yema del dedo pulgar. Ella alzó la cabeza y él inclinó la suya una vez más…

Y luego se quedó helado.

La tensión lo invadió en un instante… un nuevo tipo de tensión esta vez, fría y recelosa. Sus ojos recorrieron el club atestado de gente.

—Tenemos problemas —dijo, volviendo a adoptar sus modales de guerrero—. Esto no es seguro ahora. Tengo que sacarte de aquí.

—¿Qué ocurre, Cazador? —Ella trató de seguir la dirección de su mirada, pero de nada le sirvió porque él era mucho más alto—. ¿Qué es lo que estás viendo?

—Vampiros —dijo él en voz baja y discreta—. Un grupo de vampiros acaba de entrar por la puerta principal del restaurante. Hay uno de la primera generación entre ellos. Uno del grupo de asesinos de Dragos.

El corazón de Corinne latió aceleradamente contra sus costillas.

—¿Estás seguro?

—No hay ninguna duda.

Su respuesta sonó tan grave que ella tuvo que contener la respiración.

—¿Todavía los ves? ¿Qué están haciendo?

—Examinan el público. —Buscó la mano de ella y la aferró con fuerza—. Supongo que nos están buscando.

La empujó hacia la multitud congregada en la pista de baile, y fueron zigzagueando entre las parejas distraídas; la mirada de él siempre atenta a la zona de la supuesta amenaza.

—¿Por qué nos iban a estar buscando? —preguntó ella mientras se apresuraba a su lado, sintiendo el pánico crecer en oleadas dentro de su pecho—. ¿Por qué iba a saber Dragos que estamos en Nueva Orleans?

—Porque alguien le dijo dónde debería buscarnos —respondió Cazador secamente—. Alguien al que debería haber matado cuando tuve la oportunidad.

Victor Bishop.

Oh, Dios. Él la había traicionado una vez más.

Qué error tan estúpido pensar que no lo haría. Peor aún, era ella quien lo había propiciado al persuadir a Cazador de que no lo matara. Ahora solo le cabía esperar que eso no le costara la vida a alguno de los dos.

Enferma ante aquel pensamiento, furiosa y arrepentida, Corinne se agarró con fuerza a la mano de Cazador mientras él la arrastraba a través de la gente hacia la parte trasera y oscura del establecimiento.

Capítulo quince

Salieron disparados por la puerta trasera del local; el único objetivo de Cazador era poner a salvo a Corinne. Cuando la puerta de acero se abrió de golpe en el callejón, un par de machos de la estirpe, vestidos con trajes de la Agencia de la Ley, dirigieron la atención hacia ellos.

Demasiado tarde.

Cazador los había visto y se deshizo de esos insignificantes obstáculos incluso antes de que el primero tuviera la oportunidad de coger el arma de fuego que llevaba enfundada a un lado de la cintura. Cazador soltó la mano de Corinne, agarró la cabeza del macho que tenía delante y la obligó a girar violentamente. La columna vertebral crujió como un disparo amortiguado mientras el cuerpo caía al suelo sin vida.

El segundo de los guardias fue derribado con la misma rapidez.

Cazador dirigió la mirada a Corinne, que estaba de pie tras él, sobresaltada y en silencio.

—Vamos —le dijo—. No tenemos tiempo.

Cazador sacó su teléfono móvil del bolsillo del pantalón mientras corrían a lo largo de un laberinto de estrechos callejones. Llamó a Boston e informó a Gideon de lo que estaba pasando.

—Mierda —murmuró el guerrero al otro lado—. Si Dragos está tan preocupado como para enviar asesinos a Nueva Orleans, supongo que podemos deducir con seguridad que la conexión entre Dragos y Vachon es válida.

—Lo cual significa que la conexión entre Bishop y Dragos todavía sigue vigente —respondió Cazador mientras pasaba junto a una tienda de vudú que vendía patas de pollo y otros pedazos de animales en un callejón particularmente extraño—. Ese es un asunto que trataré con Bishop más tarde.

Gideon dejó escapar el aire bruscamente.

—No es necesario, amigo. Victor Bishop fue asesinado esta tarde en su Refugio Oscuro. El informe de la Agencia de Detroit dice que atacó a su compañera de sangre y que podría haber sido todo mucho peor si uno de los guardias de la finca no lo hubiera detenido.

—¿Quién lo mató?

—Un tipo llamado Mason, según dicen los informes.

Cazador gruñó en señal de reconocimiento, recordando lo protector que se había mostrado el guardia del Refugio Oscuro ante la puerta cuando Corinne y él habían llegado. La miró ahora y vio cómo la comprensión asomaba a sus pálidas facciones mientras se esforzaba por mantener el ritmo de las largas zancadas que él daba. Al menos Victor Bishop la había herido por última vez. Una parte irracional de él deseaba que hubieran sido sus manos las que hubieran terminado con el hipócrita bastardo por todo lo que le había hecho a Corinne.

—Necesitamos algún lugar donde ir —le dijo a Gideon.

—¿No estáis en el hotel?

—No. Dejé los mapas y las armas en la habitación.

—Bueno, dalos por perdidos. No puedes volver allí ahora, amigo. Sería jodidamente arriesgado.

Una conclusión evidente, pensó Cazador. Si los hombres de Dragos habían estado barriendo la ciudad en busca de alguna señal de ellos, tenían que asumir que también habrían comprobado el área de hoteles.

—Escucha —dijo Gideon—. Ya has perdido la ventaja del factor sorpresa con Vachon. Lucan está aquí conmigo ahora y se muestra de acuerdo. Llevar a cabo esta misión solo por tu cuenta ahora es demasiado arriesgado. Además, tienes que pensar en la mujer. Lucan dice que es hora de abortar la operación. Ve directo al avión. Buscaré la manera de sacarte de allí ahora mismo.

Cazador sintió un impulso de discusión acudiendo a la punta de su lengua. Tenía un sabor extraño para él, que había sido criado para seguir órdenes, sin cuestionarlas jamás. Pero una parte de él quería encargarse de aquello... quería ver a

Henry Vachon y a Dragos castigados por lo que habían hecho a Corinne y a las demás. Le irritaba pensar que aquella pista iba a enfriarse simplemente debido a su renuncia por una cuestión de ventaja táctica.

Antes de que pudiera hacer esa observación a su compañero de Boston, Gideon intervino al otro lado de la línea.

—Acabo de hablar con los pilotos. Cargarán combustible y esperarán tu llegada. ¿A qué distancia estás del aeropuerto?

Cazador salió del callejón por el que iba hasta encontrar una calle que reconoció, una que conducía a las principales vías públicas a través del barrio francés.

—Ahora vamos a pie, pero con un vehículo serían a lo sumo veinte minutos.

—Consigue uno —dijo Gideon—. Llama en cuanto estés en el aire. Luego encontraremos algún lugar para que os quedéis los dos hasta que pase esta mierda de aquí. No podemos arriesgarnos a sufrir más bajas en nuestras filas. Ya tenemos bastante con haber perdido a un hombre.

—¿Ha habido una baja? —La afirmación lo pilló por sorpresa. Sintió algo frío y tirante en el estómago ante la idea de perder a uno de sus guerreros—. ¿Ha habido una muerte en el campo?

—Mierda, no lo sabías. Es Harvard. Se ha ido... se marchó antes de que salieras de Detroit y no hemos sabido nada de él desde entonces. Dante y Kade encontraron su teléfono móvil junto al río en la zona sur. Odio decirlo, pero parece que Chase ha abandonado y no tiene intención de volver. —Gideon permaneció callado y pensativo por un momento—. ¿Has preguntado si ha habido una muerte en la Orden? Te diré una cosa... es exactamente eso lo que sentimos aquí ahora mismo. La única cosa peor que una muerte es cuando alguien abandona y de pronto recibes el informe de que se ha convertido en renegado... y ese parece que podría ser el caso de Harvard.

—Espero que esa pesadilla nunca se haga realidad —dijo Cazador, sorprendido al ver hasta qué punto le importaba.

—Tú y todos nosotros —respondió Gideon—. Mientras tanto, esperemos que nada más se tuerza ahora, ¿de acuerdo? Así que dirigíos hacia el aeropuerto lo más pronto posible. Avisa cuando tú y la mujer estéis a salvo.

—Dalo por hecho —respondió Cazador con gravedad. Deslizó el teléfono en el bolsillo y corrió junto a Corinne en busca de un medio de transporte para salir de la ciudad.

No reparó en los humanos hasta que estuvieron casi encima de él. Con la cabeza baja, Chase tenía la boca pegada al cuello de un huésped de sangre que había seguido un rato antes hasta una zona de yonquis en las entrañas de la ciudad. Ahora gruñía con irritación mientras las luces del vehículo que se acercaba rebotaban sobre las paredes de ladrillo de la estrecha calle donde él se hallaba agachado junto a su presa.

El coche de policía merodeó lentamente entre los viejos edificios de apartamentos, con la luz de alarma montada en la parte lateral del vehículo, que se encendió cuando el coche se acercó al punto medio.

Chase se agachó aún más, empujando el cuerpo blando de su huésped entre las sombras de un contenedor que les serviría de escudo hasta que los policías estuvieran justo delante. La rubia de pelo pajizo gimió, puede que porque él dejara de chuparle la carótida o tal vez a causa de la cocaína, que le daba a su sangre un matiz dulzón y hasta empalagoso. Trató de moverse, pero él la sostuvo, sin sentirse todavía saciado a pesar de saber que había tomado más de lo que necesitaba para llenarse.

El coche de policía siguió avanzando, todavía más cerca de donde él se alimentaba ávidamente.

Algún resquicio de cordura le advirtió de que debía reunir sombras a su alrededor. Las convocó con su mente, tratando de doblegarlas a su voluntad, afianzar la penumbra a su alrededor para ocultarse de la amenaza de las Fuerzas de la Ley de los humanos, que estaban a punto de dirigir sus ofensivas luces en su dirección.

Chase se esforzó por dominar las sombras, pero le resultaba demasiado difícil emplear su don. Este se tambaleaba débilmente... iba y venía, iba y venía... durante apenas segundos.

Rugió, frustrado ante la pérdida de control.

¿Cuánto tiempo faltaría para que su habilidad se le escapara completamente de las manos? Ya había visto los efectos de la lujuria de sangre en otros. Sabía que era un poder destructivo. La adicción acabaría con su talento de la estirpe, luego con su cordura, con su humanidad... y finalmente con su alma.

Aquella idea se filtró a través de la niebla de su codiciosa alimentación, con tanta amargura como la de aquella sangre contaminada por la droga que bajaba por su garganta. Con un gruñido, apartó la boca de la herida y la selló con la lengua, sintiendo asco de sí mismo y también por la joven que habría dejado seca de no haber sido por la interrupción de la policía, que se aproximaba.

Arrastró su cuerpo casi inconsciente detrás del contenedor. La mujer se recuperaría al cabo de un rato, y no recordaría nada de los últimos cinco minutos. Se sacaría de encima esa extraña sensación letárgica y se levantaría, libre para regresar a la adicción que la había conducido hasta aquella calle sórdida.

¿Y en cuanto a él?

Chase gruñó, con la cabeza todavía zumbando mientras se limpiaba la sangre de la barbilla, acuclillado junto a la basura del callejón. La lentitud del coche de policía lo obligó a quedarse encogido junto al borde del contenedor mucho más tiempo del que hubiera querido. Esperó y observó, receloso cuando el coche se detuvo, haciendo chirriar los frenos, justo enfrente de donde él estaba. La sirena del vehículo emitió un pitido antes de que la luz azul estroboscópica se encendiera, bañando el callejón con su pulso. Una de las puertas se abrió, y luego se cerró con un fuerte portazo.

—¿Hay alguien ahí? —Una voz firme, profesional y con un fuerte acento de Boston. Botas de duras suelas hicieron crujir el pavimento helado. Se oyó el ruido de una interferencia en la radio del policía mientras se acercaba—. Está prohibido merodear por aquí, sobre todo a los drogatas y degenerados como vosotros. —Se acercó otro paso. Dos más y el humano estaría justo delante de él—. Vais a tener que salir de aquí de una puñetera vez, a no ser que queráis acompañarnos a la comi...

Chase saltó de su escondite como alguien que aparece en una pesadilla.

Con un gran salto se lanzó hacia arriba y sobre la cabeza del perplejo policía. Aterrizó sobre el capó del coche aparcado, con tanta suavidad como un gato, y luego dio un salto igualmente ágil y se alejó corriendo antes de que ninguno de los representantes de la autoridad de Boston tuviera tiempo de registrar lo que acababa de ver.

Chase corrió al máximo de la velocidad que le permitía su genética de la estirpe. Todavía podía, todavía tenía la fuerza y el aguante de su naturaleza salvaje. Además, la sobredosis de sangre que había consumido amplificaba la bestia que albergaba. Esta lo dirigía, enviándolo a lo más profundo de la noche, cada vez más lejos de las brillantes luces y el atestado tráfico de las calles principales.

No sabía cuánto había estado corriendo.

No estaba seguro de dónde estaba cuando finalmente redujo la velocidad lo suficiente como para advertir que se hallaba muy lejos de la ciudad. Ya no atravesaba calles, zonas de aparcamiento o vecindarios, sino que avanzaba sobre un campo abierto cubierto de nieve y entre la espesa maleza de un bosque de las afueras. Por delante de él, no muy lejos, sobresalía entre el paisaje una ancha colina granítica poblada de pinos. La registró vagamente como una de las descuidadas reservas forestales de los humanos. Una de las pocas parcelas de terreno virgen que quedaban, considerado sagrado ante la amenaza de la expansión urbana, que se propagaba por todas partes.

Aquel lugar despertó algo enterrado en algún oscuro rincón de su mente, una fugaz sensación de que conocía aquel lugar. Había estado allí una vez, años atrás. Chase se sacudió de encima aquella distracción mental mientras se adentraba en la reserva arbolada, sin importarle dónde estaba, sino solo el hecho de que se estaba moviendo, dejando la furia de la ciudad a kilómetros detrás de él.

Se puso de cuclillas en un tramo de tierra muy poblado de vegetación, dejando descansar la espalda contra el tronco de un roble muy alto. Las ramas desnudas temblaban por encima de su cabeza, la luna luchaba por asomarse a la densa nube nocturna que la cubría. Durante un largo rato, el único sonido que oyó fue el de su respiración dificultosa, el intenso latido de su pulso en su pesado pecho.

Se sentó allí, sin saber adónde lo llevaría su sed la próxima vez.

En realidad, apenas le importaba nada.

Con los labios retirados ante la presión de los dientes y colmillos, sorbió el aire invernal, estremeciéndose por el frío y las contracciones de sus entrañas envenenadas. Aunque estas se retorcían, por el atracón de un exceso de sangre, no pudo dejar de preguntarse dónde encontraría su próxima dosis. Contempló fijamente el cielo de medianoche y trató de adivinar cuánto tiempo le quedaba para alimentarse antes de que amaneciera y tuviera que buscar un lugar donde ocultarse a la espera de la noche.

Oh, sí, pensó, riéndose entre dientes con un regocijo medio enloquecido. Lo único que necesitaba era rendirse a las garras de la bestia que ya había clavado en él sus anzuelos.

Era esa bestia la que le susurraba mientras los bosques guardaban un silencio siniestro en torno a él. Se quedó quieto, el depredador despertó para prestar su aguda y total atención.

A alguna distancia de donde estaba, imposible de calcular, se oyó una rama crujir en la oscuridad. Luego otra.

Chase se quedó inmóvil, silencioso. Esperando

Alguien se aproximó desde el interior de los matorrales.

Él lo vio un instante más tarde… era un chico, delgado, con tejanos y botas, corriendo a la vez que lanzaba miradas ansiosas detrás de él, hacia la oscuridad de los bosques que tenía a su espalda. Llevaba una chaqueta de invierno, pero debajo de la cremallera abierta, su camisa estaba desgarrada, salpicada de manchas oscuras.

Era una intrusión tan abrupta e inesperada que no parecía real. Al principio creyó que aquel chico era una alucinación. El truco extraño de una mente perturbada.

Hasta que el corrosivo aroma del miedo llenó sus orificios nasales. Un miedo que trituraba los huesos, abyecto.

Y sangre.

El chico perdía sangre por una pequeña herida que tenía en el cuello, dos riachuelos gemelos que no pasaron inadvertidos a la aguda percepción de Chase. El aroma de glóbulos rojos frescos golpeó sus sentidos como un tren de mercancías. Se puso a cuatro patas mientras el chico se aproximaba a su escondite.

Y entonces, de repente, resultó que el chico no estaba solo. Una mujer emergió de la oscuridad varios metros detrás de él. Luego otro chico, este algo mayor, un adolescente con ojos redondos y aterrorizados. Un hombre salió corriendo de los helechos un momento más tarde, seguido de otra mujer, que cojeaba y sollozaba. Ella también estaba salpicada de sangre y sangraba por la herida de un mordisco en el antebrazo. Salieron corriendo en distintas direcciones, huyendo como una manada de ciervos asustados.

Como presas del juego deportivo que eran, se dio cuenta Chase. La verdad de aquella escena se abrió paso en él con toda su crudeza.

Un club de sangre.

Aquella era la exasperante familiaridad de aquel lugar. Había estado allí una vez, hacía más de una década. Él, Quentin y un equipo de la Agencia de la Ley habían acudido en respuesta a los rumores de una celebración de cacería ilegal organizada en la zona suburbana de Blue Hills Park.

No necesitaba oír el aullido animal de uno de los vampiros que iban a la caza de esos desafortunados humanos para saber que se hallaba en medio de un juego de los más depravados. Prohibidos desde hacía siglos por la ley de la estirpe, los clubes que habían convertido la persecución de seres humanos en un deporte —y cualquier otra cosa que un vampiro pudiera desear— habían sido condenados pero no completamente abolidos. Existían todavía quienes desafiaban las leyes. Había todavía círculos sociales cerrados con miembros muy exclusivos, contratados por la élite pervertida de la estirpe.

Chase buscó en sí el desprecio que debería haber sentido por algo tan reprensible. Sintió el parpadeo de la crueldad, su vieja ética de la agencia instándole con el impulso de intervenir, pero no fue suficiente para evitar que sus colmillos se extendieran aún más mientras la fragancia cobriza de la sangre impregnaba los matorrales. Cazador sintió una espiral creciendo en su interior, encendiéndole y acelerándole el pulso a través de las venas.

Mientras los humanos se acercaban al escondrijo improvisado donde él estaba agachado, salió de la espesura y se interpuso directamente en su camino.

Capítulo dieciséis

*L*legaron al aeropuerto en una camioneta tuneada de color púrpura llamada *El Camino* que Cazador había requisado en una calle de Nueva Orleans.

El hombre que había dejado el vehículo detenido en la cuneta se había metido en una discusión con una pareja de mujeres jóvenes ligeras de ropa, mujeres que según él le debían dinero. Mientras él saltaba del coche para gritarles e insultarlas, Cazador hizo sentarse a Corinne en el asiento del acompañante, y luego se deslizó suavemente detrás del volante y arrancó a toda velocidad antes de que el hombre tuviera la oportunidad de darse cuenta de que le habían robado el coche.

El *jet* de la Orden los esperaba en el hangar privado mientras conducían el vehículo robado por el espacio cavernoso. Corinne lanzó una mirada a Cazador, todavía tratando de reconciliar aquella tierna caricia que le había hecho en el club de *jazz* con la violencia letal que le había servido para acabar con dos vidas en el callejón.

—Esos guardias de la ciudad —murmuró mientras él aparcaba el coche y paraba el motor—. Les rompiste el cuello como si no fuera más que una pequeña rama.

La expresión de él era indescifrable, completamente neutral.

—Ahora tenemos que irnos, Corinne. Gideon ya ha hecho una llamada para avisar a los pilotos. Nos esperan en el avión.

Ella trató de tragar una masa de hielo que se le había formado en la garganta desde que habían salido del club.

—Mataste a esos hombres, Cazador. A sangre fría.

—Sí —dijo él guardando la compostura—. Antes de que tuvieran la oportunidad de hacernos lo mismo a nosotros.

«Yo trato con la muerte.»

Eso es lo que él le había dicho la noche anterior. Nacido para ocupar el rol de un asesino y perfectamente entrenado para hacer todo tipo de cosas impensables. Hasta ahora, habían sido solo palabras. Solo la amenaza de un peligro. Ahora ella estaba sentada junto a él, a punto de bajar de ese coche robado para seguirlo hasta el avión que los llevaría solo Dios sabía dónde.

Y, sin embargo, cuando él salió de detrás del volante y fue hasta su lado para abrirle la puerta y ofrecerle la mano, ella la aceptó.

Caminó junto a Cazador, a través del suelo de cemento del hangar hacia la escalera que habían desplegado y que conducía a la cabina del *jet* privado. Él subió los escalones delante de ella, y luego le hizo un gesto señalándole la espaciosa cabina.

—Los pilotos deben de estar en la cabina de mando —dijo mientras se dirigían hacia la docena de grandes asientos de piel reclinables—. Les diré que estamos aquí.

Corinne giró la cabeza para asentir en señal de reconocimiento.

Pero mientras su atención regresaba hacia Cazador todo pareció ponerse terriblemente silencioso a su alrededor. Los ojos de él brillaron en señal de advertencia. Se movió para alcanzarla.

—Corinne, sal de aquí. Sal de aquí ahora mis...

Antes de que ella tuviera la oportunidad de reaccionar, algo enorme... un macho de la estirpe probablemente tan grande como Cazador y vestido de la cabeza a los pies con ropa a medida de color negro, salió de la zona de la cabina de mando cerrada que había tras ellos.

Cazador dio la vuelta a gran velocidad, encontrándose con su atacante y agarrándole con fuerza la mano, que sostenía una pistola negra. Estallaron disparos... una bala dio en el techo sobre la cabeza de Cazador, dos más estallaron a ambos lados en el interior de la cabina. Se abrió una ventana; una tela de araña se dibujó en el vidrio templado alrededor del gran agujero redondo que la bala había dejado a su paso.

Corinne se arrodilló detrás de un alto asiento de cuero, observando con una mezcla de terror y sorpresa mientras Cazador arremetía con el borde de la mano contra la muñeca del asaltante. El revólver cayó al suelo de la cabina, y recibió una patada de la bota de Cazador al mismo tiempo que propinaba otra serie de golpes cortantes de la mano contra el cuello y la mandíbula del otro macho.

Ese cuello no se rompió como el de los dos guardias que estaban junto al club de *jazz*. Este vampiro igualaba a Cazador en tamaño y Corinne, presa del pánico, se dio cuenta de que era tan letal como él.

El otro macho agarró a Cazador del cuello y lo golpeó contra la pared más cercana. Lo torturó con impresionantes y rápidos puñetazos en la cara y en el cráneo. Cazador consiguió liberarse. Sujetó con una mano la muñeca de su atacante y le retorció el brazo hasta que Corinne oyó crujir los huesos por la presión.

Sin embargo, el atacante de Cazador dejó escapar apenas un gruñido mientras se daba la vuelta para enfrentarse a él, tratando de ganar ventaja una vez más. Cazador no parecía dispuesto a que lo consiguiera. Aplastó el talón de su bota sobre la rótula del otro macho y luego le propinó otro puñetazo en el abdomen y, por último, en el cráneo rapado. El asaltante cayó al suelo; el gorro de punto que le cubría la cabeza se deslizó por el impacto, dejándole la cara al descubierto.

Corinne dejó escapar un grito ahogado por la sorpresa.

Mientras que el pelo grueso de Cazador estaba cortado casi al rape, la cabeza de ese vampiro era absolutamente calva. Un intrincado diseño de dermoglifos de los vampiros de la primera generación le trepaba alrededor de las orejas hasta cubrirle la cabeza. Su color era tenue; no tenía la intensidad que ella había visto en la piel de otros machos de la estirpe, cuyas marcas tenían intensos y turbulentos colores. Bajo las oscuras cejas del intruso, los feroces ojos grises eran tan fríos e inexpresivos como el acero.

Su calma e indiferencia era tanta como la de Cazador. Y cada centímetro de él resultaba letal.

Aunque los dos tenían distinto aspecto, a la vez eran lo mismo.

Ambos habían nacido para ser asesinos.

Ambos habían sido entrenados para matar bajo las órdenes de Dragos.

En el instante en que ella se dio cuenta de eso, el pie de Cazador ya estaba a punto de aplastarle la cara al otro hombre.

Mientras sus gruesos músculos se flexionaban y el tacón de la bota emprendía su descenso, el otro macho rodó hacia un lado y se arrojó hacia la pequeña cocina del *jet*, entre la cabina de pasajeros y la puerta destrozada de la cabina de mando.

Con su brazo, sin duda roto, colgando inútil a un lado, el intruso llegó hasta un armario lleno de cristalería y lo echó abajo. Se giró hacia Cazador, blandiendo un largo y brillante pedazo de cristal como si fuera un cuchillo. Lanzó un ataque que Cazador evitó por los pelos, moviéndose a un lado para luego asestar un puñetazo en la parte baja del abdomen de su atacante. El golpe lo sorprendió, y el cuchillo de cristal se quebró a sus pies al tiempo que luchaba por adentrarse en la cocina.

Corinne podría haber huido corriendo. Debería haberlo hecho, probablemente. Pero la idea de dejar solo a Cazador para contener a ese asesino aparentemente imparable quedaba fuera de cualquier consideración. Se deslizó por detrás de los asientos de la cabina de pasajeros, en busca de algún medio para ayudarlo. Su don era inútil en aquel sitio. Sin la ayuda de alguna onda de sonido estable, su habilidad para deformar el volumen de la energía auditiva no podía ser convocada.

Pero si conseguía poner las manos en el revólver que yacía a unos escasos metros entre ella y la zona de combate…

Lo vio demasiado tarde.

El atacante de Cazador ya competía por él, defendiéndose de Cazador mientras este forcejeaba con un pie para tratar de poner el arma fuera de su alcance.

Ambos giraban y se esforzaban, intercambiando puñetazos que habrían dejado inconscientes a hombres de condiciones inferiores. Y, entonces, en un momento que transcurrió tan rápido que Corinne apenas pudo registrarlo, el asaltante de Cazador logró hacerse con el revólver y apuntó con el arma directamente al rostro de su contrincante.

—¡No! —Los pies de Corinne se pusieron en movimiento antes de que pudiera volver a respirar y lanzar otro grito. Corrió por detrás del otro macho y se arrojó sobre su espalda. Sosteniéndose sobre él con una mano, le pasó las uñas de la otra por la suave carne de la cara y los ojos. Escarbó tan fuerte como pudo, salvaje en su necesidad de salvar de una de las bestias de Dragos a alguien que le importaba.

El asesino entrenado no dejó escapar más que un grito ahogado ante su ataque. Dio un fuerte codazo hacia la espalda, impactando en un lado de su cara, logrando que ella se mordiera los labios con los dientes. Notó el sabor de la sangre en la boca. Y sintió que esta se derramaba por su barbilla desde el corte abierto.

Y luego se encontró volando hacia atrás; él se la quitó de los hombros como si no tuviera ni el peso de una mosca.

Fallido o no, su intento de distraerlo le dio a Cazador la oportunidad de golpear el revólver para desviarlo de su trayectoria mientras el intruso preparaba otro disparo. Cazador bajó la cabeza y arremetió contra el otro macho con toda la fuerza bruta de su cuerpo. Sus anchos hombros hicieron recular al otro sobre sus tobillos.

Cazador lo empujó hacia la puerta abierta donde estaba la escalera. Los dos cayeron juntos fuera del avión. Corinne se levantó y corrió hacia la salida, y desde allí vio cómo los dos aterrizaban con fuerza sobre el suelo de cemento.

Cazador le lanzó una mirada rápida, apenas suficiente para comprobar que estaba bien. Ella sintió el calor de sus ojos dorados sobre su rostro cuando él vio el pequeño hilo de sangre que ahora corría por su barbilla.

Oyó cómo emitía un gruñido grave por lo bajo, el primer sonido que le había oído en todo el transcurso de la lucha. Cuando Cazador se volvió hacia el asesino semiinconsciente que yacía en el suelo debajo de él, sus movimientos fueron precisos e inquebrantables. Cogió el revólver de la mano inerte de su atacante y se puso en pie. Por encima del enorme cuerpo vestido de negro, Cazador apuntó el cañón del arma contra la cabeza calva y cubierta de glifos.

No, no era así exactamente, advirtió Corinne.

No estaba apuntando justo a la cabeza del asesino, sino a un peculiar anillo de un material negro y duro que envolvía su cuello como un collar.

Incluso desde arriba de las escaleras, pudo ver que los ojos del asesino se abrían con asombro al comprender, mientras Cazador dirigía el revólver al grueso anillo negro. Ahora ella vio el miedo reflejado en los ojos del otro macho. Y, finalmente, vio la constatación de la derrota.

Cazador disparó.

Un destello de luz fue la respuesta al ruido del disparo, tan penetrantemente brillante que Corinne tuvo que taparse los ojos por el estallido luminiscente. Cuando se disipó un instante más tarde, una delgada nube de humo salía desde el lugar donde yacía el asesino, su largo cuerpo sin vida sobre el cemento y la cabeza limpiamente destrozada.

—¡Oh, Dios mío! —susurró ella, sin lograr entender de qué acababa de ser testigo.

Cazador salió de detrás de la escalera y fue hasta el escalón más próximo.

—¿Estás bien?

Ella asintió con la cabeza y luego la sacudió débilmente, tratando de entender lo que había ocurrido.

—¿Cómo... qué es lo que le has hecho?

De nuevo con una actitud estoica, excepto por el brillo ámbar que asomaba amenazante en su mirada cuando esta reparaba en el corte de su labio, Cazador la condujo lejos de la carnicería que había en el suelo. Luego retrocedió para recuperar el grueso collar negro del cuello carbonizado del asesino.

—Los pilotos murieron antes de que llegáramos. Dragos debe de tener ahora los ojos puestos en toda la ciudad. Puede que envíe a otros como este detrás de nosotros. Tenemos que irnos ahora mismo.

Ella le lanzó una mirada de incredulidad mientras él la guiaba lejos del cuerpo.

—¿Simplemente vas a dejarlo aquí?

Cazador asintió con gravedad.

—Las puertas del hangar están abiertas. En cuanto llegue la mañana, el sol destruirá lo que queda de él.

—¿Y si no es así? —presionó ella—. ¿Qué ocurrirá si Dragos y sus hombres llegan aquí antes y se dan cuenta de lo que has hecho? ¿Y si luego te persiguen?

—Entonces descubrirán lo que les espera si lo intentan. —Le ofreció la mano con la palma hacia arriba, esperando que la cogiera—. Vámonos de aquí, Corinne.

Ella vaciló, insegura de su triunfo en los márgenes de la conciencia. Pero luego deslizó la mano hacia la suya y dejó que él la condujera fuera de aquella carnicería.

Capítulo diecisiete

*L*a mujer gritó al ver salir a Chase de su escondite detrás del enorme roble. Con el rostro bañado en la luz ámbar de su mirada transfigurada, lanzó otro chillido espeluznante y giró bruscamente para tratar de escaparse.

Él podría haberla hecho caer al suelo fácilmente. Debería haberlo hecho, pero en aquel mismo instante emergieron del bosque los perseguidores del club de sangre en plena cacería. Desde la oscuridad, pisándoles los talones a los humanos, un vampiro dio un salto por el aire para aterrizar sobre uno de los hombres que corrían. Mientras hundía los colmillos en la garganta de su presa, otros tres machos de la estirpe emergieron de las sombras a gran velocidad, todos ellos dirigiéndose hacia los humanos aterrorizados como una jauría de lobos.

Fue entonces cuando Chase vio una cara que reconoció.

Murdock.

Ese maldito hijo de puta.

Chase había oído rumores acerca de los intereses perversos del macho durante su período en la Agencia de la Ley, así que se suponía que no debería ser una sorpresa ver a Murdock saliendo de la penumbra para agarrar con fuerza al joven chiquillo de la camisa manchada de sangre.

Pero sí sorprendió a Chase. Ese hecho apartó su atención de su propia sed de sangre de una manera más efectiva que una buena dosis de luz solar. Le encolerizó ver a Murdock después del altercado ocurrido un par de noches atrás en Chinatown... aunque a él ahora le parecía que habían transcurrido cien años desde entonces.

Y le repugnó observar que Murdock agarraba un mechón de pelo del chico con el puño y lo arrojaba al suelo, preparado para retorcer el delicado cuello y obtener un ángulo mejor para alimentarse.

Chase se arrojó sobre el vampiro con un rugido salvaje. Golpeó a Murdock, dejando libre al chico que luchaba y sollozaba. Mientras el joven se escapaba frenéticamente, Chase se revolcaba con Murdock sobre la nieve y entre las zarzas. Dio al vampiro un puñetazo en la mandíbula, deleitándose al oír el sonido de los huesos destrozados bajo sus nudillos.

Uno de los compañeros del club de sangre de Murdock advirtió la intromisión. Soltó al humano que había atrapado y saltó sobre la espalda de Chase. Este se lo sacudió de encima. El vampiro se golpeó con fuerza contra un árbol cercano.

Murdock comenzó a luchar para escaparse. Pero antes de que tuviera la oportunidad, Chase agarró una rama caída de un roble talado y la aplastó contra la rótula de Murdock, quien aulló de dolor y rodó hacia un lado para protegerse el miembro destrozado mientras Chase dirigía su atención al otro vampiro, que estaba justo detrás de él, exhibiendo sus sangrientos colmillos.

Chase se levantó del suelo con la rama del roble aferrada en la mano justo cuando el compañero de Murdock se disponía a cargar contra él. Chase manejó la rama llena de puntas con un único y furioso movimiento, golpeando al bastardo en el esternón, clavándole la estaca directamente en el corazón.

Los otros dos participantes del club de sangre que quedaban parecieron perder interés en el deporte al ver que uno de los suyos caía muerto en el suelo, con la sangre saliendo a borbotones de la herida abierta en el pecho, y que otro se retorcía de agonía entre los helechos helados. Se quedaron petrificados donde estaban y soltaron a las presas que habían atrapado, que pudieron escapar llenas de horror.

Chase se volvió hacia ellos, sus ojos lanzaban feroces rayos ámbar a los oscuros bosques, y su siniestra arma empapada de sangre seguía firme en su mano, preparada para infligir más daño.

Sin decir una sola palabra, el par de agentes que estaban quebrantando la ley echaron a correr en direcciones opuestas, desapareciendo en la noche.

Los bosques quedaron de nuevo silenciosos, excepto por los gemidos de dolor de Murdock.

Chase soltó un respiro. El intelecto y la razón lentamente se abrían paso a través de la espesa niebla de su furia y de la agobiante sed que todavía lo aquejaba. La situación en la que ahora se hallaba no tenía nada de ideal. Un agente muerto sangraba en el suelo. Dos más estaban sueltos, capaces de identificarlo y de testificar que él los había atacado sin que mediara provocación. En vista de la reputación que tenía últimamente, serían pocos los que le darían crédito si él contaba que se había topado con una cacería de sangre ilegal y que solo hizo lo necesario para interrumpirla.

Y luego estaba el problema de los humanos que se habían escapado, los corredores. Él sabía, tan bien como cualquier otro de su raza, lo peligroso que era permitir que esos humanos regresaran con los suyos sin que antes les fueran borrados de sus recuerdos todo lo referente a la existencia de la estirpe. Siglos de cuidadosa coexistencia podían quedar arruinados en un instante si demasiados humanos histéricos se ponían a gritar ante el mundo la palabra «vampiros».

Chase rugió, dividido entre la responsabilidad que sentía hacia su raza y la necesidad, más profunda y personal, de sonsacar a Murdock cualquier información acerca de Dragos.

Chase sabía qué era lo correcto. Dio un paso atrás para apartarse de Murdock, preparado para salir corriendo detrás de los humanos que habían escapado y contener la situación.

El gemido de sirenas lejanas, aumentando de volumen por segundos, lo hizo detenerse. Puede que fuera demasiado tarde.

Miró con odio a Murdock.

Murmurando un insulto, levantó en hombros al vampiro herido y luego se adentró en la espesura con él.

Había suficiente gasolina en el depósito de la camioneta color púrpura del proxeneta, llamada *El Camino*, para llevarlos a una buena distancia de la ciudad. A aquella distancia del núcleo central de Nueva Orleans, las casas eran escasas y pequeñas, muchas deterioradas o abandonadas por los devastadores huracanes habidos en los años anteriores.

Mientras Cazador conducía, mantenía la mirada atenta al este del horizonte, calculando cuánto faltaría para el amanecer, que se iba aproximando. El azul profundo de la medianoche ya iba dando paso a las sombras color pastel de la mañana. Miró a Corinne, que iba sentada silenciosa en el asiento del acompañante. El labio partido se le había hinchado y estaba amoratado. Sus ojos estaban clavados en la carretera vacía que tenían por delante. Parecía agotada, y sus delicados hombros temblaban; él no sabía si de frío o de la conmoción sufrida.

—Pararemos pronto —dijo él—. Tú necesitas descansar y está llegando el amanecer.

Ella asintió débilmente, apenas con un temblor. Tomó aire con una inhalación dificultosa y lo dejó escapar lentamente.

—¿Lo conocías?

Cazador no tenía necesidad de preguntar a quién se refería.

—Nunca lo había visto antes de esta noche.

—Pero tú y él... —Tragó saliva, luego le dirigió una mirada de soslayo—. Luchabais de la misma forma. Ninguno de los dos se hubiera detenido hasta que el otro estuviera muerto. Los dos fuisteis despiadados, implacables. Completamente faltos de emoción, impasibles.

—Los dos fuimos entrenados para matar, sí.

—Bajo las órdenes de Dragos. —Cazador sintió la mirada de Corinne fija en él mientras le hablaba, vio de refilón su expresión acongojada—. ¿Cuántos más hay?

Cazador se encogió de hombros, inseguro.

—Solo puedo hacer suposiciones sobre nuestro número. Nunca nos hablaban de los demás. Dragos nos mantenía aislados, únicamente con un secuaz que se hacía cargo de nuestras necesidades básicas. Cuando éramos llamados a un servicio, nuestro trabajo siempre se hacía en solitario.

—¿Has matado a mucha gente?

—La suficiente —respondió él. Luego frunció el ceño y sacudió la cabeza—. No, no será la suficiente hasta que vea muerto a Dragos. Aunque tenga que cargarme a todos esos otros que son como yo para acabar con él. Solo entonces será suficiente.

Ella volvió a dirigir la mirada a la carretera, callada y contemplativa.

—¿Qué era esa cosa que usaste para matar al asesino del aeropuerto? Llevaba algún tipo de collar. Se lo quitaste antes de marcharnos, y vi que estabas apuntando ahí cuando disparaste. La explosión que se produjo fue cegadora.

Cazador todavía podía ver el penetrante rayo de luz en su mente. Había veces en que todavía podía sentir la presión del collar que antes lo confinaba a él, aquel que perdió la noche que se unió a la Orden.

—Es un aparato de obediencia diseñado por Dragos. Dentro, el collar alberga luz ultravioleta concentrada. No puede manipularse ni quitarse sin activar el detonador. Solo Dragos puede desactivar el sensor.

—Oh, Dios mío —susurró ella—. Quieres decir que es como un grillete. Un grillete letal.

—Efectivamente, sin duda.

—¿Y qué pasó con el tuyo? —preguntó Corinne—. Tú no llevas un collar como ese.

—No, ya no.

Ella lo observó detenidamente, con los ojos clavados en él mientras Cazador salía de la carretera principal y seguía por una calle lateral hacia lo que parecía una hilera de casas abandonadas.

—¿Si también llevabas ese espantoso aparato cómo conseguiste liberarte de él?

—Dragos no tuvo más remedio que soltarme. Había organizado una reunión con sus aliados el verano pasado en una localización privada en las afueras de Montreal. La Orden descubrió lo que estaba tramando y emprendió un ataque. Dragos me ordenó que me encargara de cubrirlos mientras él y sus hombres huían por la parte trasera.

Cazador notaba que Corinne comprendía por el silencio atento con que lo escuchaba.

—¿Te envió a luchar solo contra tantos hombres de la Orden? Quería que murieras.

Cazador se encogió de hombros.

—Eso solo me demostró la medida de su desesperación, y su desprecio por mí. Tanto él como yo sabíamos que si no salía a la carga para confrontar a los guerreros en esos próximos momentos, él y sus socios no tendrían ninguna posibilidad de escapar. Le dije que lo haría, pero solo si me liberaba.

Llevaba mucho tiempo sin pensar en esa noche en los bosques de las afueras de Montreal. En realidad, su viaje hacia la libertad había empezado incluso antes de aquel verano: la noche en que entró a la cabaña privada de un vampiro de la primera generación llamado Sergei Yakut, con la orden de matarlo, y se encontró contemplando los hipnotizadores ojos de una niña inocente, que eran como un espejo.

—Fue Mira quien me dio el coraje para exigir mi libertad —dijo él, sintiendo una calidez en el centro del pecho con solo pensar en la niña—. Ella es vidente. Tiene el don de la premonición. Fue en sus ojos donde me vi liberado del control de Dragos. Si no fuera por ella, nunca hubiera llegado a saber que era posible vivir de otra manera.

—Ella te salvó la vida —murmuró Corinne—. No me extraña que le tengas tanto cariño como le tienes.

—Daría mi vida por ella —respondió él, con el mismo automatismo con que uno respira.

Y era verdad. La observación lo sorprendió a él mismo de alguna forma, pero no podía negar el cariño que sentía por esa niña. Se había vuelto ferozmente protector con ella, del mismo modo en que se sentía protector con la preciosa mujer que tenía sentada a su lado ahora.

Pero mientras su afecto por Mira era de una suave calidez, su aprecio por Corinne tenía una calidad diferente. Era más profundo, ardía con una intensidad que únicamente parecía aumentar con cada momento que pasaban juntos. La deseaba; eso se había hecho evidente cuando se habían besado. Quería besarla otra vez, y ese era el problema.

En cuanto a los otros sentimientos que ella removía en él, no sabía qué hacer con ellos. Y no es que quisiera saberlo. Su deber era para con la Orden, y no había lugar para distracciones. Por muy tentadoras que pudieran ser.

Corinne tardó bastante en responder.

—Todos los niños merecen tener a alguien dispuesto a hacer lo que sea con tal de salvarlos, de asegurar su felicidad. Se supone que la familia es eso, ¿no es cierto? —Cuando lo miró ahora su expresión parecía turbada, de alguna manera como poseída—. ¿No crees que eso es verdad, Cazador?

—No sabría decirte. —Redujo la marcha frente a una pequeña y oscura casita con tablones en las ventanas y un porche frontal desvencijado. Parecía abandonada, igual que el resto de escasos hogares que aún seguían en pie tras las inundaciones de los recientes años. Cimientos agrietados e invadidos por las malas hierbas ocupaban los lugares que ahora habían quedado vacíos de casas—. Esta nos servirá —dijo a Corinne mientras aparcaba el vehículo.

Ella todavía lo contemplaba con extrañeza desde el otro lado del ancho asiento de la furgoneta.

—¿Nunca has tenido a nadie en absoluto... ni siquiera cuando eras niño? ¿Ni siquiera a tu madre?

Él apagó el motor y sacó la llave.

—No ha habido nadie. Fui separado de la compañera de sangre que me dio a luz en los laboratorios de Dragos cuando era todavía un bebé. No tengo ningún recuerdo de ella. El secuaz encargado de adiestrarme que Dragos me asignó era el responsable de mi crianza. Así es como fue.

El rostro de ella se había quedado pálido.

—¿Tú naciste en el laboratorio? ¿Tú fuiste... fuiste separado de tu madre?

—Todos lo éramos —respondió él—. Dragos diseñó nuestras vidas desde el instante en que fuimos concebidos. Lo controlaba todo, para asegurarse de que nos convirtiéramos en perfectas máquinas de matar leales únicamente a él. Nacimos para ser asesinos. Sus cazadores, y nada más.

—Cazadores. —La palabra le sonó rígida en la boca—. Creí que Cazador, cazador, era tu nombre. ¿Es tu nombre?

Él podía ver su confusión. Su ceño se arrugaba cada vez más mientras asimilaba en silencio lo que estaba oyendo.

—Cazador, cazador, es el único nombre que he oído desde el día en que nací. Eso es lo que soy. Lo que siempre seré.

—Oh, Dios mío. —Soltó una suave exhalación temblorosa. Algo más asomó a su rostro en aquel momento, algo que él no acababa de identificar. Parecía dolor. Parecía el comienzo de un nuevo sentimiento de horror—. Todos los niños nacidos en los laboratorios de Dragos les fueron arrebatados a sus madres. ¿Todos crecieron como tú? Todos esos bebés inocentes... Eso es lo que fue de todos ellos...

No era una pregunta, pero él le respondió con un franco y solemne asentimiento.

Corinne cerró los ojos, sin decir nada más. Apartó la cabeza hacia el vidrio teñido de la ventanilla del acompañante.

En el transcurrir de ese repentino silencio largo e incómodo, Cazador abrió la puerta del conductor.

—Espera aquí un momento. Voy a revisar la casa para asegurarme de que es un refugio adecuado.

Ella no respondió. Ni siquiera lo miró, su rostro estaba ahora hundido sobre su hombro derecho. Mientras se alejaba, él se dijo que había creído ver lágrimas rodando por sus mejillas.

Corinne saltó fuera del vehículo tan pronto como Cazador se hubo metido en la casa. El largo trayecto confinada en aquel espacio había sido bastante como para despertar su ansiedad, y mucho más considerando lo que había visto esa noche en el aeropuerto. Pero había algo mucho peor que la hizo huir del coche a aquel exterior frío y húmedo que precedía al amanecer.

El miedo y el horror la atenazaban, amenazándola con revolverle el estómago mientras avanzaba a trompicones por el bloque de cemento hacia el patio abandonado que había junto a la puerta. Se dejó caer sobre unos restos de construcción húmedos y hundió la cara entre las manos.

En todas las numerosas pesadillas que había tenido sobre su hijo, nunca se había llegado a imaginar el destino brutal que Cazador le había descrito.

«Cazador.»

Dios santo, ese no era su verdadero nombre. Solo era la etiqueta de un objeto, sin diferir de cualquier otro que pudiera usarse para referirse a un cuchillo o una pistola, o a cualquier otro instrumento confeccionado con el único propósito de la destrucción.

Insignificante.

Prescindible.

«Inhumano.»

Se secó las lágrimas que habían comenzado a caer incluso antes de que Cazador abandonara el vehículo. El corazón le dolía por el sufrimiento padecido en el pasado, pero se le había partido en dos dentro de su pecho al comprender que su hijo, el hermoso e inocente niño que amó en el mismo instante en que alcanzó a verlo, estaba todavía atrapado en el interior de este espantoso mundo confeccionado por Dragos.

Un sollozo se alzó en su garganta al recordar el dulce rostro del bebé chillón que había entregado trece años atrás. Todavía era capaz de verlo agitando sus diminutos puños mientras la enfermera secuaz se lo llevaba de la habitación de alumbramiento para lavarlo y envolverlo con una manta blanca. Todavía podía ver sus ojos, con forma almendrada y de un gris azulado como los de ella, y los dermoglifos que le cubrían el cuero cabelludo, coronado con una pizca de sedoso pelo negro, el mismo color que el de ella.

Su hijo tendría también su habilidad sonokinética, heredada a través de los genes, del mismo modo que habría heredado la fuerza y el poder de la primera generación de la estirpe de la otra criatura que lo había engendrado. El talento que Corinne le había transmitido a su hijo sería algo que Dragos nunca podría arrebatarle. Esa habilidad sería un sello de ella que lo marcaría para siempre, fuera lo que fuese lo que Dragos le hubiera hecho para plegarlo a sus retorcidas misiones e ideales.

Su hijo tenía también un nombre. Corinne se lo había susurrado en el momento en que sus ojos se encontraron en aquella habitación. Él la había oído, de eso estaba segura, aunque solo hubieran transcurrido unos pocos minutos desde que saliera de su vientre. Y la había oído también llorar por él cuando la enfermera secuaz se lo llevó un instante más tarde, para no permitir que lo viera nunca más.

Dios, ¿cuántos días y semanas y meses… cuántos años tendría que lamentar esa ausencia en su vida? Y ahora sabiendo para qué había nacido. La enfermaba de angustia imaginar en qué se habría convertido después de trece años bajo el control de Dragos.

Una esperanza se agitaba desesperadamente en su interior. Tal vez, a pesar de todo, a él no le hubiera tocado vivir esa espantosa existencia. Tal vez se lo habían arrebatado con algún otro propósito, y no con el de encadenarlo a los designios de Dragos a través de un collar letal de luz ultravioleta. Tal vez no había sido obligado a que su existencia transcurriera como la de una máquina de matar, sin saber quién era realmente, sin nadie que lo abrazara, lo apoyara o lo amara.

¿Pero y si era uno de los numerosos chicos de la primera generación criados por Dragos como asesinos en sus laboratorios? Tal vez habría logrado encontrar alguna manera de escapar de aquel espantoso esclavismo, tal y como Cazador lo había hecho. Quizá su hijo ya ni siquiera estuviera vivo. Durante un segundo vergonzoso, deseó su muerte, si al menos sirviera para evitarle la sombría existencia que Cazador había descrito.

Pero él estaba vivo. Ella lo sabía del mismo modo que lo sabe cualquier padre o madre, a pesar del tiempo o la distancia que lo separe de sus hijos. En lo más profundo de su ser, estaba segura de que su pequeño continuaba respirando.

En alguna parte…

La desesperación por encontrarlo cuando ni siquiera sabía por dónde empezar a buscarlo la atenazó mientras seguía sentada sola sobre un bloque de cemento, contemplando fijamente el páramo extenso y vacío que en otro tiempo probablemente había sido un agradable vecindario de las afueras de Nueva Orleans. Ahora ya no quedaba nada parecido a aquello. Familias evacuadas, hogares abandonados y en ruinas, innumerables vidas hechas pedazos por una fuerza que habían sido incapaces de detener.

Ella había sufrido su propia tormenta durante las décadas en que Dragos la había retenido prisionera. Pero él todavía no la había destrozado. Y no lo haría. No lo conseguiría mientras le quedara algo de aliento en el cuerpo.

Solo le quedaba rezar para que su hijo tuviera la misma capacidad de resistencia.

Cazador había conseguido liberarse y comenzar una nueva vida, después de todo. Pero Cazador había contado con la Orden para sacarlo de aquella existencia infernal. Había tenido a Mira para infundirle ese tan necesario brillo de esperanza, la esperanza de que hubiera una oportunidad de escapar, una salida.

¿Qué era lo que tenía su hijo?

Él no sabía que había alguien que lo amaba y quería que fuera libre. No podía saber que había una esperanza, por pequeña que fuese, de que alguien lo buscara hasta encontrarlo y le diera la vida que merecía.

En cuanto a Corinne, ella no sabía dónde estaba su hijo, y mucho menos si podía ser rescatado. Y ahí estaban también

Cazador y la Orden. Para ellos, su hijo era tan solo otro de los activos letales de Dragos. Uno de esos que todos se habían comprometido a destruir... y Cazador más que ninguno, ya que él sabía mejor que nadie lo peligrosos que eran aquellos seres iguales a él. La Orden había declarado la guerra a Dragos y a todos los que le servían, y por buenas razones. Todos ellos verían a su hijo como a un enemigo.

Aunque no quería ni pensarlo, había una parte aterrorizada en su interior a la que le preocupaba que ellos pudieran estar en lo cierto.

Corinne se pasó el dorso de la mano por las mejillas empapadas mientras Cazador salía de la casa. La vio allí sentada y se acercó a grandes pasos a través del césped embarrado y desigual. Su silueta se veía oscura contra las tenues sombras del amanecer que se acercaba, y sus grandes botas negras de combate trituraban la hierba a medida que sus largas y musculosas piernas lo traían más cerca. Su abrigo ondeaba tras él como una vela de cuero negro con cada pisada.

Frunció el ceño al llegar junto a ella.

—¿Por qué has salido del vehículo?

Ella se secó las últimas lágrimas.

—No me gustan los espacios estrechos. Además, ha sido una noche larga y estoy cansada.

Se colocó frente a ella, mirándola con actitud interrogante.

—Estás llorando.

—No. —La mentira era probablemente demasiado rápida para sonar convincente, pero, para alivio de ella, Cazador no insistió en el asunto. Tenía la mirada fija en sus labios y había fruncido el ceño.

—Te está sangrando de nuevo el labio.

Instintivamente, ella se pasó la lengua por los labios para encontrar el pequeño corte que se había hecho un rato antes. Notó el sabor de la sangre, apenas un débil rastro, nada alarmante. Pero los ojos de Cazador seguían todavía fijos allí. Las pupilas se le estrecharon. Matices color ámbar aparecieron en sus iris dorados.

—Está amaneciendo —dijo, con la voz grave y áspera—. Ven conmigo. La casa lleva vacía algún tiempo. Nos proporcionará un refugio adecuado.

Ella se levantó y lo siguió. La residencia abandonada olía a moho, con un rancio matiz de salmuera y barro seco. Cazador caminaba por delante de ella, al tiempo que corría las rígidas cortinas que aún colgaban de la ventana rota del salón. Por encima de sus cabezas, había colgado un ventilador de techo como una de esas lámparas de tulipa que suben y bajan. Sus hojas de madera se habían torcido por la inundación que se lo había tragado todo, Dios sabe durante cuántos días antes de retroceder.

Solo unos pocos objetos de madera permanecían en su lugar en medio de recuerdos destrozados, el papel desprendido de las paredes y desechos cubiertos de polvo que ensuciaban el suelo. Cazador caminó por encima, buscando el mejor camino para ella. Se detuvo ante el umbral de una puerta que daba al pasillo y le hizo un gesto para que avanzara.

—He despejado un sitio por aquí donde podrás descansar un rato.

Corinne caminó hasta allí y miró en el interior de la estancia. La mayor parte del suelo estaba vacío, limpio de toda la inmundicia que llenaba las demás zonas de la casa. Un delgado colchón manchado de barro había sido colocado verticalmente contra la pared más lejana, y se mantenía en su sitio sostenido por una cajonera muy sólida, aunque completamente deteriorada por los estragos de la tormenta.

Cazador se quitó su largo abrigo de cuero y lo extendió en el centro del suelo despejado.

—Para que duermas sobre él —explicó cuando ella le dirigió una mirada interrogante.

—¿Y tú qué harás?

—Yo informaré a la Orden, y después me quedaré haciendo guardia en la otra habitación mientras tú descansas. —Se dio la vuelta para regresar hacia el pasillo.

—Espera, Cazador… —Se envolvió con sus propios brazos, sintiéndose ya demasiado sola en aquella deprimente pequeña habitación—. ¿No te quedarías aquí conmigo… solo hasta que me duerma?

Él la miró fijamente, sin decir una palabra durante más tiempo del que ella podía soportar. Sabía que era probablemente la última persona a quien debería acudir en busca de consuelo, especialmente después de lo que le había visto hacer aquella noche. Después de todo lo que había oído acerca de su crianza y de su personal misión en la Orden, sabía que aquel macho letal era potencialmente el peor aliado con quien podría contar para la búsqueda y el rescate de su niño.

Sin embargo, cuando miraba a Cazador bajo las suaves sombras de la casa devastada por la tormenta, no era capaz de verlo despiadado ni salvaje. Veía el mismo control y ternura que le había demostrado en aquel club de *jazz* de la ciudad, momentos antes de que la besara tan inesperadamente en la pista de baile. Sus ojos dorados ardían con aquel mismo calor ahora, y su cálida mirada vagaba lentamente hacia sus labios.

Ahora Corinne se había quedado sin habla y sin poder moverse, sin saber qué era lo que la perturbaba más: la idea de besarle de nuevo o la posibilidad de que él se diera la vuelta y la dejara allí sola.

—Acuéstate —murmuró él, con la voz pastosa y algo ruda. Las puntas de sus colmillos brillaban detrás de su exuberante labio superior mientras hablaba.

Corinne se apartó de él y se dejó caer sobre el abrigo extendido. Él se acercó lentamente, como un depredador que merodea, y luego se echó a su lado mientras ella se estiraba de manera tentadora sobre la parte más suave del cuero negro. El cuerpo de él era una pared de calor junto a lo largo de su columna y la curva de su trasero, y sus piernas se sentían sólidas y firmes contra las de ella. A pesar de que estaban completamente vestidos, cada una de las terminaciones nerviosas de ella se despertó. La necesidad se desplegaba en su interior, extendiendo lentamente sus ligeras alas de plumas, haciendo revolotear los latidos de su corazón, que ya eran erráticos, y robándole la respiración, que ya era débil y temblorosa.

El brazo de Cazador la rodeó, una banda de pesados músculos y huesos enjaulándola suavemente contra él. El poder irradiaba de cada centímetro de su cuerpo, pero en lugar de miedo y ansiedad ante la sensación de estar confinada, Corinne se sintió protegida.

Se sentía a salvo, y esa era una sensación que no había tenido desde hacía mucho tiempo.

Se sentía a salvo en los brazos del hombre más letal que había conocido nunca.

Capítulo dieciocho

*L*a media mañana en los cuarteles de la Orden en Boston normalmente significaba luces apagadas y la hora de cerrar los ojos para Lucan y el resto de los residentes del recinto.

Pero ese día no.

Y aunque nadie decía gran cosa, como jefe de aquella familia en expansión, Lucan sabía que la tensión que los atenazaba a todos estaba a punto de estallar. Incluso Mira parecía estar contenida. La intuitiva niña vidente comía en silencio los últimos bocados de sus tortitas y su salchicha, sentada junto a Renata a la larga mesa del comedor, en lugar de estar entregada a su charla habitual, que normalmente transcurría a ritmo imparable.

La improvisada reunión del desayuno había sido idea de Gabrielle. El hecho de que las mujeres residentes en la Orden hubieran comido en el recinto junto a sus compañeros guerreros en lugar de hacerlo en la mansión al nivel de la calle se había debido a la insistencia de Lucan. Aunque era extraño tener a todo el mundo reunido en las habitaciones que compartía solo con Gabrielle —diecinueve personas alrededor de la mesa que Gabrielle había encargado especialmente meses atrás a un artesano de los Refugios Oscuros— eso era mucho más aceptable que la idea de tener a alguien fuera del alcance de su vista durante las horas de la luz del día, cuando no podría hacer nada por proteger a nadie.

¿Protegerles? Mierda.

Todo aquello se había convertido en una maldita broma.

Lucan se burló de sí mismo, muy consciente de que la Orden nunca había sido más vulnerable. La anterior seguridad a prueba de hierro del recinto había sido reducida a una fina capa ahora que Dragos tenía acceso a su localización precisa.

Y no solo eso, sino que Dragos por lo visto podía lanzar una ofensiva en cualquier momento, según el informe que Cazador había enviado a los cuarteles un par de horas antes. El ataque en el hangar del aeropuerto a cargo de uno de los asesinos de Dragos había causado la muerte de dos pilotos y había dejado a Cazador varado en Nueva Orleans junto con la mujer civil llamada Corinne Bishop. Estaban en aquel momento refugiados en las ruinas del Katrina a la espera de la puesta de sol y más instrucciones de Lucan.

Y luego quedaba pendiente el asunto de la ausencia de Sterling Chase. Lucan había declarado al guerrero fuera del equipo desde que se había ausentado sin permiso, pero el hecho era que le preocupaba haber perdido a Harvard. Les preocupaba a todos, y su ausencia en la mesa y en las misiones era sentida como un agujero en la Orden. Pero querer su regreso no lo traería de vuelta, y puesto que marcharse había sido decisión de Chase, también tendría que ser decisión suya regresar.

La única cosa buena que había ocurrido recientemente en el recinto había sido que Brock y Jenna regresaran sanos y salvos de Alaska la pasada noche. El enorme macho de la estirpe, originario de Detroit, y su bonita compañera humana se hallaban sentados al otro extremo de la mesa. Los dedos oscuros y largos de Brock estaban entrelazados con los de Jenna, delgados y pálidos, mientras la pareja conversaba con Kade y Alex. El hecho de que Jenna no fuera una compañera de sangre no parecía implicar que el vínculo que tenía con Brock fuera menos intenso. Por otra parte, llamar humana a Jenna Darron no era un término del todo exacto, teniendo en cuenta el diminuto chip biológico con ADN alienígena que la mujer llevaba incrustado en su médula espinal desde hacía un par de semanas.

Ahora solo llevaba fuera dos días, pero en ese período el pequeño dermoglifo que le había aparecido espontáneamente en la nuca antes de marcharse había comenzado a extenderse hacia sus hombros. Era de lo más sorprendente ver las marcas de la piel propias de la estirpe en la carne de un ser humano... de una mujer, además. Se añadía a eso el hecho de que el cuerpo de Jenna parecía curarse de sus heridas con tanta rapidez como aquellos que tenían los genes de Lucan, de la primera generación. Eso, en combinación con la fuerza y la agilidad sobrehumanas que había descubierto y con su anterior experiencia como policía en Alaska, la hacía digna de convertirse en una muy buena adquisición como personal de la Orden.

Hasta dónde llegaría la transformación genética de Jenna era algo que nadie podía todavía adivinar.

Dios, qué aventura tan extraña estaba siendo aquella, pensó Lucan escudriñando el círculo de rostros reunidos alrededor de la mesa. La mayoría de esas caras eran desconocidas para él apenas un año y medio atrás, y ahora le resultaban tan familiares como si fueran parientes de sangre.

Incluso Lazaro Archer y su nieto, Kellan, no parecían extraños, sino que se habían convertido en miembros de la familia del recinto durante el puñado de días que llevaban bajo el cuidado de la Orden. Lazaro había demostrado ser fuerte y honesto. En cuanto a Lucan, había respondido con humildad ante la proposición del otro vampiro de la primera generación, que les había ofrecido su fortaleza en Maine para que la emplearan como los cuarteles provisionales de la Orden. Lo que necesitaban era una cuerda salvavidas, y una que les permitiera sacar ventaja lo antes posible.

—Quiero agradecer de nuevo tu oferta, Lazaro —dijo, mirando hacia el lado izquierdo de la mesa, donde estaba sentado Archer, sonriendo relajadamente mientras escuchaba el intenso debate que tenía lugar entre su hijo adolescente y la joven Mira acerca de un libro que los dos acababan de leer.

Los ojos azul oscuros de Lazaro Archer se encontraron con los de Lucan y adoptaron un aire de solemnidad.

—Por favor, no tienes por qué darme las gracias. Os debo a ti y a la Orden más de lo que puedo recompensaros. Salvasteis la vida de Kellan, y también la mía. Siempre estaré en deuda con vosotros. —Encogió sus anchos hombros y añadió—: Además, el lugar del norte ha estado prácticamente desocupado desde que fue construido en 1950. Eleanor lo encontró siempre ridículo... se reía de mí y me llamaba loco cuando le decía que quería construir un búnker de seguridad y un refugio a prueba de bombas debajo de la casa, como hicieron tantos humanos durante ese período que llamaron Guerra Fría. Ella decía que, en caso de desastre nuclear, preferiría estallar en una nube de polvo como el resto de la población antes que estar cocinando como sardinas en lata debajo de nuestra casa. Nunca fui capaz de convencerla de pasar allí más de una noche. Mi Ellie era tan bella como cabezota.

Lucan observó que la expresión de aquel hombre mayor de la estirpe se llenaba de nostalgia cuando hablaba de su compañera de sangre. Era una de las primeras veces que la mencionaba desde que el ataque a su Refugio Oscuro hubiera acabado con su vida y con el resto de habitantes de la casa de los Archer. Eleanor Archer y todos en la residencia privada habían sido reducidos a cenizas y escombros bajo las órdenes de Dragos. Todas esas vidas perdidas únicamente para que Dragos pudiera agarrar con firmeza la garganta de la Orden.

Lazaro Archer soltó una exhalación y sacudió la cabeza.

—No había pensado en ese lugar, ni en lo poco que le gustaba a Ellie, desde hace mucho tiempo. Como te dije antes, si te parece que la propiedad es adecuada para la Orden, considérala tuya.

Lucan asintió en señal de reconocimiento.

—Tomaremos la decisión esta noche, después de adelantarnos para echar un vistazo al lugar.

Unos pocos asientos más allá al otro lado de la mesa, Gideon captó la observación de Lucan e intervino con más detalles.

—Tengo un ordenador portátil con *software* asistido y comunicación que llevaré con nosotros. Podemos importar fotos del lugar, del interior y el exterior, y luego el *software* las convertirá en proyectos y esquemas como vista aérea. También tengo listos los receptores satélite, así que podremos resolver la comunicación en cuanto lleguemos y hacer las pruebas de rigor para preparar el traslado.

Lucan apenas pudo contener una sonrisa al oír a Gideon con su jerga de obseso informático.

—Ese abracadabra técnico será todo tuyo cuando estemos allí.

Advirtió que Savannah había permanecido en silencio junto a Gideon mientras hablaban de la noche en que tenían planeado viajar al norte. A Gideon tampoco se le había escapado la reacción de su compañera. Le apretó suavemente la mano que descansaba sobre la mesa.

—No te preocupes, amor. Es solo una exploración de campo, no una misión. No habrá pistolas ni explosivos. Lamentablemente —añadió, esbozando una sonrisa burlona.

Incluso desde su asiento, Lucan pudo ver que los suaves ojos marrones de Savannah se ensombrecían. Más que sombríos, estaban aterrorizados. Su voz sonaba tierna, más herida de lo que Lucan la había oído nunca.

—No puedo bromear con esto, Gideon. Ya no. Esta mierda se ha vuelto demasiado real para mí.

Abruptamente, se levantó de la mesa y comenzó a despejar los platos vacíos y la cubertería. Como en una tácita demostración de solidaridad femenina, Gabrielle, Elise y Dylan se apresuraron a imitarla, recogiendo todo lo que pudieron para luego desaparecer tras la puerta giratoria que daba a la cocina contigua.

Gideon se aclaró la garganta.

—Por lo visto me va a tocar dar una buena sesión de mimos antes de que salgamos esta noche.

Lucan gruñó.

—Tal vez te tengas que arrastrar un poco también.

—Está preocupada por ti —le dijo Tess a Gideon, con la mano apoyada sobre la pronunciada curva de su barriga de embarazada—. Ella nunca te hace saber cuánto porque sabe que necesitas verla fuerte. Pero siempre se preocupa. —Cuando Gideon asintió en señal de reconocimiento, Tess dirigió una mirada tierna a su propio compañero, Dante, que estaba junto a ella—. La preocupación la padecemos todas cada vez que tenéis una misión. Cada vez que dejáis el recinto, os lleváis nuestros corazones con vosotros.

—Una carga preciosa —dijo Dante, levantando la mano que Tess tenía apoyada en el vientre que albergaba a su hijo aún no nacido y llevándosela a los labios.

La sonrisa con que respondió Tess se convirtió de repente en una mueca de dolor. Sorbió aire, y luego lo dejó escapar lentamente.

—Tu hijo se está impacientando otra vez, como esta mañana. Creo que será mejor que me vaya a las habitaciones y... me acueste... un rato.

Dante se puso rápidamente en acción, ayudándola cuidadosamente junto con Renata, Jenna y Alex, que actuaban como observadoras a ambos lados. Lucan se había puesto en pie antes de darse ni cuenta, igual que el resto de los machos de la estirpe que había en la habitación, todos guardando un silencio cauteloso y probablemente pareciendo tan inútiles como se sentían.

—Estoy bien —soltó Tess, respirando demasiado rápido para el gusto de Lucan. Caminó lentamente, con cuidado, con una mano debajo de la barriga y la otra agarrada con fuerza a Dante mientras él la apartaba de la mesa. Técnicamente, aún le faltaban un par de semanas, pero aunque Lucan no era un experto en estas cosas, se diría que la entrega pendiente que tenía la Orden llegaría más pronto que tarde.

—¿Quieres echarte en el sofá de la otra habitación, cariño? —preguntó Dante, tenso y preocupado, y no el padre devoto y adorador que muy pronto sería.

Tess hizo un gesto de rechazo con la mano.

—Quiero caminar… será mejor que me mueva un poco. Si me echo, me quedaré aquí un buen rato.

—Está bien —dijo Dante—. Vamos a tomarlo con calma y despacito, ¿de acuerdo? Eso es, cariño. Pasos lentos. Lo estás haciendo muy bien.

La pareja intercambió despedidas rápidas y luego comenzó a dirigirse lentamente hacia sus habitaciones del recinto. Gabrielle regresó al comedor junto a Savannah y los demás, justo a tiempo de ver que Tess y Dante se habían ido. Después de un momento de silencio incómodo, Mira dirigió una mirada preocupada a Renata.

—¿El hijo de Tess está ya preparado para nacer?

La mirada seria de Renata viajó por los rostros ansiosos de la habitación antes de detenerse en Mira, acompañada de una sonrisa acogedora y paciente.

—Sí, eso creo, ratón. No falta mucho tiempo para que llegue el niño.

Mira frunció el ceño.

—Será mejor que Cazador se dé prisa en volver a casa o no llegará a tiempo para ver al niño cuando se presente. ¿Dónde está?

—Está todavía en una misión —respondió Niko, hablándole suavemente como correspondía a la figura paterna en que se había convertido para la niña—. Cazador tiene algunas cosas importantes que hacer en Nueva Orleans, pero volverá tan pronto como pueda.

—Eso está bien —declaró Mira—. Porque necesita estar aquí antes de Navidad seguro. ¿Sabías que nunca antes ha disfrutado de las Navidades? Prometí que prepararía una decoración para su cuarto.

Ante la mención de las vacaciones que se acercaban, el humor se oscureció en la habitación. Lucan sintió el peso de todas las miradas que deliberadamente lo evitaban, todas esperando que fuera él quien anunciara a la inocente niña que no habría Navidades en el recinto.

Demonios, ni siquiera sabía con seguridad si existiría un recinto para Navidad, dentro de dos condenadas semanas.

Renata se puso en cuclillas sobre la silla que había al lado de Mira.

—Tengo una idea, ratón. ¿Por qué no vienes conmigo y me enseñas lo que estás preparando para Cazador?

—De acuerdo —respondió ella. Luego se volvió hacia Kellan con una brillante sonrisa—. ¿Quieres verlo tú también?

—Está bien. —El adolescente se encogió de hombros como si no le importara lo más mínimo, pero saltó de su asiento en cuanto la respuesta salió de sus labios. Avanzó con expresión huraña detrás de Renata y Mira, arrastrando los brazos y las piernas con aire desgarbado.

—Renata tiene razón sobre el niño. —Savannah se dirigió a todos en la habitación—. He tenido muy buenas comadronas del sur en la línea de mamá, y yo misma he atendido suficientes nacimientos como para saber que es cuestión de días que Tess se ponga de parto. Por cómo estaba podría ser hasta cuestión de horas.

Lucan sintió la presión de su propio ceño fruncido.

—¿Estás hablando de días o de horas? Necesitamos varias semanas.

Lazaro Archer le dirigió una mirada sabia.

—La naturaleza no se detiene a considerar qué es lo que conviene, nunca lo ha hecho.

Lucan gruñó, muy consciente de esa irónica verdad. También sabía que ganarían un tiempo precioso si podían dejar caer algún golpe sobre Dragos, hacer huir al bastardo de nuevo. Era tiempo lo que necesitaban para valorar una posible reubicación del recinto, y también Tess y Dante merecían tiempo para dar a luz a su hijo en unas condiciones de cierta paz y normalidad.

Alzó la vista hacia Gideon.

—En el mejor de los casos, ¿cuánto tiempo podrías tardar en hacer una inspección y determinar si mudarnos al refugio de Archer es viable?

—Tengo el portátil, puedo echar un vistazo. Asumiendo que podamos establecer un acceso satélite allí sin problemas, puedo tener nuestro sistema básico en unas pocas horas. El resto de cosas... la red, telecomunicaciones, cámaras de seguridad, sensores de calor y de movimiento, etcétera... nos llevará como mínimo un par de semanas.

Lucan soltó un insulto junto con un largo suspiro.

—Está bien. No son buenas noticias, pero tendremos que lograr que funcione. ¿Hay alguna pista sobre Dragos? —preguntó al grupo de los reunidos—. ¿Alguna novedad acerca del posible paradero de Murdock?

—Nada firme —respondió Tegan desde el otro extremo de la mesa—. He interrogado a algunos de sus socios conocidos, pero no saben nada. Ninguno de los que he encontrado le ha visto o ha oído algo de él desde el incidente de la otra noche en Chinatown. Mientras tanto, Rowan tiene puestas las antenas en Murdock desde el interior de la Agencia. De una manera o de otra, acabaremos encontrando a ese hijo de puta.

Lucan asintió sombrío.

—Más vale que sea pronto. Por ahora, él es nuestra mejor oportunidad para dar con Dragos. Mientras trabajamos desde ese ángulo, Cazador emprenderá un reconocimiento esta noche en las propiedades de Henry Vachon, en Nueva Orleans. A juzgar por el ataque que Dragos ordenó anoche, parece ser que la conexión entre Vachon y él es más que válida.

Recibió del grupo unas cuantas miradas graves, el reconocimiento silencioso de que Cazador y su compañera civil habían sobrevivido a uno de los asesinos de Dragos. La expresión de Brock era toda preocupación. Comprensible, considerando su pasado con Corinne Bishop cuando había servido a su familia en Detroit como guardaespaldas de la hija. El guerrero se había comportado de un modo casi incontrolable al enterarse de los detalles del funesto encuentro de Corinne con Victor Bishop y las revelaciones que habían resultado de su regreso al hogar de Detroit. Seguía todavía visiblemente encolerizado por las noticias.

—Henry Vachon es evidentemente pura escoria, tenga o no tenga conexiones recientes con Dragos —dijo, con su voz profunda rugiendo de furia—. A mí personalmente me gustaría ver a ese bastardo hecho pedazos, pero odio la idea de que Cazador tenga que dejar a Corinne sin protección ni un solo minuto mientras recoge la información que necesitamos.

—A mí también me preocupa —respondió Lucan—. Cazador está cómodo porque han encontrado un lugar seguro por el momento, pero necesitan un refugio mejor. Lamentablemente, no podemos arriesgarnos en el área de hoteles, y no podemos estar seguros tampoco en ninguno de los Refugios Oscuros locales. Tenemos que asumir que cualquiera entre la población civil podría tener lazos secretos con Henry Vachon o con el propio Dragos.

—¿Y qué me dices de la población humana? —La pregunta de Savannah hizo que todas las cabezas se volvieran en su dirección—. Conozco un lugar donde podrían estar a salvo por un tiempo. No está lejos de la ciudad, pero es lo más apartado que hay.

—Savannah —intervino Gideon lentamente—. No podemos pedirle a ella...

—¿Quién es la persona humana en cuestión? —preguntó Lucan.

Savannah lo miró a los ojos.

—Mi hermana Amelie. Lleva viviendo en Atchafalaya Swamp más de setenta años. Y es de total confianza. El hecho de que Gideon y yo estemos hoy vivos, aquí frente a vosotros, lo atestigua.

Gideon asintió, aunque reluctante.

—Savannah y yo le debemos la vida a Amelie Dupree. Es de confianza, Lucan. Apostaría mi vida en ello. Y de hecho lo hice.

—Amelie sabe cuál es la naturaleza de Gideon —añadió

Savannah—. Lo sabe desde la noche en que él se presentó ante su puerta buscándome a mí hace treinta años, y ha guardado nuestro secreto durante todo este tiempo.

La noticia de que un ser humano de las ciénagas de Louisiana estuviera al tanto de la existencia de la estirpe no le hacía ninguna gracia a Lucan. Sin embargo, sabía que sería un estúpido si no tenía en cuenta la alternativa que Gideon y Savannah acababan de ofrecerle. Las alianzas con los humanos muy raramente eran su primera opción —de hecho, desde su punto de vista quedaban fuera de consideración—, pero la situación era desesperada y el tiempo definitivamente no estaba de parte de la Orden en aquel momento.

—¿Cuánto tiempo crees que podría llevarte contactar con tu hermana?

—Puedo llamarla ahora mismo —dijo Savannah—. Sé que estará dispuesta a ayudarnos. Lo único que tengo que decirle es cuándo debe esperar la llegada de compañía.

—Dile que estarán allí en cuanto caiga la noche —respondió Lucan.

Capítulo diecinueve

Corinne durmió profundamente hasta bien entrada la tarde. Aunque Cazador estaba ahora agachado al otro lado de la pequeña habitación, él todavía podía sentir las suaves curvas de su cuerpo. Podía oler la fragancia de su pelo y de su piel después de las horas que había pasado envolviéndola mientras dormía.

Ahora la observaba respirar, anticipando cada lenta inhalación, hipnotizado por el latido de su pulso, que adoptaba un ritmo más rápido bajo la fina piel de porcelana de la base de su elegante garganta.

Su hambre por ella no había cedido a pesar de la distancia física que él había puesto entre los dos. La deseaba de una forma que le sorprendía, que sobrepasaba incluso la sed más primitiva de la estirpe. Su deseo por Corinne ya lo había perturbado antes, pero ahora, después del tormento de haberla tenido pegada a él la mayor parte del día, ella había invadido todos sus sentidos. Peor que eso, había invadido su lógica, llevándolo a concentrarse en confortarla cuando debería haber estado planeando la misión de reconocimiento de aquella noche.

Trató de volver a centrar su atención en la llamada de la Orden que había recibido unas horas antes. Habían encontrado una casa segura para Corinne y para él a una hora conduciendo hacia el oeste de la ciudad. Al ponerse el sol, la llevaría hasta el refugio asignado y luego emprendería su propia investigación en las propiedades conocidas de Vachon, con la esperanza de encontrar información sólida acerca del paradero del bastardo. La expectación de acercarse probablemente a uno de los tenientes de Dragos lograba que el depredador que había en él ansiara la caída de la noche.

Corinne dejó escapar un gemido desde su camastro improvisado en el suelo. Cazador se puso en pie, apartando a un lado los pensamientos acerca de Dragos y sus colegas en el instante en que ella comenzó a moverse. Sus piernas se agitaron como si estuvieran luchando por liberarse de cadenas invisibles. Su boca esbozó un gesto de dolor mientras tomaba el aire ansiosamente con sonidos angustiados.

Cazador se echó junto a ella sobre el abrigo de cuero y la atrajo hacia sí. No sabía qué decir para calmarla. No tenía experiencia, así que simplemente la rodeó con los brazos mientras ella se agitaba, sin parar de moverse. Ahora estaba jadeando, susurrando cosas indescifrables; el pánico parecía aumentar en su cabeza con cada segundo.

Él sintió el frenético batir de su pulso mientras un grito escapaba de sus labios. Fue una única palabra, una exclamación ahogada que la obligó a despertarse, con el rostro apenas a un centímetro del de Cazador. Sus párpados se abrieron de golpe.

—Estás a salvo —le dijo él; las únicas palabras que le salían mientras contemplaba sus ojos azul verdosos aterrorizados. Levantó la mano lentamente y le apartó un mechón de cabello negro de una ceja húmeda—. Estás a salvo conmigo, Corinne.

Ella asintió débilmente.

—Tuve una pesadilla. Creía que estaba de nuevo allí… en aquel horrible lugar.

—Nunca más —le dijo él.

Era una promesa, y él se dio cuenta de que estaba dispuesto a morir por cumplirla. Ella no se retrajo mientras él continuaba acariciándole la delicada curva de su mejilla y su mandíbula. Sus ojos permanecían fijos en los de él, examinándolo.

—¿Cuánto tiempo te quedaste conmigo mientras dormía?

—Un rato.

Ella sacudió lentamente la cabeza, sin detenerlo cuando él pasó los dedos por su sedoso cabello negro.

—Te quedaste mucho rato. Me abrazaste, y por eso pude dormir.

—Me pediste que lo hiciera —respondió él.

—No —lo contradijo suavemente—. Solo te pedí que te quedaras hasta que me durmiera. Lo que hiciste fue… muy gentil. —Sus ojos lo miraban con tanta gratitud que él se sintió humilde. Cuando ella habló de nuevo le costaba encontrar las palabras—. No estoy acostumbrada a que me abracen. Apenas puedo recordar lo que es ser tratada con cariño o ternura. No sé cómo se supone que debo sentirme.

—Si te hago sentir incómoda...

—No —se apresuró a responder, apoyando la palma de la mano suavemente en su pecho. La dejó allí, un fino parche de calor descansando sobre los pesados latidos de su corazón—. No, no me haces sentir incómoda, Cazador. Para nada.

Él frunció el ceño, observando cómo su enorme mano acariciaba los contornos increíblemente delicados de su rostro. Las yemas de sus dedos tenían callos de manejar armas y dedicarse a la violencia. Su piel raspaba contra la perfección aterciopelada de la de ella.

—Eres lo más delicado que he tocado nunca. Quiero ser cuidadoso contigo. Temo que te rompas bajo mis rudas manos.

Ella sonrió al oír eso, una profunda curva apareció en sus labios y él sintió unas ganas ardientes de besarla.

—Tus manos son muy suaves. Y me gusta la forma en que me tocas ahora.

Esa alabanza susurrada viajó a través del cuerpo de Cazador como un asalto de luz. El pulso martilleaba en sus oídos, la sangre se agitaba en sus venas y arterias como la lava de un volcán de pronto en erupción. Las puntas de sus colmillos se estiraron, respondiendo con tanta obviedad como otras partes de su anatomía. Luchó contra la respuesta febril de su cuerpo, seguro de que podría contenerla mientras trazaba la curva de su mandíbula y luego llevaba la yema del pulgar sobre la flexible curva de su labio inferior. Dios, era tan suave. Tan hermosa.

Ella soltó un pequeño suspiro de placer, mientras él continuaba estudiándola con las manos y los ojos.

—¿Siempre eres tan cuidadoso y tierno con las mujeres?

Él se encogió de hombros, sin atreverse a admitir que no había habido otras mujeres... ni siquiera una sola. Fue criado como una máquina, y le fue negado todo contacto físico salvo el de la disciplina. Antes de los días que había pasado con Corinne no había conocido nada parecido al deseo.

—La intimidad no tuvo lugar en mi crianza —le contó a ella—. Este no es el tipo de contacto para el que estoy entrenado.

—Bueno, lo estás haciendo muy bien, si me preguntas.

Ella sonrió de nuevo, y nuevamente su cuerpo respondió con una necesidad ardiente y apremiante. Sabía que ella tenía que notar las vibraciones que parecían salir de cada célula de su ser. Tenía que sentir la dureza de su erección, apretándose insistentemente contra su muslo, moviéndose entre sus piernas mientras yacían allí juntos, apenas separados por unos centímetros.

Quería besarla. Quería aliviar algo del ardor que se abría paso en su interior mientras ponía la mano en el tierno arco de su nuca y la atraía hacia sí. Ella no se resistió, ni siquiera por un instante.

Cazador se movió hacia ella e inclinó los labios hacia los de ella. El beso compartido la noche antes había sido inesperado, dulce y vacilante. Este beso fue completamente distinto.

Los labios se mezclaron, los rostros se apretaron, las manos se buscaron, sujetándose con fuerza. Ese beso fue hambriento y urgente, ávido de necesidad mutua. Cazador acomodó la palma de la mano en la cabeza de Corinne para acogerla con más fuerza en su abrazo. Cada latido de su corazón lanzaba disparos de fuego a través de sus venas. Los colmillos salieron de sus encías llenándole toda la boca. Su pene pulsaba contra la deliciosa suavidad del cuerpo de ella, encendiendo algo primario en él, algo animal y que no estaba enteramente bajo su control.

No creía que su deseo pudiera llegar más lejos, pero entonces sintió el sedoso impulso de la lengua de Corinne resbalando frenéticamente por su labio superior. Gruñó algo ininteligible, incapaz de articular palabra cuando su cuerpo estaba al borde de perder todas sus ataduras. Separó los labios y casi perdió la cabeza cuando sintió dentro de ellos la punta de la lengua de Corinne.

Se besaron largamente, su cuerpo entero tenso como una roca mientras Corinne parecía volverse más flexible en sus brazos, como derritiéndose. Sintió el suave apretón de sus pechos contra el suyo, y, lleno de curiosidad, pasó la palma de la mano sobre la delgada tela de su suéter. Tomó entre su mano uno de los pequeños montículos, maravillado por lo erótico que era acariciarlo y oír en respuesta sus temblorosos jadeos de placer.

No estaba todavía lo bastante cerca. Necesitaba más de aquello... más de ella.

Con el pulso desatado y el deseo rugiendo en su interior con una intensidad que lo sobrecogía, Cazador la hizo rodar de espaldas para ponerse encima de ella. La cubrió con su cuerpo, con su boca atada a la de ella en un beso exigente; la fuerza de su erección lo obligaba a mover las caderas contra su pelvis.

Aunque nunca había experimentado la descarga sexual, la necesidad de alcanzarla lo conducía con garras como cuchillas. Sintió que Corinne se retorcía debajo de él, oyó sus gemidos mientras deslizaba las manos por sus brazos. La necesidad de poseerla, de reclamarla suya, lo sacudía con cada latido palpitante de su pulso.

Le llevó un momento darse cuenta de que Corinne estaba todavía gimiendo, no con la misma ansia feroz que palpitaba en él sino con algo que sonaba tan perturbador como el miedo. Ella tenía las manos colocadas encima de la cabeza, y él había colocado los dedos alrededor de sus delicadas muñecas sujetándolas como si fuesen cadenas. Ella todavía se retorcía debajo de él, y a pesar de lo aturdido que estaba por su propia necesidad, de repente Cazador comprendió que estaba luchando, tratando de liberarse de la firme presión de su cuerpo.

Su gemido se convirtió en un gimoteo, y luego en un sollozo jadeante.

Completamente horrorizado, Cazador se apartó de ella inmediatamente.

—Lo siento —soltó, sintiéndose peor que un estúpido mientras ella se agitaba en el suelo, con los brazos cruzados sobre el pecho a modo de escudo—. Corinne, yo no quería... lo siento.

Ella lo miró de soslayo.

—No tienes que disculparte. Yo no debería haberlo permitido. Debería haber sabido que no podía hacer esto —dijo, respirando con dificultad—. No estoy preparada para esto, Cazador. Probablemente estoy loca por haber pensado que alguna vez lo estaría.

Cuando ella se dio la vuelta para apartarse, él luchó por despejar sus sentidos.

—¿Tiene algo que ver con Nathan?

Ella giró la cabeza de golpe. Su expresión era de horror y sus ojos se abrieron alarmados. Su voz sonó apenas audible.

—¿Qué has dicho?

—Nathan —respondió él—. Es el nombre que pronunciaste cuando dormías, justo antes de que despertaras de tu pesadilla. ¿Él es la razón de que no estés preparada? ¿Es porque tu corazón pertenece a otro hombre?

Ella no respiraba. Lo miró fijamente durante lo que pareció una eternidad.

—No sabes de qué estás hablando —respondió finalmente, con un tono irrevocable—. No pronuncié el nombre de nadie mientras dormía. Te lo debes de haber imaginado.

No había sido así, pero él evitó presionarla más. Su momento juntos se había quebrado, había terminado en un instante. Aunque su pulso todavía seguía acelerado y su sexo todavía erecto y necesitado de liberación, podía ver que ella no quería nada con él ahora. El silencio se prolongó; el rostro de ella se cerraba mientras le daba la espalda, ahora recelosa. La expresión de sus ojos parecía acusarlo de algo, como si de repente hubiera recordado que él era un extraño... tal vez incluso un enemigo.

Él se sentía incómodo, avergonzado, confundido; sentimientos que hasta ahora le eran extraños. Y todo por esa mujer. Por el cariño que sentía hacia ella y la mirada de preocupación que le dirigía mientras ponía todavía más espacio entre ellos.

La visión de Mira regresó a él como una bofetada en la cara. La súplica de Corinne. Sus lágrimas. El ruego de que salvara la vida del hombre que no podía soportar perder.

Y ahora Cazador estaba seguro de que conocía el nombre de ese hombre.

Nathan.

No sabía por qué ese conocimiento le hizo apretar los dientes, pero así fue. Apretó tanto la mandíbula que los molares le dolieron.

—Cazador —dijo Corinne, con una respiración temblorosa—, lo que ha ocurrido entre nosotros hace un momento...

—No volverá a ocurrir —terminó la frase por ella.

Mientras el deseo y el orgullo lo espoleaban por dentro a

partes iguales, mentalmente apisonó todas las emociones inútiles. Se aferró a la rígida disciplina que siempre le había servido tanto. Una disciplina que parecía querer eludirlo al ver la expresión de confusión herida en los preciosos ojos de Corinne Bishop.

—El sol se pondrá pronto —le dijo él—. Saldremos en cuanto lo haga.

Ella se estremeció, ahora con expresión preocupada.

—¿Adónde?

—Nos han proporcionado una casa segura. Tú te quedarás allí mientras yo reemprendo mi misión para la Orden.

Él se dio la vuelta y la dejó a solas de pie en la habitación.

—Señor Masters, ciertamente aprecio la generosidad que ha mostrado hacia mi campaña en los últimos meses. Este cheque... —El senador arqueó la frente mientras miraba una vez más la sustancial donación empresarial—. Bueno, señor, francamente, una contribución de esta magnitud es avasalladora... Realmente no tiene precedentes.

Dragos posó sus dedos debajo de la barbilla y sonrió desde su silla afelpada de invitado, al otro lado del escritorio del ambicioso político.

—Dios bendiga la democracia y la Corte Suprema de los Estados Unidos.

—Efectivamente.

El senador se rio entre dientes algo incómodo, con la nuez apretada por el cuello blanco almidonado de la camisa de esmoquin y el nudo de su corbata negra. El cabello rubio dorado de estilo impecable estaba peinado hacia atrás dejando su atractivo rostro despejado. Los escasos cabellos grises a cada lado de sus sienes le daban al senador de treinta y tantos años un aire de sabiduría y distinción.

Dragos se preguntó si habría ganado esos imponentes galones en un salón de lujo, y luego decidió que no le importaba. Era la política del senador y sus conexiones en las universidades de mayor prestigio lo que más interesaba a Dragos.

—Me siento honrado al ver que usted y Tierra Global han demostrado tanta fe en los objetivos de mi campaña —dijo el político, adoptando una expresión de honestidad que probablemente le había hecho sumar puntos como el soltero más codiciado y encantador de Boston en cada entrevista de su joven y privilegiada vida—. Le aseguro personalmente que todo el dinero con el que ha contribuido será destinado a un uso bueno y prudente.

—No me cabe duda, senador Clarence.

—Por favor —dijo él, deslizando el cheque en el cajón superior del escritorio, que cerró bajo llave—. Puede llamarme Robert. Ah, demonios, llámeme Bobby... todos mis amigos lo hacen.

Dragos le devolvió la sonrisa de cortesía.

—Bobby, está bien.

—Quiero que sepa, señor Masters, que comparto sus compromisos con los asuntos que realmente están impactando nuestra gran nación. Prometo hacer mi parte en Washington para contribuir a que regresemos donde merecemos estar... donde necesitamos estar, como el país más formidable del mundo. Y quiero hacerle saber que mi lucha está ahora apenas empezando y que tengo el honor de poder respaldar esta oficina en una época crucial de nuestra historia. Estoy aquí porque quiero marcar una diferencia.

—Por supuesto —recitó Dragos, mientras aguantaba pacientemente los clisés patrióticos de un discurso que había oído en más de una ocasión durante la campaña electoral de Bobby Clarence—. Usted y yo compartimos muchos de los mismos intereses. Y la dedicación a las iniciativas antiterroristas no es uno de los menores. Admiro su postura de tolerancia cero a aquellos que se comprometen en tan deplorable actividad. Coincido con usted en la idea de seguir una línea dura en lo que se refiere a la seguridad nacional.

Bobby Clarence se inclinó a través del escritorio, afilando la mirada con intensidad.

—Entre usted y yo, Drake... si me permite llamarlo así...

—Dragos hizo un gesto para que continuara, sonriendo para sí mientras daba permiso a un humano para dirigirse a él con uno de sus numerosos alias—. Entre usted y yo y estas cuatro paredes, no me opondría a llevar a cabo ejecuciones públicas en lo que se refiere a toda esa escoria terrorista, especialmente esa que brota como la mala hierba en nuestro propio suelo americano. Colgar a esos bastardos por las pelotas y traer un par de perros muertos de hambre para que les devoren las vísceras, quiero decir. Lamentablemente, mis responsables probablemente me dirán que ese no sería un buen eslogan de campaña. Rompió a reír con una risa sociable, humor que Dragos compartió, aunque no precisamente por las mismas razones. La risa burlona de Dragos obedecía a una diversión privada y a la casi vertiginosa anticipación del momento en que estiraría la cuerda que daría como resultado su triunfo final sobre la Orden.

El teléfono manos libres del escritorio del senador sonó con una llamada entrante. Él se excusó educadamente y luego se llevó el auricular al oído y apretó un botón.

—¿Sí, Tavia? Mmm. De acuerdo, está bien. Ah, maldita sea. ¿Ya es la hora? Por favor, telefonea a la oficina del presidente y ofrécele mis disculpas, ¿lo harás? Dile que estoy en la última reunión del día y que él tendrá que adelantarse. Nos reuniremos con él y los demás lo antes posible. Sí, sé cuánto odia cambiar los planes en el último minuto, pero me temo que tendrá que hacerlo. —Bobby Clarence dirigió a Dragos un guiño de complicidad—. Dile que me he retrasado por un asunto de seguridad nacional. Eso debería darle algo que rumiar hasta que lleguemos.

El senador dio por terminada la llamada y ofreció a Dragos un gesto de disculpa.

—Nadie me dijo que ser elegido sería la parte más fácil de todo este teatro. Estar al corriente de mi calendario son palabras mayores, especialmente en este período del año. Le aseguro que me he pasado más tiempo de esmoquin este mes pasado que en la línea de frente a la que pertenezco.

—Es usted un hombre muy solicitado —replicó Dragos, percibiendo que la exasperación acerca de las fiestas de etiqueta y los actos sociales era solo una parte de la fachada pública de chico de oro. Ciertamente todo eso se había jugado bien en las elecciones, y eso era lo que le importaba a Dragos, ya que estaba apostando una buena cantidad al hecho de que la brillante estrella de Cambridge tuviera su cara a cara con los verdaderos corredores de bolsa poderosos entre los humanos.

—Tiene citas a las que acudir y yo no debería retrasarle más —anunció Dragos, levantándose de la silla de invitados a pesar de que el senador se apresurara a asegurarle que tenía todo el tiempo del mundo para hablar con él—. Gracias por aceptar recibirme enseguida y además a esta hora tan avanzada del día.

El senador Clarence dio la vuelta al escritorio y ayudó a Dragos a ponerse su abrigo de cachemir. Le dio un amistoso apretón de manos.

—Ha sido un placer hablar hoy con usted, Drake. Celebraré la oportunidad de hacerlo de nuevo, en cualquier momento.

Caminó con Dragos hasta la puerta y se la abrió. De pie al otro lado, con la mano levantada como si un segundo antes hubiese estado a punto de llamar a la puerta, había una joven atractiva y muy alta, vestida con un traje de chaqueta color carbón vegetal y una blusa de cuello cerrado color marfil. Su gruesa melena color caramelo estaba recogida con una coleta en la nuca, sin un solo mechón fuera de lugar. Todo combinado, era una apariencia que podría resultar desalentadora en una mujer menos atractiva, pero de ningún modo en ella.

—¡Ah, Tavia! —soltó Bobby Clarence cuando Dragos se detuvo justo delante de ella, sorprendido ante la vista de una joven a escasos centímetros de su rostro. Ella retrocedió un paso bruscamente, y luego su mirada inteligente pasó de la intrigante sonrisa de Dragos a la boca risueña de su jefe. El senador colocó una mano en el hombro de Dragos—. Drake, le presento a mi asistente personal, Tavia Fairchild.

—Un placer —ronroneó él, bajando la cabeza a modo de saludo.

—Señor Masters —respondió ella, aceptando la mano que le ofrecía y dándole un apretón breve pero firme y profesional—. No hemos tenido la oportunidad de conocernos, pero reconozco su nombre por la correspondencia del senador.

—Tavia tiene una memoria asombrosa para los nombres y las caras —alardeó su orgulloso jefe—. Es mi arma secreta, siempre me mantiene preparado y al tanto de todo. O al menos eso intenta. .

—No me cabe duda —respondió Dragos, a quien le costaba apartar los ojos de la mujer.

Sus oscuras pestañas taparon por un momento su mirada color verde primavera un instante antes de apartar la atención de él, llevándolo a preguntarse si en algún nivel instintivo la mujer percibía que él era más de lo que parecía por debajo de su traje conservador y su abrigo de cachemir. Dragos quedó fascinado por ella, de hecho cautivado, mientras ella se volvía hacia el senador y le entregaba una pequeña caja envuelta en papel de regalo con un lazo rojo y un alegre ramito de acebo fresco.

—Para su encantadora esposa. Es un broche antiguo que encontré en una tienda de la calle Newbury el pasado fin de semana. Como sé que colecciona camafeos, imaginé que…

—¿Qué le decía, Drake? —dijo Bobby Clarence, moviendo la perfecta barbilla en su dirección a la vez que cogía el regalo y lo agitaba suavemente—. Mi arma secreta. Siempre me hace quedar mejor de lo que soy.

Tavia Fairchild no pareció dejarse afectar por el halago, y siguió concentrada de forma imperturbable en su trabajo.

—¿Quiere que llame al garaje y les pida que le saquen el coche, senador Clarence?

—Sí, eso será genial, Tavia. Gracias. —El senador dio a Dragos una amigable palmada en el hombro y su preciosa ayudante se dirigió a su propio escritorio y levantó el teléfono para llamar al conductor—. ¿Puedo persuadirle de que venga conmigo, Drake? Podremos seguir hablando, y estaré feliz de presentarle a muy buenas personas en el acto de beneficencia para servidores públicos de esta noche. Creo que encontrará muchos individuos de mentalidad parecida con quienes disfrutará compartiendo las ideas que hemos discutido.

Dragos se permitió una sonrisa indulgente.

—Me temo que no será posible. —Aspiraba a algo muy por encima de los paletos y sindicalistas de los departamentos urbanos de bomberos y policía—. Gracias por la oferta. Sin embargo, ahora debo marcharme.

—¿Está seguro? —lo presionó el senador con una sonrisa triunfal—. Ya solo la comida vale la pena. A esos tipos les encanta comer. A usted también seguramente con platos que cuestan dólares de los grandes, preparados por el mejor chef italiano del extremo norte.

—Ay, no —objetó Dragos—. Mantengo una dieta muy estricta. La comida italiana no va conmigo.

—Oh, lamento oír eso. —Bobby Clarence soltó una risita mientras se acercaba a un armario cercano y extraía de allí un abrigo de seda con pinta muy cara—. ¿Estará en la fiesta de vacaciones de mañana en mi residencia, verdad?

Dragos asintió con la cabeza.

—No me la perdería por nada del mundo.

—Excelente. Tavia realmente se ha esforzado, ha organizado todo el fiestón por mí... hasta las invitaciones escritas a mano.

—¿Es eso cierto? —Dragos dirigió otra mirada apreciativa a la joven, que ya tenía en la mano su abrigo y su bolso y estaba apagando el ordenador y poniendo el buzón de voz en los teléfonos.

—Se supone que no debo anunciarlo públicamente —añadió el senador Clarence—, pero nos han confirmado la presencia sorpresa de un invitado de honor mañana por la noche. Un buen amigo y mentor de mis días de Cambridge. Alguien que sin duda usted tendrá interés en conocer, Drake.

Aunque el joven político se estaba manejando con sutileza, Dragos no necesitaba más pistas para saber que esa persona importante y buen amigo de Bobby Clarence no era otro que su profesor favorito de la universidad, que había sabido asociarse con otra estrella en alza y conseguir el segundo puesto más poderoso en el país. Era precisamente esta conexión la que hacía a Bobby Clarence tan valioso para Dragos.

Mañana por la noche, Dragos tendría bajo su control las mentes y las almas de ambos hombres.

—Hasta entonces —dijo, dando un entusiasta apretón de manos a ese hombre libre de toda sospecha. Miró a la preciosa asistente de Bobby Clarence y le hizo una formal reverencia—. Señorita Fairchild, es un placer conocerla por fin.

Con la astuta mirada de ella siguiéndolo y la despedida optimista del senador haciendo eco en el pasillo adyacente, Dragos salió de la oficina y se dirigió hacia el ascensor. Cuando alcanzó el nivel de la calle y subió a la limusina que lo estaba esperando, las mejillas le ardían por la extensión de su ancha sonrisa satisfecha y descaradamente entusiasta.

Capítulo veinte

*L*es llevó alrededor de una hora llegar a la casa segura que la Orden había dispuesto para ellos. Habían recorrido varios kilómetros de trayecto, viajando por una carretera sin asfaltar que los llevaba a adentrarse por la zona de los pantanos, entre grupos de escalofriantes cipreses cubiertos de musgo. Mientras Cazador giraba por una carretera sin señalización —Corinne supuso que sería un camino de entrada a algún sitio— las luces delanteras del coche iluminaron varios pares de brillantes ojos amarillos merodeando delante de ellos. La densa maleza se agitó cuando las pantanosas criaturas se apresuraron a esconderse en la penumbra de sus salvajes dominios.

—¿Estás seguro de que este es el lugar correcto? —preguntó Corinne mientras Cazador se adentraba en la oscuridad—. No parece el lugar donde alguien levante una casa.

—No es un error —respondió él—. Aquí es donde reside Amelie Dupree.

Era lo primero que él le decía en todo el trayecto. El soldado impasible había vuelto ahora en todo su esplendor, así que a ella no debería sorprenderle su tono exclusivamente práctico. Las cosas antes no habían quedado exactamente en los mejores términos.

Aunque ella quería hablar de lo que había ocurrido —explicar su reacción de pánico ante lo que al principio había sido tan agradable y tan increíblemente placentero—, la vergüenza le había hecho mantener la boca cerrada y la lengua apretada contra el paladar durante todo el camino. Eso y la asombrosa y desdichada alarma de haber oído a Cazador pronunciar en voz alta el nombre de su hijo.

No estaba preparada para eso. Y seguía sin estarlo. El instinto de proteger a su niño, de negar su existencia si eso significaba mantenerlo a salvo de ser descubierto, se había despertado en ella del mismo modo que el instinto de apartar la mano ante una llama ardiente. La mentira había sido un acto reflejo, y ahora yacía entre ella y Cazador como un abismo.

Apartó la mirada de su rostro inexpresivo mientras el coche reducía su marcha y los faros iluminaban la cubierta de madera gris desgastada de una vieja casa rústica que anidaba en lo profundo del bosque, entre los fantasmales árboles cubiertos de moho. Una mujer mayor, de piel negra y con un sencillo vestido de flores estaba de pie bajo el porche cubierto, observando cómo se acercaban. Tenía los brazos cruzados por delante de sus generosos pechos, pero cuando el coche se halló cerca y a punto de detenerse, ella levantó la mano en señal de saludo.

Cazador apagó el motor y guardó las llaves en el bolsillo de su abrigo de cuero.

—Espera aquí hasta que me asegure de que en este sitio estarás a salvo.

Mientras él se bajaba del vehículo e iba al encuentro de la anciana, Corinne se preguntó qué tipo de amenaza podía esperar de ella. Pero podía ver, por la forma en que él se movía, la línea de sus hombros y su paso ligero, que estaba en pleno control de sus acciones en aquel momento.

Después de tantas horas en su compañía, se le hacía fácil olvidar lo imponente que era, lo letal que podía llegar a mostrarse. Irradiaba peligro, incluso sin las destrezas que lo habían convertido en uno de los soldados más letales de Dragos. Después de sentir su boca tan tierna en la suya, era fácil olvidar lo despiadadas que podían ser sus manos si percibía una amenaza enemiga o una causa de sospecha. En ese caso no había ninguna oportunidad. Corinne quería desestimar su excesiva prudencia, pero debía reconocer, no sin cierta dosis de humillación, que si él se mostraba tan sobreprotector era porque quería mantenerla a salvo.

Moviéndose con la gracia de una pantera y precisión militar, caminó hasta la sonriente anfitriona con aspecto de abuela, y por un momento a Corinne le preocupó que la pobre anciana soltara un chillido y saliera corriendo en la otra dirección. No lo hizo. Corinne oyó una voz dulce y suave a través del cristal de la ventanilla del coche, dándole la bienvenida a ella y a Cazador y pidiéndoles que entraran en la casa.

Cazador volvió la cabeza y se encontró con la mirada de Corinne. Le hizo un gesto vago con la cabeza y luego se acercó y le abrió la puerta del vehículo antes de que tuviera la oportunidad de salir por sí sola. Caminó con ella hasta llegar junto a la anciana y colocó la mano de Corinne en la palma extendida que la esperaba para darle la bienvenida.

Unos ojos nublados y lechosos se movían a ciegas de un lado a otro mientras Amelie Dupree tomaba la mano de Corinne entre las suyas con calidez. Su sonrisa era ancha y radiante, llena de una bondad que parecía emanar de lo más profundo de su interior. Y al hablar, su voz de anciana sonó dulce y musical.

—Hola, niña.

Cazador hizo las presentaciones rápidamente mientras la mirada ciega de Amelie los buscaba en la oscuridad. Dio unos golpecitos maternales en la mano de Corinne.

—Vamos, pasa, niña. Tengo la tetera en el fogón a punto de silbar y una olla de sopa que ha estado cociendo a fuego lento toda la tarde.

—Suena delicioso —dijo Corinne, sin más opción que la de seguir a Amelie Dupree por las destartaladas escaleras del porche. Se volvió para mirar a Cazador, que estaba detrás de ella, con el teléfono ya junto al oído, sin duda contactando con la Orden para hacerles saber que habían llegado sin incidentes.

La casa no parecía gran cosa por fuera, pero dentro los muebles eran nuevos y bien conservados, las paredes pintadas con cálidos tonos terrosos y adornadas con cuadros y varias fotografías enmarcadas. Una foto en particular captó inmediatamente la atención de Corinne mientras caminaba detrás de Amelie Dupree, maravillada ante la habilidad de la anciana para circular por la habitación sin ayuda y sin titubear.

Corinne se detuvo para mirar de cerca la fotografía que había llamado su atención. No era actual, debía de tener muchos años a juzgar por la ropa antigua y el tono amarillento del papel bajo el cristal. Pero el rostro de la vibrante joven con una melena de rizos negros era inconfundible. Corinne la había conocido en el recinto de la Orden de Boston.

—Mi hermosa hermana pequeña, Savannah —confirmó

Amelie Dupree, que había retrocedido para colocarse junto a Corinne—. Media hermana, de hecho. Tuvimos la misma mamá, que Dios guarde su dulce y atormentada alma.

—No me había dado cuenta —dijo Corinne, reanudando su marcha detrás de la mujer de cabello gris, que ahora entraba en una alegre cocina amarilla al fondo de la casa.

La tetera acababa de comenzar a silbar sobre el fogón. Amelie palpó los mandos del gas y apagó el fuego correspondiente con total precisión, mientras el guiso de una olla con tapa hervía en la de al lado. Abrió un armario y sacó un par de tazas de cerámica.

—¿Conoces a mi hermana? —preguntó, recorriendo ahora con los dedos la superficie de la encimera hasta encontrar un bote de hojalata.

—La conocí muy brevemente —respondió Corinne, insegura de cuánta información podía revelar a una persona que no pertenecía al recinto de la Orden, por más que tuviera una relación de parentesco—. Savannah parece muy agradable.

—No podría ser mejor, eso te lo prometo —confirmó Amelie, con una sonrisa en su voz cantarina—. No hablamos más que unas pocas veces al año, pero siempre lo retomamos donde estábamos, como si nunca se hubiera marchado.

Corinne observó cómo la anciana colocaba bolsitas de té en las tazas y luego cogía una manopla que colgaba de un pequeño gancho frente a los fogones. Sintió la tentación de ofrecer ayuda, pero Amelie Dupree era notablemente capaz de hacerlo todo por su cuenta. Empleando el dedo índice de una mano para encontrar el borde de la tetera, sirvió el agua hirviendo sin derramar ni una sola gota. Corinne no habría logrado ser tan precisa.

—¿Y cómo está ese elegante hombre suyo? —preguntó Amelie distraídamente mientras llevaba las dos tazas humeantes a la mesa—. Si conociste a mi hermana supongo que también habrás conocido a Gideon. Los dos han sido prácticamente siameses desde el día… Dios mío, debe de hacer al menos treinta años.

La anciana se sentó, haciendo un gesto a Corinne para que ocupara la silla que había junto a ella. Ya que Cazador parecía estarse tomando su tiempo fuera, Corinne se sentó y sopló suavemente por encima del borde de la taza.

—Mmmm —entonó Amelie con actitud contemplativa, con esa mirada incapaz de ver perdida en algún pensamiento—. Es difícil de creer que haya pasado tanto tiempo desde que tuviera lugar todo aquel problema.

—¿Problema? —preguntó Corinne mientras sorbía con cuidado el té caliente. No podía negar que tenía curiosidad por saber más, no solo acerca de la mujer que les había abierto su casa a ella y a Cazador, sino también de esa pareja que parecía una parte tan esencial de la Orden.

—No me gusta desenterrar malos recuerdos, niña, y ese es uno de los peores. —Cubrió una mano de Corinne con la suya y le dio unas pequeñas palmaditas—. Esa noche se derramó demasiada sangre. Dos vidas casi se pierden delante de mi patio principal. Supe que Gideon era distinto desde el primer momento en que puse los ojos en él… eso fue años antes de que la edad comenzara a robarme la vista, por supuesto. Nunca hubiera imaginado quién era realmente si no lo hubiera visto con mis propios ojos. La herida de bala debería haberlo matado. La que recibió Savannah la habría matado también si él no hubiera hecho lo que hizo para salvarla. Si no se hubiera mordido su propia muñeca para alimentarla con su sangre.

Corinne se dio cuenta de que estaba conteniendo la respiración, fascinada ante lo que escuchaba.

—Tú lo viste alimentarla… ¿tú sabes quién es él, Amelie?

—Pertenece a la estirpe. —La anciana asintió con la cabeza—. Sí, lo sé. Me lo contaron todo esa noche. Me confiaron sus vidas, y esa es una verdad que me llevaré conmigo a la tumba cuando me llegue la hora. —Amelie tomó un sorbo de té—. Ese hombre que está fuera… también pertenece a la raza de Gideon. Incluso una anciana ciega como yo se daría cuenta. Tiene un poder oscuro en su interior. Lo sentí vibrar en él incluso antes de que saliera del coche.

Corinne miraba fijamente su taza.

—Cazador es un poco… intimidante, pero he visto su parte buena. Es honrado y valiente, como tú y Savannah sabéis que puede ser Gideon.

Amelie emitió un suave gruñido. Todavía sujetaba la mano derecha de Corinne, recorriendo distraídamente con el dedo pulgar la lágrima sobre la luna creciente que tenía como marca de nacimiento. Mientras continuaba recorriendo las líneas de la pequeña marca, Corinne se dio cuenta de que la estaba estudiando. —Es exactamente como la suya —murmuró, alzando la suave ceja—. Savannah tiene esta misma marca de nacimiento, excepto que la suya está en su hombro izquierdo. Mamá solía decir que era el lugar donde la habían besado las hadas antes de colocarla en su útero. De todas formas, mamá estaba un poco chiflada.

Corinne sonrió.

—Todas las compañeras de sangre nacen con esta marca en alguna parte de su cuerpo.

—Hum —razonó la anciana—. Supongo que eso os convierte a ti y a Savannah en alguna clase de hermanas, ¿no es cierto?

—Sí, supongo que sí —admitió Corinne, reconfortada por el té y por la amable aceptación de su anfitriona—. ¿Llevas mucho tiempo viviendo aquí, Amelie?

Ella inclinó su cabeza de cabello gris.

—Llevo en este lugar setenta y dos años. De hecho, nací justo en la habitación de al lado. Igual que Savannah, aunque cuando ella vino yo ya estaba bastante crecida como para ayudar en su nacimiento. Le llevo veinticuatro años a mi hermana pequeña.

Setenta y dos años, pensó Corinne, estudiando su rostro y su pelo plateado. Si no fuera por la sangre del Antiguo que le habían obligado a tomar durante el tiempo que estuvo retenida en la prisión laboratorio de Dragos, su cuerpo estaría veinte años más desgastado que el de Amelie Dupree. Le parecía irónico que la misma cosa que despreciaba, los nutrientes que daban la vida a una criatura que no era de este mundo, era lo que le había permitido sobrevivir a la tortura de Dragos. Eso la había mantenido fuerte cuando lo único que deseaba era quedarse tumbada y morir. Era debido a esa sangre alienígena que tenía su hijo en alguna parte, un pedazo de su propio corazón que le preocupaba tener cada vez más y más lejos, fuera de su alcance.

—¿Tienes otra familia? —preguntó a Amelie cuando el dolor que sentía dentro de su pecho comenzaba a ser mayor del que podía soportar.

La anciana sonrió radiante.

—Oh, sí, dos hijas y un hijo. Y también tengo ocho nietos.

Mis parientes están todos dispersos ahora. A los niños nunca les gustaron estas ciénagas tanto como a mí. No lo llevan en la sangre y en los huesos como yo y mi último marido. Se marcharon a las ciudades en cuanto pudieron. Bueno, vienen a verme cada semana, para asegurarse de que todo va bien y ocuparse de algunas cosas de la casa, pero nunca es suficiente. Especialmente a medida que me hago más vieja. La edad hace que desees tener a aquellos que amas lo más cerca posible.

Corinne sonrió y dio un suave apretón a la cálida mano marcada por la edad. En aquel momento agradecía la ceguera de aquella mujer, agradecía que la lágrima que le caía de la comisura de un ojo pasara desapercibida.

—No creo que haga falta ser vieja para sentir eso, Amelie.

El amable rostro de la mujer se inclinó ligeramente, y una expresión pensativa asomó a sus facciones.

—¿Llevas mucho tiempo sin... tu niño?

Corinne se quedó inmóvil, preguntándose de repente si aquellos ojos nublados veían más de lo que había supuesto. Sintiéndose un poco ridícula, levantó su mano libre y la agitó brevemente frente a la mirada de Amelie. No hubo ninguna reacción. ¿Aquella anciana había visto algo en el interior de su mente? Miró por encima del hombro, asegurándose de que Cazador no estuviera donde pudiera oírlas.

—¿Cómo has podido saber...?

—Oh, no soy psíquica, si eso es lo que has creído —dijo Amelie con una suave risita—. Savannah es la única en nuestra familia con un verdadero don. Según mamá, era más gitana que cajún, ¿pero quién sabe? El padre de Savannah era poco más que un rumor en nuestra familia. Mamá nunca parecía tener ganas de hablar de él. En cuanto a mí, he hecho de partera suficientes años como para reconocer a una mujer que ha dado a luz. Algo cambia en una mujer después de traer una vida al mundo. Si eres sensible a esas cosas, puedes sentirlo intuitivamente, supongo.

Corinne no intentó negarlo.

—No veo a mi hijo desde que era un bebé. Me lo arrebataron en cuanto nació. Ni siquiera sé dónde está.

—Oh, niña —dijo Amelie ahogando un grito—. Lo siento mucho por ti. Y lo siento mucho también por él, porque puedo notar el amor que sientes por él en el corazón. Necesitas encontrarlo. No debes abandonar la esperanza.

—Él es lo único que me importa —respondió Corinne en voz baja.

Pero aun mientras lo decía, supo que no era del todo cierto. Había alguien más que empezaba a importarle. Alguien en quien quería confiar de verdad. Alguien a quien lamentaba haber rechazado y haber mentido, cuando lo único que había demostrado por ella era ternura.

Odiaba la pared que se estaba erigiendo entre ellos. Quería derribarla antes de que fuera más alta, y eso significaba abrirse a él completamente. Quería confiar en él, y eso significaba darle el poder de demostrar que ella tenía razón... o bien que se había equivocado como una idiota.

Lo único que sabía era que tenía que darle esa oportunidad.

—¿Me disculpas un momento, Amelie? Quiero ver qué está haciendo Cazador.

Ante el asentimiento de la anciana, Corinne se levantó de la mesa y se dirigió hacia la entrada principal de la casa. Antes de llegar ni siquiera al porche, vio que Cazador y el coche color púrpura habían desaparecido.

Él se había marchado a cumplir con su misión sin decir ni una sola palabra.

Murdock recuperó la conciencia con un grito ahogado.

Chase observó al vampiro agitándose y luchando contra la cadena que lo mantenía suspendido por los tobillos en la viga central de un viejo silo, un granero vacío en lo profundo de una pequeña colonia rural. La sangre corría por los cortes y contusiones que acribillaban el cuerpo desnudo del agente. El aire dentro del silo era intensamente frío, lo que aumentaba la tortura del hijo de puta que tan testarudamente se negaba a decirle a Chase lo que necesitaba saber.

Durante la mayor parte de las horas del día que habían pasado en aquel refugio infestado de ratas, Chase había tratado de sonsacar la información a Murdock a base de golpes. Al ver que eso no funcionaba, la poca paciencia de Chase comenzó a quebrarse, coincidiendo con la caída del sol y el despertar de su sed. Cogió el cuchillo del propio Murdock y trató de sacarle la verdad a pedazos.

En algún punto, el vampiro cayó inconsciente. Chase no lo advirtió hasta que su propia mano quedó bañada con la sangre del otro macho, el cuerpo enorme colgando sin fuerzas, indiferente a cualquier dolor que le fuera infligido.

Y entonces Chase decidió dejar el cuchillo y se dispuso a esperar.

Observó cómo Murdock luchaba por volver al estado de alerta, haciendo tintinear las cadenas en el refugio cerrado. El macho tosió y escupió sangre al suelo, que estaba a unos dos metros por debajo de su cabeza. Ya había una mancha grande en el cemento mugriento, un charco congelado de sangre y orina que empapaba los restos mohosos de comida para el ganado, olvidada hacía mucho tiempo, y, por todas partes, excrementos congelados de alimañas. El charco brillante de glóbulos rojos frescos atraía a Chase como un faro, haciéndole desear olvidarse de aquel asunto que era necesario afrontar y salir inmediatamente de caza.

Murdock se sacudía y se revolcaba, siseando cuando sus ojos empañados se encontraron con la mirada impasible de Chase, que lo observaba desde el suelo del silo.

—¡Bastardo! —rugió—. ¡No sabes a quién estás jodiendo!

Chase envolvió el puño con un poco más de fuerza en el extremo de otra larga cadena, atada con un nudo corredizo al cuello de Murdock, y dio un fuerte estirón.

—¿Eso significa que estás preparado para hablar? —Se quedó plantado, haciendo girar lentamente la cadena alrededor del puño a medida que se acercaba. Cuando solo quedaba el espacio de un par de dedos, se detuvo—. ¿Cuál es tu conexión con Dragos? Y una advertencia: si continúas diciéndome que ese nombre no significa nada para ti, voy a golpearte la maldita cara hasta hacerla puré para que lo recuerdes.

Murdock dejó escapar un gruñido, sus ojos afilados inyectados en sangre despedían una furia ámbar.

—Él me matará si hablo contigo.

Chase se encogió de hombros.

—Y yo te mataré si no lo haces. Esto es lo que se llama estar entre la espada y la pared. Puesto que yo soy el que sostiene la cadena y el cuchillo que va a comenzar a cortarte en pedazos, sugiero que trates de no joderme más de lo que ya lo has hecho.

Murdock le lanzó una mirada de odio. Tenía la mandíbula rígida, pero había una nota de miedo en sus ojos brillantes como carbones.

—Hay otros que están más cerca de las operaciones de Dragos que yo. Sea lo que sea lo que estés buscando, no soy yo con quien tienes que hablar.

—Lamentablemente, tú eres el único que tengo aquí colgado en este momento. Así que deja de poner a prueba mi paciencia y comienza a hablar. —Para añadir fuerza a su argumento, Chase se enrolló un pedazo más de cadena alrededor del puño.

Cristo, odiaba estar tan cerca de ese macho. No solo por la fuerte urgencia de hacerle puré los sesos por su participación en el club de sangre, entre otros de sus repulsivos pecados, sino también por toda esa maldita sangre suya. Aunque la sangre de la estirpe no ofrecía nutrientes para los de la propia raza, la vista y el aroma de tanta hemoglobina fresca derramada hacían que la parte feroz de Chase serpenteara como una víbora en el hueco de su estómago.

A Murdock difícilmente podía pasarle desapercibido el hecho de que los colmillos de Chase le llenaban la boca. Su propia mirada hacía de espejo de los mismos rayos ámbar que lo abrasaban desde el interior, no de dolor, de miedo o de furia sino por las garras del hambre que comenzaban a crecer en él a cada momento.

Esa salvaje parte de él rugía mientras se obligaba a sujetar a Murdock cerca de la cara.

—Dime dónde encontrar a Dragos.

Como la respuesta no vino lo bastante rápido, Chase estiró el brazo hacia atrás y balanceó la cadena que le envolvía el puño, duro como un martillo, junto al cráneo de Murdock. El vampiro aulló, y un diente se le cayó de la boca con un reguero de oscura sangre roja.

El estómago de Chase se contrajo, una excitación horrible y salvaje ardía en sus venas mientras observaba cómo Murdock arrojaba un río escarlata sobre el cemento. Un regocijo rabioso y enfermizo lo impulsó a darle otro puñetazo, para despedazar a ese doliente pedazo de mierda tanto como merecía.

Retrocedió, tan poderosa era la oscuridad que sentía formarse en su interior. Tan exigente era el salvajismo, tan profundamente arraigada sentía la locura que lo tenía ahora apresado en sus garras.

En realidad, lo aterrorizaba.

Trató de contenerla, con toda la fuerza que pudo emplear, y se acercó de nuevo para agarrar a Murdock por la barbilla. Fue una lucha encontrar su propia voz entre el agitado rugido que luchaba por hacerse un lugar en su interior. Cuando finalmente logró hablar, su voz sonó árida, como si le raspara el fondo de la garganta. Sus labios se retrajeron dejando ver los dientes y los colmillos en un rugido.

—¿Dónde está Dragos?

—No lo sé —jadeó Murdock. Chase levantó la cadena hecha un ovillo para atacar otra vez—. ¡No lo sé! ¡No lo sé… te lo juro! Lo único que puedo decirte es que quiere ver la Orden destruida…

—¡No, mierda! —lo interrumpió Chase bruscamente—. Ahora dime algo que no sepa, antes de que termine contigo aquí y en este mismo instante.

Murdock dio unas cuantas respiraciones rápidas.

—De acuerdo, de acuerdo… él tiene un plan. Quiere deshacerse de todos vosotros… de la Orden entera. Dice que lo conseguirá, con solo tener la oportunidad de ver cumplido su imponente plan.

—Su imponente plan —repitió Chase, sintiendo que por fin iba a averiguar algo—. ¿Qué diablos está tramando?

—No estoy seguro. Yo no formo parte del círculo interno. Yo recibo órdenes de un teniente suyo que ha venido a Boston desde Atlanta. Freyne también recibe órdenes de él.

—¿Cuál es el nombre del teniente? —exigió Chase—. Dime dónde puedo encontrarlo.

—No te molestes —respondió Murdock—. Nadie ha oído una palabra de él desde la semana pasada, es más que probable que haya jodido a Dragos y como consecuencia haya sido asesinado. Dragos no da a nadie la oportunidad de joderle dos veces.

Chase gruñó una maldición por lo bajo.

—De acuerdo, dime algo más de ese círculo interno. ¿Quién más está metido?

Murdock negó con la cabeza, salpicando las botas de Chase con gotas de sangre.

—Nadie sabe quién tiene ese tipo de acceso a él. Es muy cuidadoso con eso.

—¿Cuál es su plan para deshacerse de la Orden?

—No lo sé. Algo grande. Algo en lo que lleva trabajando desde hace tiempo, por lo que he oído. Ha estado intentando averiguar la localización del recinto. Antes de que Freyne fuera asesinado, mencionó algo acerca de un señuelo. Una especie de caballo de Troya...

—Ah, joder —murmuró Chase.

Una sospecha que lo ponía enfermo lo recorrió como una serpiente al considerar cómo podría hacer Dragos lo que Murdock acababa de describir. A través de la niebla de su hambre creciente, emergió la imagen de la noche en que tuvo lugar el rescate de Kellan Archer. La aniquilación del Refugio Oscuro de Lazaro Archer... un ataque que había dejado a la Orden sin más elección que la de llevar a los dos únicos supervivientes al recinto para ponerlos bajo su protección.

¿Todo aquello había sido un plan urdido por Dragos? ¿Podría aquel hijo de puta haber usado ese incidente para dejar expuestos los cuarteles de la Orden? ¿Y con qué finalidad? Las posibilidades eran numerosas, y cada una de ellas le revolvía el estómago como una estaca de hierro.

Chase volvió a dirigir una concentración férrea al interrogatorio.

—¿Qué más sabes acerca de sus planes?

—Eso es todo. Eso es todo lo que sé.

Chase afiló la mirada sobre el vampiro, con su ira intensificada por la sospecha. Negó con la cabeza.

—No te creo. Tal vez necesites algo que estimule tu memoria.

Aplastó de nuevo el puño contra la cabeza de Murdock. Un tajo se abrió en una de las mejillas del vampiro y Chase no pudo contener el aullido animal que emergió de su boca ante la vista y el aroma de nueva sangre derramada.

—Habla, maldita sea —silbó, la amenaza desnuda de su parte humana era devorada por la bestia que lo albergaba—. No te lo pediré otra vez.

Murdock parecía ahora convencido. Tosió, con un sonido húmedo y roto.

—Está usando humanos de las Fuerzas de la Ley para que le sirvan de ojos y oídos. Está convirtiéndolos en secuaces, a muchos de ellos. He oído que ha estado hablando con un político recientemente, ese nuevo senador que acaba de ser elegido.

Hacía mucho tiempo que a Chase no le importaban un carajo los políticos humanos, pero ni siquiera él estaba tan aislado como para no estar al tanto del prometedor joven universitario recién salido de Cambridge, que parecía destinado a ascender rápidamente en el escenario nacional.

—¿Qué tiene que ver todo esto con él? —exigió saber Chase.

—Tendrás que preguntárselo a Dragos —escupió Murdock a través de su labio partido y la mandíbula hinchada—. Sean cuales sean sus planes, hay muchas posibilidades de que estos involucren a ese tal Clarence de alguna manera.

Chase reflexionó un momento, mirando fijamente al agente con desprecio.

—¿Estás seguro de que eso es todo lo que puedes decirme? ¿No voy a encontrar algo más interesante si te hago un agujero al otro lado del maldito cráneo?

—Ya te lo he dicho todo. No sé nada más, te doy mi palabra.

—Tu palabra —murmuró Chase por lo bajo—. ¿Esperas que me crea la palabra de un pedófilo miembro de clubes de sangre capaz de vender a los suyos por un retorcido pedazo de mierda como Dragos?

Los ojos de Murdock brillaron con cautela y preocupación. Su acento sureño parecía más fuerte por la sangre que le llenaba la boca.

—Dijiste que querías información y te la he dado. Lo justo es justo, Chase. Suéltame. Déjame marchar.

Chase sonrió, sinceramente divertido.

—¿Dejarte marchar? Oh, no lo creo. Esto para ti termina aquí. El mundo sería un lugar muchísimo mejor sin tipos como tú.

La risita con que respondió Murdock tenía algo de maníaca, como si entendiera que no tenía ninguna esperanza de salir de esa situación y quisiera marcharse con alegría.

—Oh, esto es muy exquisito por tu parte, Sterling Chase. Tu santurronería no conoce límites, ¿verdad? El mundo será un lugar mejor sin mí. ¿Te has mirado en el espejo últimamente, amigo? Puede que yo sea todas esas cosas que me has llamado, pero tú no te quedas atrás.

—Que te jodan —gruñó Chase.

—No creas que no he advertido el hecho de que tus ojos han estado lanzando rayos ámbar como un horno todo el tiempo. ¿Cuánto rato hace que los colmillos no te caben en la boca?

—He dicho que te calles, Murdock.

Pero no lo hizo. Maldita sea, no lo hizo.

—¿Cuánto puede desesperar a un adicto como tú no ceder a la tentación de arrodillarte de pies y manos en el suelo para lamer toda esa sangre derramada? ¿Crees que a tus santos camaradas de la Orden les gustaría verte así... como el jodido renegado que realmente eres? Hazle un favor al mundo y quítate de en medio.

Chase no podía aguantarlo más. No podía seguir oyendo la verdad, especialmente si esta salía de una escoria como Murdock. Balanceó su puño reforzado con la cadena y dio un puñetazo al rostro del vampiro, haciendo oscilar el largo de la cadena que lo sujetaba por los tobillos. Lo empujó hacia atrás y le asestó otro golpe, y siguió dándole un puñetazo tras otro, con todo rigor. Golpeó hasta que apenas quedó nada que golpear.

Hasta que el cuerpo de Murdock colgó sin vida y la espantosa verdad resultó silenciada por fin.

Chase dejó caer la cadena que le envolvía el puño. Luego soltó la que mantenía a Murdock sujeto a la viga. El cuerpo golpeó el suelo al caer, la carne y los huesos hicieron un ruido pesado sobre el suelo del viejo silo, y la cadena repiqueteó tras ellos.

Chase se dio la vuelta y se marchó, dejando la puerta abierta para que otros depredadores nocturnos acudieran a alimentarse de la carcasa y la luz de la mañana se encargara de fundir los restos que quedasen.

Capítulo veintiuno

—*P*or una vez parece que la suerte está de nuestra parte. Gideon estaba de pie en el centro del cavernoso refugio antibombas construido por Lazaro Archer durante la era de la guerra fría en los Refugios Oscuros, que se hallaba a un par de horas al norte de Augusta, en Maine. Tal y como Archer había advertido, el lugar no se asemejaba en tamaño ni en complejidad al recinto de la Orden, pero Lucan tenía que darle la razón a Gideon: parecía la mejor opción —la única opción inmediata— que tenían en aquel momento.

Construida en una remota parcela de ochenta hectáreas, en medio de un bosque virgen, que probablemente había conocido más alces y más osos pardos que seres humanos en los últimos siglos, la propiedad era completamente privada. La residencia en sí estaba compuesta por diez dormitorios y una fortaleza de doscientos cincuenta metros cuadrados de piedra y madera gruesa. Era robusta comparada con la elegante mansión de Boston o el sofisticado edificio de arenisca donde habían vivido Lazaro Archer y su familia antes del acto de destrucción masiva de Dragos. El terreno circundante era impenetrable y amenazador, un perímetro natural formado por una pared natural de elevados pinos y helechos cubiertos de espinas.

—Desearía tener algo más que ofreceros —dijo Archer, detrás de Lucan. Su rostro duro quedaba enmarcado por la pálida luz de una lámpara de seguridad fluorescente que colgaba en el techo del túnel de cemento que se extendía por debajo de la casa—. No puedo expresar cuánto lamento el papel que ha jugado mi familia en los planes de Dragos. Que haya usado a Kellan como un peón inconsciente...

—Olvídalo —replicó Lucan—. Ninguno de nosotros estaría en esta situación si no fuera por Dragos. En cuanto a este escondite, como dice Gideon, es una ventaja que ahora mismo necesitamos con una urgencia infernal.

Archer asintió y los tres reanudaron su caminata a lo largo del túnel subterráneo.

—Aunque la casa lleva todos estos años desocupada, una empresa de propiedades local ha sido la responsable de su mantenimiento y cuidado...

—Hagámosles saber que sus servicios ya no son requeridos —respondió Lucan—. Si se necesita pagar el contrato házmelo saber y yo me encargaré de cualquier gasto o imprevisto que pueda surgir.

—Muy bien —dijo Archer—. ¿Cuánto tiempo crees que necesitarás para hacer la mudanza?

Lucan lanzó una mirada a Gideon.

—¿Estarás preparado para traer la primera tanda de equipos mañana por la noche?

Los ojos de Gideon asomaban agudos y resueltos por encima del borde de sus lentes débilmente azuladas.

—Es un plan apretado pero factible. Tal vez tenga que ir con cableado y dobles canales en lugar del sistema wifi por los materiales y el grueso de las paredes que hay aquí abajo, pero sí... Puedo tenerlo preparado para mañana por la noche.

Lucan asintió.

—Parece que ya estamos en marcha.

Gideon dio unos pasos para caminar al otro lado de Archer.

—Antes de irnos, me gustaría echar otro vistazo a los sistemas de seguridad que tienes en este lugar, Lazaro.

—Sí, por supuesto.

El teléfono de Lucan vibró en el bolsillo de su abrigo mientras Gideon y Archer continuaron discutiendo los puntos fuertes de la propiedad.

—¿Sí, cariño? —dijo Lucan atendiendo la llamada de Gabrielle—. ¿Está todo en orden en casa?

—Sí y no —respondió ella. Incluso si su voz vacilante no la hubiera traicionado, él habría sabido que estaba ocurriendo algo. A través del vínculo de sangre que compartía con su compañera, Lucan sintió una mezcla de excitación y ansiedad agitándose en sus venas como si fuera propia.

—¿Qué ocurre?

—Lucan, se trata de Tess —dijo ella—. Está teniendo contracciones. El niño está en camino.

Cazador se deshizo del vehículo robado, *El Camino*, en un barrizal a varios kilómetros de distancia de la casa de Amelie Dupree y completó el resto del trayecto hasta Nueva Orleans a pie. No encontró actividad en la primera de las residencias de Henry Vachon y se dirigió hacia la dirección del otro Refugio Oscuro que le había dado Gideon.

Durante más de una hora, su exploración no le había aportado nada más que el conocimiento de que Henry Vachon disfrutaba de un estilo de vida principesco en una mansión lo bastante grande como para una docena de personas pero habitada exclusivamente por él y un pequeño retén de guardias soldados. Cazador redujo ese número a tres mientras allanaba la casa por la parte trasera y cortaba eficazmente las gargantas de los hombres responsables de la vigilancia de la puerta.

Se deslizó en lo que parecían ser antiguos cuartos de criados, y luego, rápidamente y sin hacer ruido, subió por las escaleras que conducían al segundo piso de la finca.

Un asesino de la primera generación lo esperaba en el descansillo. Cazador todavía tenía la cuchilla en la mano. La arrojó, pero los reflejos del otro macho reaccionaron ante el asalto y, rápidamente, sus entrenadas manos apartaron la daga a un lado. Cazador apoyó las manos una a cada lado de las paredes del hueco de las escaleras y se impulsó para lanzar una patada a su oponente y arrojarse sobre él.

Se encontraron en el aire, y cayeron con fuerza sobre las escaleras rodando hacia abajo antes de que Cazador consiguiera dominar la situación. Tenía otra cuchilla enfundada en su cinturón de armas. La sacó y la puso en acción al instante, cortando limpiamente la garganta del asesino con un solo gesto de la mano, y atravesando el nailon negro de la ropa de combate, la piel, los músculos y el hueso. El asesino quedó inerte y sangrando en las escaleras, mientras Cazador volvía a ponerse en pie y continuaba el ascenso hasta las habitaciones del piso superior.

Oyó movimientos detrás de una puerta cerrada que daba al pasillo. Se dirigió hacia ella y le dio una fuerte patada, desprendiéndola de sus bisagras. Mientras los pedazos de madera se esparcían sobre una alfombra de tonalidades vivas en el interior de un suntuoso dormitorio, Cazador captó el destello de una figura que desaparecía en el cuarto de baño adyacente. Lo siguió hasta alcanzarlo en menos de un instante.

Henry Vachon estaba encogido de miedo en el suelo de mármol entre el lavabo de bordes dorados y la enorme bañera. Tenía un teléfono móvil en la mano, y sus dedos tecleaban enloquecidos sobre el diminuto aparato. Cazador arrojó al vuelo su cuchilla ensangrentada, cercenando uno de los dedos de Vachon en el proceso.

El vampiro lanzó un silbido de dolor, con los ojos salvajes ante la sorpresa y el miedo. El teléfono móvil se le deslizó de la mano, rompiéndose en pedazos contra el suelo de piedra pulida.

—¿Qué demonios estás haciendo aquí? —exigió Vachon, con voz estridente y áspera—. ¿Qué quieres de mí?

Cazador ladeó la cabeza.

—Estoy seguro de que lo sabes. Quiero información.

—Estás loco si crees que voy a darte algo —le gritó, sujetándose la mano hecha pedazos. La sangre brotaba como una flor abriéndose sobre su pecho, manchando la parte delantera de su camisa de seda blanca y sus pantalones grises—. Mi lealtad no la pueden quebrar seres como tú. Me lo llevaré todo a la tumba.

Cazador dio un paso adelante, sin inmutarse ante el desafío.

—Conozco más de cien formas de infligir el máximo dolor a un cuerpo sin llegar a matarlo. Y cien más que te harán desear la muerte. Seguro que alguna de ellas te hará soltar la lengua.

Vachon se puso en pie torpemente en el rincón del cuarto de baño, con los calcetines empapados en sangre, patinando sobre la superficie vidriosa del suelo.

—¿La Orden vale el precio que habrás de pagar si te cruzas con Dragos? Estarás poniendo una diana muy grande en tu espalda si te atreves a traicionar al creador que te dio la vida, asesino.

Cazador negó con la cabeza.

—Dragos no es un creador. Es un destructor. Es un cobarde y un loco, que asesina inocentes y tortura niños y mujeres indefensas. Dragos y todos aquellos que le son leales pronto estarán muertos. En cuanto a ti, Henry Vachon, para mí será más que una pequeña satisfacción encargarme personalmente de poner fin a esa vida tuya que no vale nada.

La expresión del macho flaqueó un poco, una arruga se formó en el centro de su frente.

—¿Yo? ¿Qué te he hecho yo?

—No se trata de lo que me has hecho a mí, sino de lo que le has hecho a ella —respondió Cazador, encontrando extrañamente difícil evitar la ira en su voz.

—¿Esa chiquilla de los Bishop? —Vachon pareció genuinamente sorprendido, pero solo por un momento. Su sonrisa era perversa, una mueca soez en su boca—. Ah, sí. Has estado olfateando debajo de sus faldas, ¿verdad? Un macho tendría que ser ciego y estúpido para no ansiar un poquito de eso. Incluso un macho como tú, criado para ser más máquina que carne.

Cazador sintió un fulgor ardiente en su corriente sanguínea, pero se negó a morder el anzuelo. Que Vachon pensara de él lo que quisiera; su opinión, como su misma existencia, no tenía ningún sentido.

—Dragos planea un ataque contra la Orden. Vas a decirme cuándo, dónde y cómo tendrá lugar este ataque.

Vachon se limitó a mirarlo fijamente, con un brillo perturbador en sus ojos oscuros.

—¿Ya te la has tirado, asesino? ¿O solo ansías hacerlo?

—Había un localizador metido en el estómago de un civil —continuó Cazador, ignorando la provocación, aunque la idea de que aquel despojo hablara de Corinne con esa crudeza le hacía apretar la mandíbula—. Si Dragos pretende usar ese localizador para llegar hasta los cuarteles de la Orden, ¿lo que intenta es invadir el recinto o ejecutar algún tipo de destrucción?

—Es un buen pedazo de culo, esa tía —ronroneó Vachon—. Créeme, puedo entender que una mujer como esa revuelva la cabeza de un macho, que lo haga olvidarse de quién es y qué es realmente. Cuánta disciplina debe de necesitarse para resistir la tentación de colarse dentro de un chocho tan caliente y ceñido y...

—No hables de ella —le espetó Cazador, atónito ante el acceso de rabia que sentía subir por su columna. Los ojos le ardían dentro del cráneo y la visión se le nublaba con una furia ámbar. Trató de hablar y se sorprendió al sentir la presencia de sus colmillos, sus puntas como cuchillas contra la lengua. Miró a Henry Vachon con rabia asesina—. Estás muy por debajo de ella. Demasiado debajo como para ni tan siquiera atreverte a mencionar su nombre, asqueroso hijo de puta.

—¿Debajo de ella? —A Cazador no le gustó la risita divertida que salió de los delgados labios de Henry Vachon—. He estado encima de ella y detrás de ella. Más de una vez. Dragos y yo hicimos turnos la noche que la cogimos en ese club de Detroit. Animada como una pequeña guarra. Luchó como un demonio. Luchó todo lo que pudo durante años antes de que la encerráramos junto con las otras, por más que no le valió de nada.

Las espantosas palabras, la abominable verdad de lo que estaba oyendo, quebró el último y frágil hilo de control que Cazador mantenía. Saltó sobre Henry Vachon, golpeando al hombre contra la pared y quebrando por el impacto la superficie de mármol pulida. No se dio cuenta de lo cegado que estaba por el odio en aquel momento.

No se dio cuenta de cómo se entregaba a la explosión de su rabia hasta que sintió el sabor de la sangre en la lengua y vio que tenía el cuello de Vachon agarrado entre los dientes y los colmillos.

Con un crudo alarido, Cazador hundió las mandíbulas en lo profundo de la carne y los tendones vulnerables. Sacudió la cabeza, desgarrando la garganta del vampiro y silenciando sus ofensivas palabras definitivamente.

Había sangre por todas partes... en sus ojos, en su pelo. Resbalando por su barbilla. La sintió como un amargo veneno deslizándose por su esófago.

Contempló la profanación, el salvaje horror del cuerpo agonizante de Vachon, que aún se retorcía, todavía sostenido por sus sangrientas manos. La cabeza se le nubló por unos segundos. Acudieron imágenes a su mente.

Vachon, agarrando con un puño el largo cabello de Corinne, sujetándola y violándola. Era tan vívido, tan condenadamente real.

La furia se desató en él. Echó la cabeza hacia atrás y bramó mientras otra oleada de imágenes frescas inundó su visión. Vachon y Dragos, observando al Antiguo que estaba encadenado y drogado sobre una larga mesa del laboratorio. No muy lejos había una jaula con unas dos docenas de mujeres, todas las compañeras de sangre prisioneras gritando y sollozando mientras una de ellas era sacada de allí por un secuaz y llevada hasta la mesa igual que un sacrificio oficiado en el altar.

Cazador gruñó, enfermo al darse cuenta de las cosas de las que estaba siendo testigo.

¿Pero cómo era posible?

Otra imagen golpeó su mente. Esta vez era Vachon supervisando el traslado del pesado equipo del laboratorio en la parte trasera de varios transportadores de carga bajo el abrigo de la noche oscura. Embalaje tras embalaje eran cargados en los camiones que había a la espera, mientras Dragos iba dando su aprobación.

Maldito infierno.

Eran los recuerdos de Vachon.

Recuerdos grabados en su sangre.

Cazador todavía podía sentir el horrible sabor en la punta de la lengua. Sintió que su don se abría paso en su interior, revelándose para él por vez primera. La sangre, la sangre de la estirpe, le otorgaba el poder de descubrir los recuerdos de otros.

Dios bendito.

¿Aquel era el don que había eludido toda la vida? Se sintió enfermo al descubrirlo.

Quería escupir de la boca el gusto amargo de la sangre de Vachon. En lugar de eso, se aferró a la garganta desgarrada del vampiro y bebió un poco más.

Capítulo veintidós

Chase marcó el número en el teclado de un teléfono público de la ciudad por tercera vez. Y luego, por tercera vez también, profirió un insulto y puso el auricular en su sitio antes de que el teléfono tuviera la oportunidad de sonar al otro lado de la línea.

—Joder —murmuró, pasándose los dedos por encima de la cabeza, donde una migraña llevaba atormentándolo casi toda la noche.

Sabía cuál era la fuente del dolor de cabeza. Sentía el mismo dolor penetrante en el estómago, urgiéndolo a olvidar la llamada que parecía incapaz de hacer y dirigir la atención hacia algo más productivo.

Su cuerpo se sacudía con la necesidad de alimento. Trató de ignorar el tintineo en sus venas, ese golpeteo en lo más profundo de su interior que llevaba sus nervios al límite, llenándolo de preocupación y nerviosismo. Al menos sus colmillos se habían retraído. Su mirada ya no arrojaba rayos ámbar sobre la mugre de ese oscuro rincón de la ciudad donde estaba parado, y el acero cromado de la cabina de teléfono ya no le devolvía el reflejo de sus ojos de gato.

Al menos no estaba absolutamente perdido. Aunque se retorciera en sus ardores y su hambre no disminuyera, no había caído en la lujuria de sangre. No era un renegado, no todavía.

Sin embargo, iba por mal camino y lo sabía.

Pero no estaba tan mal como para no reconsiderar todo lo que Murdock había confesado y sentir escalofríos ante sus implicaciones y lo que podía significar para la Orden.

Levantó de nuevo el auricular y marcó el número de la línea segura de Gideon en el recinto. Contuvo la respiración mientras se realizaba la conexión y el teléfono empezaba a sonar. A la mitad del segundo tono, la llamada fue atendida.

—Sí.

Chase frunció el ceño, fuera de juego al oír una voz profunda que no tenía el acento británico familiar de Gideon. Comenzó a responder, pero las palabras le salían oxidadas, tenía la garganta reseca y le ardía por la sed que trataba de ignorar. Tragó saliva para liberarse de esa sensación de serrín y lo intentó de nuevo.

—Tegan... ¿eres tú?

—Harvard. —Fue la respuesta seca del guerrero de la primera generación al otro lado. No era un saludo. Ni siquiera sonó amistoso—. ¿Qué demonios es lo que quieres?

La actitud no era inmerecida, pero igualmente dolía. Chase tomó aire y lo dejó escapar lentamente.

—Me sorprende oírte a ti en el despacho de comunicación, Tegan —dijo, esperando romper algo del hielo que había al otro lado—. Normalmente a Gideon no le gusta que nadie juegue con sus juguetes en el laboratorio de tecnología.

—Te lo diré otra vez, Harvard. ¿Qué es lo que quieres?

Así que el hielo no se había roto en absoluto. Debería habérselo imaginado. Después de todo, él fue quien había abandonado la Orden. Nada decía que tuvieran que admitirlo de vuelta, demonios, y ni siquiera que tuvieran que reconocer que existía. Chase se aclaró la garganta seca.

—Necesito hablar con Lucan. Es importante.

Tegan gruñó.

—Mala cosa. Yo soy lo único que tienes ahora mismo. Así que empieza a hablar o deja de hacerme perder el tiempo.

—Encontré a Murdock —soltó.

—¿Dónde?

—Eso ahora no importa. Está muerto. —Unos metros más allá en la calle, una prostituta de altas horas subió a la acera y comenzó a caminar hacia Chase con tacones de aguja rojos. Su chaqueta corta de invierno llevaba la cremallera bajada, dejando ver las piernas y el escote y demasiada garganta desnuda para el delicado estado mental de Chase. Apartó la vista de ese comida potencial en tacones y apretó la frente contra el metal frío de la cabina de teléfono—. Murdock me ha dado información que Lucan va a querer oír. No es buena, Tegan.

El guerrero soltó un rudo insulto.

—Nunca creí que lo fuera. Dime lo que sabes.

—Dragos está desarrollando su plan. Según me ha contado Murdock, tiene secuaces en las agencias de la ley locales. Por lo visto también los tiene entre los políticos locales. Murdock mencionó algo acerca de ese nuevo senador que acaba de ser elegido.

—Mierda —dijo Tegan—. No me gusta cómo suena nada de esto.

—Cierto —admitió Chase—. Pero eso no es lo peor. Murdock me dijo que Dragos está empeñado en acabar con la Orden. Habla de usar una especie de caballo de Troya. Tengo la mala sensación de que tiene algo que ver con los Archer y su llegada al recinto la semana pasada.

—Ya puedes decirlo —señaló Tegan, con expresión apática—. Nuevas noticias para ti, Harvard. Después de tu desaparición hace algunas noches, el chico vomitó un aparato de rastreo. No recuerda de dónde viene ni quién se lo metió dentro. Sus captores lo golpearon hasta hacerlo caer inconsciente poco después del secuestro, probablemente le obligaron a tragárselo en ese estado.

—Mierda —soltó Chase—. Así que Murdock tenía razón. Y ahora Dragos conoce la localización del recinto.

—Eso parece —respondió Tegan.

—¿Cuál es el plan entonces? ¿Cómo planea Lucan manejar la situación? No podéis quedaros allí esperando a que Dragos haga un movimiento...

Chase se dio cuenta de que el silencio se alargaba al otro lado de la línea. Tegan estaba escuchando, pero su falta de respuesta parecía demasiado deliberada como para malinterpretarse.

—Lo que vayamos a hacer solo es asunto de la Orden, amigo mío.

No había animosidad en la información, pero lo que el guerrero señalaba estaba claro. Era asunto de la Orden. Y Chase ya no tenía lugar en la discusión de esos asuntos.

—A menos que llames porque quieres regresar —continuó

Tegan—. Si lo haces, estás avisado. Probablemente tendrás que poner en juego tus sofisticadas habilidades como abogado para convencer a Lucan. Y lo mismo con Dante... él está más decepcionado contigo que cualquier otro.

Con los ojos cerrados ante la merecida reprimenda, Chase dejó caer la cabeza y soltó un largo suspiro. La última cosa que Dante necesitaba era tratar con toda esta basura cuando a su compañera le faltaban apenas unas semanas para dar a luz.

—¿Cómo están él y Tess? —murmuró Chase—. ¿Ya han pensado un nombre para el niño?

Tegan guardó silencio durante un largo momento.

—¿Por qué no regresas a los cuarteles y les preguntas tú mismo?

—No —replicó Chase, su boca puesta en piloto automático mientras levantaba la cabeza y miraba a los drogadictos y prostitutas, perdedores todos, que merodeaban por las destartaladas calles en esa cloaca que era el distrito bajo de Boston—. Ni siquiera estoy en la ciudad. No estoy seguro de dónde me dirijo...

Tegan lo interrumpió con un insulto por lo bajo.

—Escúchame, Harvard. Estás jodido. Los dos sabemos qué está pasando, así que una advertencia: no me tomes el pelo. Tienes un problema serio. Tal vez hayas caído tan adentro que no sepas cómo salir, pero el hecho de que estés hablando conmigo ahora, el hecho de que estés ahí, debatiendo si estás cuerdo o a punto de traspasar la frontera, indica que todavía tienes una oportunidad de salir de toda esa mierda. Puedes regresar, pero tendrás que hacerlo antes de que sea demasiado tarde para poner las cosas en su sitio.

—No lo sé —murmuró Chase. Una parte de él quería agarrar la rama de olivo que se le ofrecía con ambas manos y no dejarla escapar. Pero había otra parte de él que se oponía a la necesidad de amistad y de perdón. Esa parte de él no podía dejar de mirar a la joven demasiado bien dispuesta que había aparcado ahora su culo con minifalda contra la pared de ladrillo rojo del edificio que había frente a él. Ella también lo estaba observando, sin duda con la suficiente experiencia como para advertir el interés que había en sus ojos caídos.

—Chase —comenzó Tegan, pronunciando su nombre

como una exigencia mientras los segundos sin respuesta se estiraban—. Tienes una elección seria que hacer, amigo. ¿Qué quieres que le diga a Lucan?

La puta le hizo un gesto con la cabeza y comenzó a caminar de manera provocativa. Chase sintió un gruñido creciendo en el fondo de la garganta a medida que ella se acercaba. El hambre que acechaba tan cerca de la superficie de su conciencia se avivó a pesar de sus mejores esfuerzos por apisonarla. Las encías le latieron porque sus colmillos emergían de nuevo.

—Maldita sea, Chase. —Ya estaba apartando el auricular de la oreja cuando la profunda voz de Tegan vibró a través del plástico del aparato—. Te estás cavando tu propia tumba.

Chase colgó el auricular en su receptáculo, y luego se dispuso a llevar a la mujer entre las sombras junto a él.

Cazador corría a toda velocidad a través de Nueva Orleans, con la cabeza todavía zumbando por el bombardeo de recuerdos recogidos a través de la sangre de Henry Vachon. Había visto cosas espantosamente increíbles. Acciones aterradoras emprendidas con la aprobación de Dragos y también con el consentimiento de la voluntad enferma del propio Vachon.

Cazador necesitó hacer acopio de toda la férrea disciplina aprendida para continuar evocando los peores de esos recuerdos… aquellos que involucraban a la joven inocente Corinne, la violación y el tormento que había sufrido en manos de ambos machos de la estirpe la noche en que había sido secuestrada. Cazador concentró su atención en un tipo de recuerdos de Henry Vachon diferentes, aquellos recuerdos finales de la vida del vampiro.

Al expirar su último aliento, y Cazador se aseguró de que ese momento transcurriera en suprema agonía, Vachon reveló la localización de una instalación de almacenaje en el vecindario de Metaire… la instalación donde, en los pasados meses, Vachon había entregado algunos de los contenidos del laboratorio que Dragos había tenido que desmontar apresuradamente.

El edificio de ladrillo blanco estaba situado en una esquina junto a un estacionamiento cerca de la autopista y la vía del ferrocarril, con una manzana de bloques de apartamentos de dos pisos al otro lado de la calle y a su lado la sede vacía de una empresa. Iluminado por la luna, Cazador se movió silenciosamente sobre el asfalto agrietado del estacionamiento que formaba parte de la zona de almacenaje, dejando atrás varios camiones de alquiler y caravanas que compartían la delgada luz amarillenta de una solitaria lámpara de seguridad montada sobre un poste. El lugar estaba cerrado durante la noche, con las puertas de cristal frontales cerradas por dentro con una plancha de metal.

Cazador dio una vuelta alrededor del lugar, pasando por delante del circuito de la cámara que vigilaba desde una esquina superior del edificio. Hacia la mitad del edificio, había una puerta metálica con un rótulo que decía NO ENTRAR, y por ahí pudo acceder fácilmente a las instalaciones. Cazador agarró el pomo de la puerta y lo giró hasta que el mecanismo de cierre se rompió. Se deslizó en el interior y se dirigió hacia el número de la unidad que los recuerdos de Vachon le habían indicado.

Estaba localizado en un extremo lejano del pasillo interior de las instalaciones. Cazador hizo un trabajo rápido con el candado industrial, rompiéndolo con un tirón firme. Abrió la puerta ondulada de metal y se deslizó dentro de la caja de tres metros por cinco. Al cruzar el umbral, notó una débil vibración en el interior del oído y al mirar al suelo comprobó que su pie había pisado un sensor de alarma silenciosa de movimiento. No tendría mucho tiempo antes de que alguien respondiera a la alerta.

Afortunadamente, no había mucho que ver en el interior de la unidad. Había una caja fuerte ignífuga justo al pasar la entrada. Hacia el fondo, un par de cilindros bajitos y redondos de acero inoxidable llevaban encima el tapón de vacío de sello hidráulico que parecía un volante de metal pulido. Reconoció los contenedores de los recuerdos que había reunido de Henry Vachon, pero hubiera sabido cuál era su propósito incluso sin la ayuda de su don.

Contenedores de material criogénico.

Estaban conectados a un suministrador de energía portátil y su temperatura interna era de menos ciento cincuenta grados centígrados. Cazador desenroscó la junta del contenedor más cercano y levantó la pesada tapa. Nubes heladas de nitrógeno líquido flotaban en la superficie. Cazador las apartó y miró dentro de los numerosos viales almacenados en el interior del congelador. No necesitó sacar ninguno de ellos para saber que contenían células y muestras de tejido, todas originarias del laboratorio secreto de Dragos.

Los resultado físicos de experimentos y probablemente pruebas genéticas, cosas que Cazador solo podía adivinar al contemplar los numerosos viales que formaban varias capas dentro del contenedor.

Tan atónito como asqueado, Cazador dirigió la atención a la caja fuerte. Abrió la pequeña puerta y encontró una pila de carpetas de papel y fotografías, junto con un puñado de discos duros portátiles.

Tenía que poner ese material —todo lo que había en la unidad de almacenaje de Vachon— en manos de la Orden.

Con esa meta en la cabeza, fue hasta la zona del aparcamiento adyacente y manipuló los cables de encendido de uno de los camiones de mercancías aparcado en la oscuridad. Lo condujo hasta una entrada lateral y lo dejó allí aparcado para regresar corriendo a la unidad donde recogería los contenidos.

Ya había guardado la caja fuerte y uno de los contenedores de material criogénico y estaba a punto de ir en busca del otro cuando se dio cuenta de que no estaba solo. La alarma silenciosa al parecer había sido recibida directamente por Dragos, si el asesino de la primera generación agachado en posición de lucha que había junto a la camioneta abierta era una prueba de ello.

El gran macho se impulsó y saltó hacia delante, una figura borrosa de pies a cabeza contra la oscuridad de la noche. Chocó contra Cazador y los dos acabaron dentro del camión. Se golpearon contra el contenedor criogénico, el acero inoxidable sonó como una campana por la fuerza del impacto.

Cazador atacó con fuerza, golpeando el estómago del asesino con un hombro. El macho cayó de espaldas, pero se quedó en el suelo tan solo un segundo antes de ponerse en pie de nuevo y acercarse a Cazador sosteniendo con fuerza una daga en la mano.

Tuvo lugar una lucha despiadada. Cazador vio aparecer una

oportunidad cuando el asesino, al esquivar uno de sus golpes, dejó la cabeza y el cuello al descubierto. Cazador llevó el borde de la mano a la laringe del otro macho, con un golpe letal que hizo crujir la tráquea del vampiro. El asesino jadeó y se quedó pasmado por un instante, luego dirigió una mirada asesina a Cazador y cargó contra él con su cuchillo.

Cazador lo apartó con un golpe del brazo. Giró rápidamente el codo hasta envolver con la mano la muñeca del asesino. El movimiento hizo que el antebrazo del asesino se desplomara con un fuerte chasquido sobre el muslo de Cazador, quebrándose en el acto y quedando completamente inútil. Mientras el cuchillo caía al suelo del camión y el asesino se tambaleaba hacia delante, Cazador agarró con fuerza el collar negro de rayos UVA y golpeó la cabeza del vampiro de la primera generación contra el borde del contenedor de material criogénico.

La sangre salió a chorros por el golpe castigador. Pero el asesino no estaba dispuesto a rendirse todavía. Dio un puñetazo a la rótula de Cazador, un golpe que lo habría tirado al suelo de no ser porque lo vio venir. Respondió con una violenta patada contra el asesino, y giró hacia atrás para dar un fuerte tirón a la tapa del contenedor de nitrógeno líquido. Se desenroscó y Cazador lo abrió. Antes de que el asesino pudiera recuperar su posición, Cazador lo levantó del suelo. Le metió la cabeza dentro del contenedor helado y luego puso la tapa encima dejándolo apresado.

Tras unos pocos minutos el vampiro dejó de luchar. El cuerpo cayó lánguido, los brazos y las piernas inmóviles en medio del aire helado que continuaba esparciéndose por el suelo formando una nube blanca.

Momentos más tarde, Cazador levantó la tapa. La cabeza del asesino había quedado helada, con la mandíbula abierta, los labios azules y unos ojos que no veían llenos de cristales de hielo incrustados. Cazador empujó el cadáver a un lado. Cayó a sus pies haciendo un ruido sordo, el grueso collar negro que envolvía su cuello se rompió en pedazos que se dispersaron.

Retomando la tarea interrumpida, Cazador fue en busca del segundo contenedor criogénico y lo cargó dentro del camión.

Capítulo veintitrés

Corinne oyó un ruido en la habitación de invitados cuando salía del baño en el refugio.

—¿Amelie? —llamó desde detrás de la puerta entreabierta. Tenía que ser más de medianoche, pero Corinne estaba demasiado ansiosa para poder dormir—. Solo un segundo. Salgo enseguida.

Desdobló la ropa que su anfitriona le había entregado y se la puso, manipulando con destreza la faja cinturón del grueso vestido de felpilla rosa que parecía de terciopelo y olía a algodón secado al sol. Tras asegurarse de que las cicatrices de su cuerpo quedaban cubiertas, abrió del todo la puerta del baño y salió al dormitorio.

No era Amelie.

Era Cazador, cubierto de sangre. Tenía moratones en sus afiladas mejillas. Sus manos, a los lados, formaban puños, y tenía los nudillos llenos de rasguños y contusiones. Nunca lo había visto de una forma tan bruta, tan impregnado de la sucia violencia que requería su profesión.

—Dios mío —susurró ella, avanzando hacia él conmocionada y preocupada—. Cazador... ¿estás bien?

—La sangre no tiene importancia. No es mía —dijo, sin mostrarse afectado, con la voz tan calmada como siempre.

Cuando comenzó a quitarse el abrigo de cuero manchado de sangre, Corinne se apresuró a ayudarlo.

—Las botas también —le dijo, viendo la sangre que también las cubría.

Mientras él se inclinaba para desabrocharse una, ella se agachó a desabrochar la otra. Sintió que él la observaba con un extraño silencio, más extraño que aquel que lo caracterizaba por ser hombre de pocas palabras. Ahora parecía estudiarla; su mirada caída, de un dorado intenso, tenía un aire enigmático, pero con un matiz de suavidad que ella no le había visto nunca antes.

—Me llevaré esto —dijo ella, cogiendo sus grandes botas de combate en una mano y el largo abrigo de cuero en la otra—. Ven conmigo.

Ella se dio la vuelta para llevarlo todo al cuarto de baño, y Cazador la siguió. Dejó el abrigo y las botas en la bañera, y luego cogió uno de los trapos de limpiar que había doblado detrás de la base del inodoro. Lo puso bajo el grifo de la bañera y lo empapó con agua caliente mientras Cazador permanecía de pie junto al lavabo, cerca de la puerta.

Ella había estado preocupada por él toda la noche, enfadada porque había salido sin decírselo. La asustaba que hubiera ido a hacer un trabajo peligroso para la Orden y lo acabaran matando. Ahora solo podía mirarlo aliviada porque había vuelto de una pieza, aunque pareciera que hubiera tenido que atravesar una zona de guerra para llegar hasta allí.

Se sentó en el borde de la bañera y observó cómo él abría el grifo de agua fría del lavabo y se limpiaba la cara. Cuando hubo acabado, tomó varios sorbos de agua, se enjuagó y la escupió. Lo hizo una y otra vez, como si hubiera un sabor del que no lograra desprenderse por más que lo intentara. El agua le corría por la barbilla cuando la miró, y los marcados ángulos de su rostro parecían aún más severos por los focos de luz del lavabo que tenía sobre la cabeza.

—Tu camisa está echada a perder —dijo ella, observando que el tejido negro de su traje de combate también estaba empapado de sangre. Caminó hasta él y colocó el trapo húmedo sobre el borde del lavabo. Él no dijo nada mientras ella le levantaba el dobladillo de la camisa pegajosa y sangrienta, dejando al descubierto los dermoglifos que cubrían su torso, sus hombros y su pecho musculoso. Se apartó cuando ella se puso a llenar el lavabo de agua fría y metía allí la camisa. Mientras ella hacía esto, él cogió el trapo y empezó a limpiarse. Luego dejó caer el trapo acartonado dentro del lavabo junto a la camisa.

—Has encontrado a Henry Vachon. —No era una pregunta, porque el hecho parecía bastante evidente mientras el agua del lavabo se tornaba roja. Alzó la vista hacia Cazador y se encontró con un asentimiento sombrío—. ¿Lo has matado?

Ella esperaba una confirmación llana, una afirmación desapasionada, que era lo habitual cuando respondía a su modo guerrero. En lugar de eso, Cazador se acercó a ella y tomó con suavidad su rostro entre las manos, inclinó la cabeza hacia ella y la besó con un cuidado que le robó el aliento. Cuando su boca finalmente dejó la de ella, la miró a los ojos con una tranquila pero feroz intensidad.

—Henry Vachon nunca volverá a hacerte daño.

Corinne no pudo evitar que su cuerpo se derritiera ante el tierno beso de Cazador. Su corazón se derritió un poco también, calentándose por el cuidado con que él la tocaba y por la manera en que sus fascinantes ojos dorados le sostenían la mirada tan cálidamente. Quería demorarse en el placer de ambas cosas, pero un nudo de terror se le estaba formando en el estómago.

Vachon estaba muerto. El hecho de que uno de los monstruos de las peores pesadillas de su vida ya no respirara debería ser una buena noticia para ella. Y lo era, pero con la muerte de Henry Vachon, su conexión con Dragos, la única que Corinne tenía para encontrar a su hijo, se rompía también.

Reluctante, se apartó de las tiernas manos de Cazador.

—¿Lograste sonsacarle alguna información acerca de Dragos o de su operación?

Cazador asintió con gravedad.

—Tras dejar la finca de Vachon, encontré un almacén en la otra parte de la ciudad. Había en el interior un equipo de laboratorio, así como una caja fuerte con discos de ordenador y archivos con fotografías y notas del laboratorio.

La esperanza prendió en su interior ante aquel pensamiento.

—¿Qué tipo de archivos? ¿Qué tipo de equipo? ¿Dónde está el almacén? Tenemos que ir allí. Tenemos que mirar todo lo que podamos. Podríamos encontrar algo que nos condujera hasta Dragos.

Cazador asentía mientras ella hablaba.

—Lo saqué todo de la unidad. Está en el maletero de un camión que he escondido cerca de la ciénaga, detrás de la casa. Tienes razón. Puede haber pistas útiles que conduzcan a la Orden hacia Dragos. Pretendo llevar todo ese material a Boston lo antes posible.

Más que nada en el mundo, Corinne ansiaba correr de forma impetuosa a buscar el camión que Cazador había mencionado y revisar todo lo que encontrara. Estaba segura de que la llave para localizar a su hijo se hallaba en alguna parte de esas grabaciones del laboratorio y en esos archivos. Tenía que hacerlo, o perdería una oportunidad preciosa de saber quién era su hijo.

Alzó la vista hacia Cazador, sabiendo que lo había engañado al ocultarle la verdad acerca de su hijo. Miró su honesta e intensa mirada y sintió la misma comezón de culpa que había sentido horas antes aquel día. Él la besó de nuevo, y la culpa que ella sentía empeoró, más angustiosa por el hecho de que Cazador estuviera siendo tan tierno y amable con ella.

Corinne bajó la mirada al suelo, avergonzada y asustada.

—Hay algo que debes saber —dijo suavemente—. Algo que te debería haber contado antes. Debería haberte contado lo que me pasó mientras estaba en la prisión de Dragos, pero me daba miedo. Necesitaba asegurarme de que podía confiar en ti…

—Sé lo que te hicieron. —Ella sintió vibrar en sus propios huesos la profunda voz del macho. Le cogió la barbilla y la miró a los ojos una vez más—. Sé lo que te hicieron Dragos y Vachon la noche en que te secuestraron. Sé cómo te violaron.

Esa no era la verdad que ella quería revelarle, pero Corinne sintió que al respirar le ardían los pulmones. Estaba confundida, horrorizada. Le enfermaba pensar que Cazador estuviera al tanto de su más profunda humillación. Había querido morir esa noche; una parte de ella había querido morir entonces, su inocencia robada en un espantoso momento. La voz le tembló un poco.

—¿Cómo puedes saber…?

—Vachon. Alardeó de ello justo antes de que lo matara. —Destellos ámbar aparecieron en los ojos dorados de Cazador mientras hablaba—. Le desgarré la garganta con los dientes y colmillos. No pude controlar mi rabia cuando me di cuenta de lo que aquel sádico hijo de puta te había hecho... y que además lo había disfrutado.

Corinne escuchó su explicación de lo que había hecho, distrayéndose momentáneamente de la confesión que todavía no había realizado. Le costaba creer que el rígido e impecablemente disciplinado guerrero que ella conocía admitiera haber perdido el control.

Y más con algo que tuviera que ver con ella.

—Estoy seguro de que padeció una muerte dolorosa —continuó Cazador—. Quise hacerlo sufrir. Quise hacerlo sangrar.

Y lo logró, pensó Corinne, más que horrorizada, atónita por la profunda violencia que Cazador había infligido al otro macho. Había llegado prácticamente bañado en la sangre de Vachon, por la pinta que tenía minutos antes.

—Fue su sangre lo que me sirvió para ver lo que había hecho, Corinne. Vi toda la culpa de Henry Vachon, todos sus secretos. Su sangre me lo mostró todo.

Ella frunció el ceño, sin comprender muy bien lo que le estaba diciendo.

—No te entiendo.

—Y yo tampoco lo entendía, no hasta esta noche —dijo Cazador—. Cuando hundí los dientes en el cuello de Vachon, tragué algo de su sangre. Nunca me había pasado antes, nunca había ingerido sangre de la estirpe. En cuanto esta se deslizó por mi garganta, sus recuerdos me asaltaron.

—Eres un lector de sangre —respondió ella—. ¿Nunca supiste que esa era tu habilidad?

Él negó con la cabeza.

—Dragos se aseguró de que todos sus asesinos supieran lo menos posible acerca de su herencia o de las cosas que los diferenciaban y los hacían únicos. Yo no he sido consciente de mi talento hasta que la sangre de Vachon lo ha despertado.

Y ahora él sabía la degradación sufrida por ella. Dios santo, ¿era posible que hubiera visto todos los golpes y violaciones? ¿Habría visto cómo fue desnudada y vapuleada, sometida a soportar torturas inauditas junto a las otras prisioneras atrapadas en las celdas de Dragos?

Corinne se apartó de Cazador, sintiéndose expuesta. Se sentía sucia y avergonzada, cohibida al saber que él conocía la espantosa experiencia traumática que no estaba preparada para afrontar. Se fue al dormitorio, pues necesitaba espacio para recobrar la respiración y organizar sus pensamientos.

No se dio cuenta de que Cazador la había seguido hasta que notó sus manos cálidas desde atrás, para ir a descansar suavemente sobre sus hombros. Le hizo darse la vuelta para mirarla. No le ofreció palabras, simplemente la envolvió con sus brazos, sosteniéndola contra el calor y la fuerza de su cuerpo.

Corinne se aferró a él, demasiado necesitada de la sólida protección de sus brazos como para negarse el consuelo de sentirlo tan cerca. Cazador inclinó la cabeza y llevó la boca a sus labios. La besó, uniendo lentamente sus labios a los de ella. Su pecho desnudo era cálido y aterciopelado bajo las palmas de sus manos. Sintió el débil diseño en relieve de sus dermoglifos, y la aceleración de su corazón latiendo bajo las redondeadas yemas de sus dedos.

Ella se separó de su beso para mirarlo a los ojos. Sus iris dorados tenían un brillo ardiente color ámbar, sus pupilas se estrechaban rápidamente mientras su respiración se aceleraba por el calor del deseo.

Ella sabía dónde conduciría aquello. Para su completa sorpresa, ese pensamiento no la aterrorizó tal como esperaba. Pero no podía fingir que estaba preparada, o que sabía cómo tocarlo, cómo comportarse con él, del mismo modo que lo haría cualquier otra mujer.

Él la besó de nuevo, y ella notó el suave roce de sus colmillos en los labios. Bajo las manos de ella, sus glifos latían con viveza, y su respiración se hacía cada vez más rápida.

—Cazador, espera... —No lograba encontrar las palabras, pero necesitaba que él entendiera lo que significaba para ella estar con él—. Nunca he hecho esto antes. Tú sabes lo que me pasó mientras estaba... —No podía decirlo. No podía pronunciar las palabras que permitirían que Dragos y sus enfermizas acciones contaminaran aquel momento que únicamente les pertenecía a ella y a Cazador—. Tienes que entender que yo nunca he... nunca he hecho el amor.

Él la miró fijamente, con un matiz oscuro y posesivo en su mirada ámbar y dorada.

—Y yo tampoco. —Sacudió lentamente la cabeza mientras

le acariciaba suavemente la mejilla—. No ha habido ninguna mujer antes, nunca.

Corinne tragó saliva, muda ante la impresión, por un momento.

—¿Nunca?

La caricia de él le recorrió la barbilla y luego los labios.

—La intimidad estaba prohibida. Era un signo de debilidad querer contacto físico. Era una flaqueza desear cualquier cosa, especialmente placer. —La volvió a besar, y un gruñido grave retumbó en lo profundo de su pecho—. Nunca supe lo que era anhelar el tacto de una mujer. O ansiar el beso de una mujer.

—¿Y ahora lo sabes? —le preguntó ella vacilante.

—Desde que te conocí, Corinne Bishop, no he pensado en nada más.

Ella no pudo contener una sonrisa al escuchar esa confesión, a pesar de que él lo decía con no poco atolondramiento. Tal vez incluso con un trazo de fastidio. Ella se acercó y entrelazó los dedos en su nuca. Él le siguió la iniciativa e inclinó la cabeza para atraparla en otro profundo beso. Esta vez fue ardiente. Ella sintió su pasión en el ansia con que cubría su boca y en la erótica exigencia de su lengua mientras esta recorría el filo de sus labios, metiéndose dentro tan pronto como ella los separó para respirar.

Ella se movió con él, dejándole que la llevara a la cama. Él apartó las mantas y la colocó sobre el colchón, y luego se tumbó a su lado. Con los labios todavía unidos y las manos explorándose mutuamente con ávido interés, Corinne notó que los dedos de él recorrían una de las cicatrices que tenía en el torso. La mayoría se habían curado con la ingesta obligada de la sangre del Antiguo, pero había otras heridas infligidas con la intención de que fueran permanentes. Heridas que tenían la función de quebrar el espíritu de la joven mujer que luchó contra su sumisión durante más tiempo del que le convenía.

—No… —susurró ella, con la voz ahogada y ansiosa—. Por favor, Cazador… no las mires. No quiero que veas todas las cosas feas de mí. No esta noche.

Ella esperaba notar cómo él apartaba la mano de sus horribles marcas, pero en lugar de eso la dejó allí. Se incorporó sobre un codo y lentamente la acarició de la cabeza a los pies. Su ardiente mirada se tomó un tiempo estudiando las cicatrices dejadas por la tortura con frecuencias eléctricas y los distintos castigos que habían tenido lugar a veces durante semanas interminables.

Ella sabía lo horrible que debía parecerle, pero Cazador la miraba con abierta admiración, como si ella fuera lo más precioso que había visto en su vida.

—Nada tuyo me resulta carente de atractivo —murmuró—. Las cicatrices son solo eso, cicatrices. Tu cuerpo es suave y fuerte, perfecto para mí. Nunca me cansaría de mirarte. Sé que nunca podría cansarme de tocarte así.

Como para enfatizar este punto, bajó la cabeza hacia su torso y besó la parte más imperfecta de la piel. Lentamente, hizo el recorrido hasta su boca y le dio en los labios otro beso doliente y posesivo, un beso ardiente y embriagador.

Sus glifos estaban cobrando ahora un color intenso; el elegante entramado de sus diseños de vampiro de la primera generación se avivaba con colores índigo, dorados y burdeos... los exuberantes colores propios del deseo de la estirpe. Corinne tocó los hermosos remolinos y arcos, recorriendo con los dedos su abdomen, hasta donde las marcas sobrenaturales de su piel desaparecían por debajo de la cinturilla de sus pantalones.

Pasó el dedo por el borde holgado de sus pantalones negros. Notó el calor en la palma de la mano cuando tentativamente la movió un poco más abajo. Junto a su oído, Cazador dejó escapar un gruñido grave. Puso su mano grande sobre las de ella, engulléndola con sus largos dedos, apretándola cuidadosamente contra la dura cresta de su erección.

Ella no sintió aprensión ni inseguridad mientras lo tocaba por encima de la apretada cremallera. Su sexo se notaba enorme, duro como una piedra. Para su sorpresa, aquel pensamiento le produjo una sensual excitación, y no el sobresalto de pánico que ella temía porque lo arruinaría todo.

Cazador hundió la boca en el recodo de su cuello, enloqueciéndola con la lengua mientras ella se tomaba su tiempo para explorar la anchura y la sensación de su sexo a través de la delgada barrera de ropa. Notó que la mano de él se desviaba tentativamente entre sus piernas, hasta tomarla con la palma para amasarla suavemente. El placer se desplegó profundamente en su interior, propagando un delicioso calor que le llegaba hasta las yemas de los dedos y las puntas de los pies. De repente, él se movió y al momento sus manos estaban guiando las de ella, ayudándola a desabrocharle los pantalones y a quitarle el resto de la ropa.

Ambos desnudos ahora, estaban tumbados uno al lado del otro, permitiéndose largos momentos para besarse y tocarse sin prisas, acariciándose para aprender cada uno el cuerpo del otro. Corinne podía notar el bulto de acero de su sexo contra la cadera. Este avivaba en ella una ardiente curiosidad, una necesidad de acercarse... de tenerlo dentro, en lo más profundo de su cuerpo.

Sujetó las piernas sobre las de él, juntando sus caderas aún más que antes. Cazador apretaba los dientes, con la mandíbula tan rígida que a ella le extrañó que no se hiciera daño en las muelas. Cuando pasó los dedos por su corpulento hombro, deleitándose en el intenso color que exhibían ahora sus glifos a la estela de su tacto, advirtió que él estaba temblando.

Se estaba conteniendo, dejando que ella marcara el ritmo.

Corinne se inclinó hacia delante y lo besó, usando la lengua para mostrarle que estaba preparada. Que sabía lo que iba a pasar entre ellos ahora y le daba la bienvenida. Cazador gruñó y la apretó contra sí. Su gruesa y larga erección le dio con fuerza entre los muslos.

—Penétrame —susurró ella contra su boca, mientras trataba de guiarlo—. Hazme el amor, Cazador.

La ancha cabeza de su sexo empujó contra su centro, caliente y firme. Ella se movió para recibirla, y luego suspiró con descarado y puro placer cuando él la atravesó en una larga y lenta caricia de su miembro, llenándola completamente. Las lágrimas se acumularon detrás de sus párpados cerrados ante la intensidad de su unión. La sensación la inundó, respondiendo con cada fibra de su ser a la gloriosa invasión. El cuerpo de él estaba rígido como una piedra bajo las manos de ella. Se movía con inmenso control, penetrándola tan cuidadosamente, tan respetuosamente que a ella le entraron ganas de llorar.

Meciéndose dentro de ella, la empujó hacia un goce que nunca había conocido y ni tan siquiera hubiese osado imaginar, y capturó su gemido con un beso sensual. Y entonces ella estalló, con una dulce detonación de placer y emoción que se desató en su interior cuando la ola de su primer orgasmo elevó sus sentidos hasta el cielo con un grito ahogado de liberación.

Cazador se perdió en los dulces sonidos, en el imponente poder de la pasión de Corinne. Ella se sentía tan bien con él envolviéndola; su pequeño cuerpo temblaba y se agitaba, un diminuto temblor tras otro, con cada caricia de su duro miembro cada vez que él bombeaba las caderas contra las de ella. Él nunca había sentido nada tan glorioso. Nunca había imaginado que un placer como aquel fuera posible. En aquel momento lo gobernaba por completo; le exigía que cediera todo su control incluso cuando él quería tomarse su tiempo, hacer que aquel momento se prolongara para poder saborear cada segundo.

Quería ser cuidadoso con Corinne. Quería ser suave con ella después de todos los abusos que había conocido de otros hombres. Y por eso continuó a un ritmo controlado, incluso cuando ella ya se había corrido debajo de él y cada dulce convulsión de su sexo estaba a punto de desencadenar su propio orgasmo. La besó y la acarició, sujetándola con fuerza contra su cuerpo, empujando y retirándose con el máximo esfuerzo de control, hasta que el clímax alcanzó su cima y comenzó a disminuir.

Ella respiró temblorosa cerca de su oído. Luego él sintió un líquido cálido contra la mejilla. Ella se sacudió de nuevo en sus brazos y, a través de la niebla confusa del placer, él advirtió que estaba llorando.

—Corinne —jadeó, apartándose para mirarla con preocupación. Se quedó helado, incapaz de moverse al ver sus lágrimas—. Oh, Dios. Te he hecho daño...

—No —susurró ella con un suave sollozo—. No, no me has hecho ningún daño. Me has hecho sentir algo que nunca antes había conocido, Cazador. Yo no sabía que esto podía ser así. Me sobrecoge lo bien que me haces sentir. Yo no quiero que esto se acabe.

Aliviado al ver que ella estaba bien, la besó y volvió a recuperar el ritmo. Al saber que ella sollozaba de placer ante la unión de sus cuerpos, le entraban ganas de golpearse el pecho y rugir su orgullo a los cuatro vientos. Era un impulso extraño, animal y posesivo y crudo, pero sentía todas esas cosas y más al ver el hermoso rostro de Corinne salpicado de lágrimas y sus labios separados respirando con suaves jadeos mientras él se mecía dentro de ella con largas e indulgentes sacudidas.

Ella gimió cuando él aumentó el ritmo, hundiendo las yemas de los dedos en sus hombros, aferrándolo. Pasó los muslos en torno a sus caderas, envolviéndolo y apretándolo más fuerte contra su cuerpo. Su sexo húmedo lo enguantaba con firmeza, empapándolo por dentro mientras una furiosa ola comenzaba a crecer en la base de su pene.

Él trató de contenerla. Gruñó con toda la fuerza de su voluntad, pero no fue suficiente. El cuerpo de Corinne continuaba apretándolo, conduciéndolo a un ritmo febril que únicamente lo hacía ansiar todavía más. Empujó profundamente con cada dura embestida, más fuerte y más rápido, hasta que la espiral de presión se desató y rugió a través de él como un fuego recorriendo sus venas.

Contuvo un grito que habría agitado la casa, enterrando el rostro en la curva del delicado cuello de Corinne mientras todo su cuerpo se sacudía y convulsionaba ante el primer verdadero orgasmo de su vida, saliendo a chorros como una corriente ardiente de libertad.

Murmuró algo ininteligible mientras su pene sufría espasmos de deliciosa intensidad contra la vaina tirante y firme de su sexo. No pudo evitar soltar un taco, del mismo modo que no pudo impedir la instantánea reanimación que tenía lugar en el interior de ella. Estaba duro otra vez, cada terminación nerviosa alentada y preparada para empezar otra vez.

Los dedos de Corinne recorrían perezosamente su espalda mientras se movía sutilmente debajo de él, con una invitación silenciosa que él no estaba dispuesto a rehusar.

—¿No necesitas un momento para recuperar el aliento? —preguntó ella, con una sonrisa sensual en los ojos.

—Lo único que ahora necesito es más de lo mismo —gruñó él—. Más de ti.

—Yo también lo necesito. —Le rodeó el cuello con los brazos y lo acercó hacia sí para darle un beso largo y embriagador. Cuando su lengua jugó con el borde de sus labios él estuvo perdido.

Cazador empujó profundamente, centímetro a centímetro, llenándola por completo. No hubo control de su deseo por ella ahora. No había disciplina lo bastante dura para mantenerlo a raya ahora que ya había probado el placer verdadero junto a Corinne. Tomó su pecho con la palma de la mano y le devolvió aquel beso febril. Sus lenguas se mezclaron mientras sus cuerpos ondulaban con ritmo compartido, dando y tomando en igual medida.

Ella se corrió primero, jadeando y gimiendo, arqueando la espalda debajo de él mientras apretaba su sexo en una ola de sensación. Él se corrió justo detrás de ella. Se estremeció con fuerza, guiado por una necesidad tan feroz que lo poseía enteramente.

Mientras la abrazaba con fuerza y sentía la ráfaga caliente de su simiente saliendo a chorros dentro de ella, Cazador conoció una dicha que eclipsó todo lo demás. Contempló, solo por una fracción de segundo, la idea de vivir una existencia normal, sin el oscuro pasado que le hacía sombra. Se preguntó —inútilmente, según le advertía su lógica— cómo sería tener a aquella mujer a su lado, experimentar eso que otros guerreros vivían con sus compañeras.

Era una indulgencia peligrosa, un sueño. Pero no más peligrosa que la súbita ráfaga de ese sentimiento protector, esa primitiva necesidad de posesión, que sentía al pensar en Corinne. Había matado por ella esta noche, y volvería a hacerlo sin vacilar si pensaba que podían hacerle daño.

Y en el fondo de su mente, mientras se saciaba con su cuerpo y se consolaba en sus tiernos brazos, se preguntó si, después de todo, no sería él la mayor amenaza para la felicidad de ella.

Capítulo veinticuatro

*D*ante caminaba de arriba abajo por el pasillo junto a la enfermería del recinto, tratando de no pensar en el hecho de que su bella y valiente Tess sufría terribles dolores al otro lado de la puerta. Llevaba de parto toda la noche y ya estaba bien entrada la mañana. Las contracciones no habían hecho más que empeorar, volviéndose más y más frecuentes con cada hora que pasaba. Tess se estaba enfrentando a la situación como una campeona.

En cuanto a él, cada vez que la oía gemir por la nueva arremetida de otra dolorosa contracción, tenía miedo de que fuera a morir.

Eso es lo que finalmente lo hizo decidirse a salir al pasillo hacía un rato. Probablemente lo último que Tess necesitaba era verlo ponerse blanco como una sábana, parado junto a su cama con las rodillas convertidas en gelatina.

A través del lazo de sangre que compartían, él sentía también el dolor de Tess. Hubiera deseado con todas sus fuerzas tener que soportarlo él solo. ¿Dolor? Él podía lidiar con eso, sin problema; era la idea de que la mujer que amaba estuviera sufriendo lo que le hacía desear ponerse a dar puñetazos a algo o vomitar en un rincón. Pero sentía también la fuerza de Tess, y se maravillaba ante la tenacidad —la maravillosa pureza de su fuerza femenina— que daba a su compañera la resistencia para seguir luchando contra el agotamiento y la prolongada agonía requerida para traer a su hijo al mundo.

Lanzó una mirada rápida a través de la pequeña ventana de la habitación de la enfermería. Gabrielle y Elise estaban de pie una a cada lado de la cama. Habían venido unas horas antes y hacían turnos para sostener las manos de Tess, limpiarle la frente con un trapo húmedo y darle de beber con cubitos de hielo mientras continuaba ese proceso que parecía no tener fin. Gideon monitorizaba sus constantes vitales, bajo el solemne juramento que había tenido que hacerle a Dante de que lo haría con los ojos cerrados antes que ver partes del cuerpo de Tess que Dante no se sentía cómodo compartiendo.

Pero la mejor parte de todo aquel escenario era Savannah. Ella se estaba encargando propiamente del parto, pues existía una larga tradición de parteras en su familia, y eso daba a Dante la seguridad de que todo iría bien. Al menos confiaba en que con la ayuda de Dios finalmente todo iría bien.

Mientras tanto, se sentía condenadamente inútil.

Recorrió otra vez el pasillo de arriba abajo preguntándose dónde demonios estaba Harvard ahora que lo necesitaba.

Si estuviera ahora ahí para ver a Dante deambulando por el pasillo como un fantasma sin agallas, Chase le habría estado tocando los huevos durante más de una semana. Habría avergonzado a Dante por ser un perfecto gallina y le habría dado una patada en el culo para meterlo de nuevo en la enfermería si era eso lo que tocaba.

Mierda. Dante verdaderamente echaba de menos a ese guerrero inteligente que había sido su amigo más íntimo en la Orden durante todo el año pasado.

Exguerrero y antiguo amigo, se corrigió mentalmente, todavía completamente jodido por toda la situación. No había suavizado su opinión el hecho de que Chase hubiera llamado por teléfono la noche anterior para hacerles saber que, en contra de las órdenes directas de Lucan, había cazado a Murdock por su cuenta.

¿Y para qué? Aparte de la vaga mención de un posible interés de Dragos en los políticos locales, el dato más sólido que Chase había logrado sonsacarle al bastardo, que por otra parte venía con retraso, era el hecho de que Dragos había encontrado la manera de averiguar la localización del recinto. Eran noticias de las que la Orden ya estaba muy al tanto.

Por lo que Tegan les había contado a todos acerca de la breve conversación sostenida con Chase, no parecía que fueran a tener pronto más noticias de él, si es que llegaban a tenerlas alguna vez. Tegan mantenía la opinión de que Chase estaba a punto de tener una caída seria. Había mencionado la palabra «renegado», algo que ni a Dante ni a los otros guerreros les gustaba aceptar, pero que al mismo tiempo les costaba contradecir.

Dante dio otro paseo por el pasillo, pasándose la mano por el cabello oscuro y murmurando un insulto entre dientes. Ya era hora de que comenzara a acostumbrarse a la idea de que Harvard ya no formaba parte de la Orden. Ya no formaba parte de sus vidas.

Dante se sentía como si se hubiera estado pateando a sí mismo al pensar en la conversación que había tenido reciente- mente con Tess, acerca de nombrar a Chase padrino de su hijo. Había tenido que esforzarse para persuadir a Tess de que se po- día confiar en Chase para algo de esa importancia, y ahora re- sultaba que el hijo de puta se había marchado haciéndolo que- dar como un idiota por haber hecho esa sugerencia.

Finalmente, los instintos de Tess en ese ámbito habían de- mostrado ser mucho mejores. Gideon se había quedado atónito ante esa petición, y tanto él como Savannah habían aceptado la responsabilidad con gracia y convicción. Si algo les ocurriera a Dante y a Tess, no podrían esperar encontrar mejores guardia- nes para su hijo.

Con ese consuelo fresco en la mente, Dante alzó la vista para descubrir a Elise asomando su cabeza rubia por la puerta de la enfermería.

—Es la hora —dijo, con un suave brillo en sus ojos de color púrpura claro—. El niño ya casi está aquí, Dante.

Él entró en la sala con el corazón saltándole hasta la gar- ganta. Se puso junto a su compañera de sangre, se llevó su mano a los labios y le dio un apretado beso de adoración en la palma húmeda.

—Tess —susurró, con la lengua espesa por la mezcla de alegría y de preocupación que le subía por la garganta—. ¿Cómo lo estás llevando, ángel?

Ella empezó a responder, pero entonces su rostro se con- trajo al tiempo que le apretó la mano con todas sus fuerzas. Sa- vannah le dijo que se calmara, que casi habían terminado. Tess se incorporó en la cama de la enfermería. Un aullido desgarra- dor salió de su boca, y Dante sintió que a él le temblaban las piernas. A pesar de eso, la sujetó con fuerza. Ya era bastante vergonzoso haber pasado la última hora deambulando junto a las paredes del pasillo, ahora no iba a permitir que Tess pasara otro segundo sin él a su lado.

El dolor se extendió durante unos minutos terriblemente largos antes de que Savannah diera a Tess instrucciones de acostarse de nuevo y relajarse. Ella jadeaba mientras miraba a Dante, con el sudor cayéndole por la frente. Él se lo limpió con un trapo que le tendió Gabrielle, y luego estampó un tierno beso en la preciosa frente de su compañera.

—¿Tienes idea de lo mucho que te quiero? —murmuró, sosteniendo su mirada color aguamarina—. Eres extraordinaria, Tess. Eres preciosa, y tan increíblemente valiente. Vas a ser una gran madre para nuestro...

Los labios de ella se separaron mostrando los dientes cuando un nuevo grito surgió de su garganta para luego quedar ahogado. Dante sintió la ráfaga de dolor mientras este rugía a través del delicado cuerpo de Tess. Era más que intenso, una angustia trituradora que le hizo jurarse que se lo pensaría mucho antes de tener otro hijo si eso significaba hacer pasar a Tess por esa clase de sufrimiento.

—Bueno, amigos —dijo Savannah, con voz tranquilizadora como un bálsamo—. Vamos allá. Un empujón más, Tess. Ya casi está aquí.

Dante inclinó la cabeza junto al rostro de ella y le susurró palabras privadas de ánimo y coraje, palabras pensadas solo para Tess. Elogios por lo que le estaba entregando a él esa noche y promesas devotas que no podía expresar adecuadamente con palabras débiles.

Le sostuvo la mano cuando la contracción final la obligó a retorcerse. Y gritó de alegría cuando finalmente su hijo apareció, un bulto diminuto y rosadito que se retorcía al ser sujetado en lo alto y berreaba en las expertas manos de Savannah. Y lloró sin ninguna vergüenza al encontrarse la hermosa y eufórica mirada de Tess en aquel momento, amándola con cada partícula de su ser.

Se inclinó y besó a su maravillosa compañera de sangre, abrazándola y compartiendo la euforia de aquel precioso momento de su vida juntos, especialmente sabiendo que había venido en medio de tantas turbulencias y conflictos.

Minutos más tarde, Savannah regresó con aquel bulto imposiblemente pequeño que era su hijo recién nacido.

—Sé que te debes de estar muriendo de ganas de cogerlo —dijo, colocando al bebé en los brazos de Tess—. Es hermoso, amigos. Perfecto desde cualquier punto de vista.

Tess comenzó a llorar otra vez, tocando tiernamente las diminutas mejillas del niño y su boca como un capullo de rosa. Dante estaba maravillado ante la vista de su hijo. Maravillado ante la mujer que le había dado aquel milagro, algo tan precioso para él como el increíble don de su amor. Le apartó de la cara un bucle rubio de cabello húmedo.

—Gracias —le dijo suavemente—. Gracias por hacer mi vida tan completa.

—Te amo —respondió ella, llevándose la mano a los labios y besando el corazón de su palma abierta—. ¿Te gustaría decirle hola a tu hijo?

—A nuestro hijo —dijo él.

Tess asintió, llena de orgullo y de amor al colocar el pequeño bulto en los brazos de él. En sus manos el diminuto bebé parecía aún más pequeño. Se sentía torpe con él, incómodo mientras trataba de formar una cuna confortable para el recién nacido entre sus grandes brazos. Finalmente, encontró la manera de sostenerlo, tomándose el máximo cuidado para que todo estuviera bien. Tess le sonrió, y la alegría de ella circulaba por las venas de él junto a su propia felicidad.

Dios, sentía el corazón tan lleno que le parecía a punto de explotar.

Dante contempló el rostro rosado y chillón de su hijo.

—Bienvenido al mundo, Xander Raphael.

A la mañana siguiente, Corinne se hallaba de pie junto a la cama contemplando a Cazador dormido. Estaba tumbado boca abajo, una hermosa extensión de belleza masculina, con la piel cubierta de glifos y de voluminosos músculos. Roncaba ligeramente, con un sueño profundo como el de un muerto.

Su noche juntos había sido increíble, y nunca se había sentido tan feliz como descansando entre sus brazos después de hacer el amor. Pero la noche ya había acabado desde hacía un rato, y excepto durante las pocas horas que había sido capaz de cerrar los ojos y dormir, sus pensamientos se habían centrado en una única cosa: la urgencia de encontrar a su hijo.

Era esa necesidad la que le había hecho levantarse antes del amanecer, abandonar la confortable calidez de Cazador y dirigirse hacia la ciénaga donde estaba aparcado el camión que había traído hasta allí después de su encuentro con Henry Vachon. Había tenido suerte, pues el maletero del camión blanco, aparcado junto al río detrás de la casa de Amelie, no estaba cerrado con llave. Corinne se había deslizado en el interior y pasó casi una hora ojeando las fotografías y las toneladas de papeles que había en las carpetas guardadas dentro de la caja fuerte.

Los archivos del laboratorio de Dragos. Décadas de valiosos registros.

Pasó el pulgar por cada uno de ellos, buscando cualquier cosa que pudiera acercarla a descubrir el destino de su hijo o de los otros niños nacidos en el interior del laboratorio. Encontró gráficas médicas y resultados de experimentos… miles de páginas de códigos y de una jerga que no significaba nada para ella. Para empeorar las cosas, ninguno de los archivos contenía los nombres de los sujetos. Como una especie de cruel inventario de valores, los archivos de Dragos contenían únicamente números de casos, grupos de control y frías estadísticas.

Cada uno de aquellos que había tocado, cada vida arruinada en el interior de esa infernal locura que era su laboratorio, no significaba nada para él.

Menos que nada.

Corinne había removido todas las pilas de papeles en un estallido de furia impotente. Quería desgarrar en pedazos diminutos todos aquellos ofensivos informes. Y entonces, casi al fondo de los contenidos de la caja fuerte, sus dedos notaron la suavidad del cuero de un maletín bastante grande. Lo sacó y vació los archivos sobre su regazo, escudriñándolos en busca de la más delgada hebra de esperanza.

Las entradas escritas a mano eran una muestra más del mismo inventario personal que había en los otros archivos. Excepto que había una diferencia en esas fechas y anotaciones. Algo que hizo que el vello de la nuca de Corinne se erizara ante la sospecha… ante la sensación de una espantosa certeza.

Sostenía ahora en las manos el maletín de cuero, mientras se acercaba a la cama donde Cazador apenas empezaba a despertarse. Debía de haberla oído en el silencio total de la habitación. Levantó la cabeza de la almohada, abriendo los párpados y mostrando su penetrante mirada dorada.

Vio que ella estaba vestida, que todavía respiraba con dificultad por la carrera de regreso a casa de Amelie, y frunció el ceño.

—¿Qué ocurre? ¿Has estado en alguna parte?

Ella no podía ocultarle durante más tiempo la verdad. No después de lo que habían compartido la pasada noche. Se lo debía. Le debía su confianza.

—Tenía que saberlo —dijo con calma—. No podía dormir. No podía quedarme quieta al consuelo de tus brazos sabiendo que algunos de los secretos de Dragos estaban cerca.

—¿Saliste de la casa sin decirme nada? —Cazador se sentó en el borde de la cama, poniendo sus grandes pies desnudos en el suelo. Su expresión se había vuelto más oscura, y tenía el ceño fruncido—. No puedes ir a ninguna parte si yo no estoy contigo para protegerte, Corinne. No es seguro para ti, ni siquiera durante el día...

—Tenía que saberlo —repitió ella—. Tenía que ver si había algo que pudiera ayudarme a encontrarlo...

Algo oscuro asomó al rostro duro y atractivo de Cazador. A ella le pareció que era temor, como una sombría expectativa. Con la orgullosa frente cada vez más arrugada, observó el maletín que ella sostenía en las manos.

Al ver que Cazador no decía nada, Corinne tragó saliva y se esforzó para que las palabras salieran de su garganta seca.

—Tenía que saber si alguno de los informes que habías conseguido de Henry Vachon contenían información que pudiera guiarme hasta mi hijo. El niño que nació en los laboratorios de Dragos.

Cazador la miró fijamente, y luego apartó la vista de ella. Soltó una cruda maldición mientras se pasaba la mano por encima de la cabeza.

—Tienes un hijo.

Aunque su voz era nivelada, desprovista de ira o de alguna otra emoción, a ella le sonó como una acusación.

—Sí —dijo. Ahora él no la miraba. Una extraña distancia comenzó a instalarse entre los dos, creciendo a cada momento—. Quería decírtelo, Cazador. Quise decírtelo antes, pero estaba asustada. No sabía a quién podía dirigirme, no sabía en quién podía confiar.

La distancia emocional al parecer no bastaba para él. Se levantó de la cama y vagó, desnudo y sin pudor, hasta el otro extremo de la habitación, añadiendo espacio físico entre ellos.

—Ese niño —dijo, lanzándole una dura mirada—, ¿es un vampiro de la primera generación, igual que yo? ¿Fue engendrado por el Antiguo que Dragos mantuvo con vida para sus macabros experimentos?

Corinne asintió, con la garganta tensa.

—Después de todo lo que me hicieron cuando estuve prisionera, lo peor que tuve que soportar fue que me arrebataran a mi hijo. Lo vi apenas unos minutos, justo después de nacer, y luego se lo llevaron. Pensar en él era lo único que me mantenía con vida a pesar de todas las cosas que me hacían. Nunca se me ocurrió soñar que un día sería liberada. Cuando tomé la primera bocanada de aire tras el rescate, me prometí que emplearía hasta mi último aliento en encontrar a mi hijo para reunirme con él.

—Esa es una promesa que no puedes cumplir, Corinne. Tu hijo ya no está. Murió en el instante en que Dragos te lo arrebató de los brazos.

Ella no quería oír eso. No quería aceptarlo.

—Si hubiera estado muerto yo lo habría sabido. El corazón de una madre late junto al de su hijo durante nueve meses, día tras día. En mis huesos, y hasta en mi propia alma, puedo sentir que el corazón de mi hijo sigue latiendo.

Cazador exhaló una cruda blasfemia, sin mirarla siquiera.

Ella continuó, decidida a defender su caso.

—Traté de seguir la cuenta de los años, pero era difícil hacerlo con plena seguridad. Según mis cálculos, mi hijo tendrá alrededor de unos trece años ahora. Es tan solo un muchacho…

—Ahora ya será un asesino, Corinne. —La voz profunda de Cazador la sorprendió con una ira que ella no esperaba. Su rostro estaba tenso, la piel tirante en sus mejillas afiladas y su mandíbula rígida—. Nunca fuimos muchachos, ninguno de nosotros lo fue. ¿Lo entiendes? Si tu hijo vive, será un cazador, como yo. A los trece años, yo ya estaba completamente entrenado, ya tenía mucha experiencia en el trato con la muerte. No puedes esperar que en su caso sea diferente.

Esas duras palabras removieron un agudo dolor en su interior.

—Tiene que serlo. Tengo que creer que él está ahí fuera y que lo encontraré... y en mi corazón sé que es así. Yo lo protegeré, como no fui capaz de hacer el día en que nació.

Cazador guardó silencio mientras se daba la vuelta, agitando la cabeza en señal de negación. Corinne dejó el maletín de cuero y caminó hasta él. Le puso la mano en el hombro. Los dermoglifos bajo su palma latían con ardor a causa de la ira, pero ella no pudo dejar de notar cómo se suavizaban los colores ante su contacto; su cuerpo respondía a ella aunque él pareciera cerrarse.

—Necesito encontrar a mi hijo, Cazador. Necesito verlo y tocarlo, asegurarme de que sabe que le quiero. Ahora que estoy libre, tengo que encontrarlo. Tengo que intentar darle una vida mejor. —Se colocó delante de él, obligándolo a encontrarse con su mirada—. Cazador, necesito recordarlo todo acerca del día en que nació mi hijo. Algo que Dragos o sus secuaces hayan dicho y pueda ser una pista que me conduzca a mi niño. Algo que puedo haber olvidado. Necesito que tú me ayudes a recordarlo todo acerca de ese día.

El rostro de Cazador se puso todavía más tenso a medida que asimilaba lo que le estaba proponiendo. Le cogió la mano y la apartó de su hombro gruñendo un improperio.

—¿Quieres mi ayuda? ¿Sabes lo que eso significa?

—Sí —admitió—. Y sé que es pedirte demasiado. Pero te lo estoy pidiendo porque tú eres la mejor esperanza que tengo por ahora. Eres probablemente la única esperanza de encontrar a mi hijo.

La miró fijamente, ella no supo si con incredulidad o indignación. Sus ojos estaban encendidos, pero ella no retrocedió. No podía. No ahora que se sentía más cerca que nunca de las respuestas que tan desesperadamente necesitaba.

—Cazador, por favor —susurró—. Quiero que bebas de mí.

Capítulo veinticinco

*M*irando fijamente el rostro serio y suplicante de Corinne, Cazador se sintió como si hubiera recibido el impacto de un cañón en el estómago. No podía creer lo que le estaba proponiendo. Además se daba cuenta de que lo enfurecía que durante todo ese tiempo ella le hubiera ocultado la existencia de su hijo, un cazador igual que él, por el amor de Dios. Corinne estaba allí de pie, pidiéndole que la ayudara a encontrar a su niño, pero Cazador sabía que lo que la esperaba al final de ese viaje no era otra cosa que un desengaño y un corazón roto.

Y probablemente sería él personalmente el encargado de romperle ese corazón, si el muchacho adolescente demostraba ser la misma clase de asesino que fue el propio Cazador cuando tenía su edad. Cazador conocía muy bien el tipo de disciplina y entrenamiento, los rígidos condicionantes, que ya habrían tenido su efecto en la corta vida del niño.

La visión de Mira acudió a él en aquel momento. Ahora lo entendía. Ahora se daba cuenta, con grave certeza, de cuál era la vida por la que Corinne había implorado en aquella profecía futura. Y supo de inmediato que el nombre que ella había gritado en los estertores de su pesadilla un par de noches atrás no era el de un amante, sino el del hijo que había perdido por culpa de la maldad de Dragos.

—Ayúdame a encontrar a mi hijo, Cazador —dijo ella; la suavidad de su mano en su rostro era un ruego al que él temió no ser capaz de negarse—. Ayúdame a encontrar a Nathan.

Él pensó en las lágrimas que ella derramaría si permitía que la visión de Mira se hiciese realidad. Consideró el odio que seguramente albergaría hacia él si finalmente encontraba a su hijo únicamente para que le fuera arrebatado de nuevo, y esta vez de forma permanente, si Cazador se veía obligado a cumplir con aquella predicción fatal. No podía ser él quien le procurara ese dolor.

Y además estaba el hecho de que si bebía de su sangre activaría un lazo con ella que nada, salvo la muerte, podría romper. Ni siquiera el odio que ella le profesara podría mantenerlo alejado si él se permitía probar su sangre.

—Corinne —dijo con suavidad, apartándole la mano del rostro y sosteniéndola—. No puedo hacer lo que me pides. Incluso aunque mi habilidad para leer los recuerdos de la sangre se extienda más allá de los que son de mi propia raza, lo que me pides tendría consecuencias de mucho alcance.

—Sé lo que significa —insistió ella—. ¿Podrías intentarlo?

—No funciona con humanos mortales —señaló él, con intención de disuadirla—. Me he alimentado de ellos toda mi vida y no he tenido ningún tipo de efecto en ese sentido. Lo más probable es que mi talento se limite a los recuerdos de la estirpe. Si bebo ahora de ti, ¿sabes a qué nos conducirá eso? Tú eres una compañera de sangre. Nuestro lazo de sangre sería irrompible. Sería para siempre.

La expresión de ella se apagó, y las pestañas ocultaron su mirada.

—Debes de pensar que soy lo peor, presionándote para que me des algo que tienes todo el derecho de reservar para una mujer que merezca la pena para ti, más adecuada que yo para ser tu compañera.

—Dios, no —murmuró él, odiando que ella lo malinterpretara—. No tiene nada que ver con eso. Cualquier hombre se sentiría privilegiado de tenerte como compañera. ¿No te das cuenta? Soy yo quien no valgo la pena. —Le alzó la barbilla, rogando que ella viera que sentía cada una de las palabras que iba a decir—. Si bebo de tu sangre y mi talento funciona tal como tú esperas, yo no querré ser quien te decepcione.

—¿Cómo podrías hacerlo? —preguntó ella, frunciendo el ceño por la confusión.

—Si mi talento funciona y encontramos a tu hijo, no quiero que tú me desprecies si resulta que el chico no está en condiciones de recibir nuestra ayuda.

Ella negó con la cabeza lentamente.

—¿Despreciarte a ti? ¿Crees que yo podría responsabilizarte de lo que le ocurrió a Nathan? No lo haría, Cazador. Nunca...

—¿Ni siquiera si me viera obligado a levantar la mano contra él en un combate?

La expresión de ella ahora se volvió temerosa, llena de recelo.

—Tú no harías eso.

—Si esa fuera la única manera de protegerte, no tendría alternativa —respondió él sombrío—. Si acepto ayudarte a encontrarle, Corinne, no puedo prometerte que lo que ocurra sea lo que tú esperas.

Ella reflexionó durante un largo momento, tiempo durante el cual Cazador se debatió sobre la conveniencia o no de divulgar la visión que lo había obsesionado desde el momento en que la había visto. Una parte de él tenía la esperanza de que su talento para leer los recuerdos le fallara o que, como desafío al infalible don de Mira para la premonición, él pudiera finalmente impedir las lágrimas y ruegos inútiles de Corinne.

En el tiempo que le llevó recorrer esa tortura mental, Corinne inspiró profundamente y lo miró de nuevo a los ojos. No había vacilación en su mirada, sino solo una determinación osada e inquebrantable.

—Hazlo, Cazador. Si te importo aunque sea solo un poco, entonces hazlo, por favor. Acepto cualquier riesgo, y confío en que tú harás lo que debas hacer.

Él se sintió enfermo de temor ante la valentía de sus palabras. El conocimiento de lo que probablemente los esperaba por delante le descompuso el estómago, haciéndole sentir el sabor amargo de la bilis.

Pero entonces, Corinne se acercó a él. Se recogió el largo cabello negro y se lo echó a un lado, dejando su cuello desnudo. Inclinó la cabeza y le ofreció lo que él sabía que sería demasiado débil para rechazar.

—Por favor —susurró—. Por favor... haz esto por mí.

Su mirada ardiente se concentró en el pequeño pulso que latía bajo la delicada piel. La boca se le lleno de saliva. Sus colmillos se extendieron, un feroz recuerdo de cuánto tiempo llevaba sin alimentarse. La sangre de Henry Vachon había sido más un veneno que un nutriente, algo asqueroso que ansiaba eliminar con el sabor de algo dulce y embriagador, como el néctar que circulaba a través de las tentadoras venas de Corinne.

—Por favor —murmuró ella de nuevo; una provocación que no pudo resistir.

Cazador llevó la boca a su cuello y mordió con cuidado, penetrando la suave carne con la afilada punta de los colmillos. Ella jadeó ante la invasión, con el cuerpo tenso por el momentáneo dolor infligido. Y al momento estaba derritiéndose junto a él, sus músculos laxos y dóciles mientras Cazador se llevaba el primer sorbo de su sangre a la boca.

Ah, Dios, aquello era mucho más de lo que nunca podría haber imaginado.

Su sangre cálida fue como un bálsamo sobre su lengua. Sintió cómo era absorbida por su cuerpo, por sus células. Por cada partícula de su ser.

Ella tenía un sabor dulce y cálido en su lengua, el aroma de su sangre le llenaba los orificios nasales con una delicada fragancia de oscura bergamota y tiernas violetas. Él la inspiró, empapando sus sentidos con el delicioso sabor de ella, un sabor que quedaría sellado en cada fibra de su ser mientras continuara vivo para respirar.

Aunque aquel era un acto de compasión, de necesidad, y no un verdadero vínculo de sangre entre él y su compañera; todo lo que en él había de la estirpe, todo lo que en él era ardiente y masculino, respondía al cálido y dulce sabor de Corinne como si ella le perteneciera completamente.

La excitación creció en él rápidamente, un deseo que latió a través de sus venas y en su miembro endurecido como un fuego feroz. La apretó contra él y bebió más. Sintió un calor encenderse en su interior y supo instintivamente que el lazo de sangre estaba cobrando forma a pesar de su intención, uniéndola a él de manera inexorable. Ahora ella era suya, y la lógica que lo había caracterizado durante toda su vida vacía pareció abandonarlo cuando trató de decirse a sí mismo que permitirse aquel vínculo visceral, fuera por la razón que fuese, había sido un error.

Lo único que ahora conocía era el calor de su sangre llenándolo, el placer de tenerla en sus brazos, la necesidad que lo hacía gruñir de deseo mientras la levantaba y la llevaba con él a la cama.

La acostó, con la boca todavía fija en el pulso que latía como un tambor diminuto contra su lengua. Quería hacerle el amor otra vez, quería desnudarla y enterrarse tan profundamente como fuera posible en el consuelo de su cuerpo.

Sus sentidos estaban inundados de necesidad; su cuerpo encendido, eléctrico y rígido con la fuerza de su pasión por ella.

Al principio, no advirtió los repentinos parpadeos de oscuridad que sacudieron su mente. Trató de apartarlos a un lado, perdido en el placer de todo cuanto era Corinne. Pero las imágenes abruptas continuaron viniendo, continuaron golpeando en el fondo de su conciencia.

Destellos de la oscura celda de una prisión.

Secuaces vestidos con uniformes de laboratorio blancos, que venían para llevarse a Corinne.

Los gritos de una mujer en la agonía del parto… seguidos del estallido del llanto de un recién nacido.

Cazador se retiró del cuello de Corinne, aturdido, conmocionado.

—¿Qué ocurre? —le preguntó ella, con los ojos muy abiertos y asustados—. ¿Estás bien?

—Joder —jadeó él, sorprendido de que su talento estuviera respondiendo y a la vez horrorizado por lo que ella había tenido que pasar. Más imágenes golpearon su cerebro, sonidos de tortura y de demencia. La desesperanza que la había rodeado durante todos aquellos años—. Corinne, por dios. Lo que ellos te hicieron… y durante tanto tiempo. Lo estoy viendo todo… todo lo que estuviste obligada a soportar.

Ella se acercó para tomar su nuca entre las manos. El dolor brillaba en sus ojos, aunque no tan feroz como la determinación que había escrita en su adorable rostro.

—No pares. No hasta que lo encontremos.

Él no podía negárselo, ni aunque hubiera querido. Si Corinne había sobrevivido a aquel espanto en la realidad, él podía pasar por eso psíquicamente y recuperar cualquier detalle que pudiera acercarla a su hijo.

Cazador bebió algo más, permitiendo que la terrible angustia y tortura lo inundaran como una marea grasienta. Esperaba algo irrefutable, alguna pista sólida en la que poder anclarse, algo que le procurara una dirección en el páramo de agonía que había sido la existencia de Corinne en la prisión del laboratorio de Dragos.

Pero no había ninguna cuerda a la que agarrarse. Nada salvo aguas revueltas y salobres en las que Corinne tenía que aprender a sobrevivir.

Por amor a su hijo, había dicho. Todo por amor a él.

Por la esperanza de volver a reunirse con su hijo algún día. Nathan se había convertido en su cuerda salvadora.

¿Cómo sería capaz de sobrevivir si llegaba el momento —tal como la visión de Mira había predicho— en que Cazador tuviera que negarse a sus súplicas de clemencia y diera el golpe mortal que acabaría con sus esperanzas para siempre?

Era esa posibilidad la que lo carcomía como un veneno, mucho más ahora que se estaba alimentando de la vena abierta de Corinne, uniéndose a ella de un modo inextricable, a pesar de saber que estaba destinado a romperle el corazón.

Aquel pensamiento lo avergonzó. Con un gruñido de asco hacía sí, dejó de beber y lamió suavemente los pinchazos que le había hecho en la garganta, sabiendo que debería sellarlos y soltarla. Aquello no había tenido que ver con placer o con vínculos; ella había recurrido a él en busca de ayuda y él había recogido todo cuanto había podido de sus recuerdos. No era necesario continuar, por más placentero que fuera abrazar a esa mujer.

«Su mujer.»

Esa declaración surgió de algún lugar profundo en su interior, algún lugar fuera de su control. Llegó a la conclusión racional de que era el vínculo quien hablaba. Su cuerpo, sus sentidos, todo lo que en él había de la estirpe, estaba en armonía con Corinne ahora que se había alimentado de su sangre. Se trataba de una respuesta meramente biológica, su naturaleza primitiva hacia un reclamo que él no tenía derecho a sostener.

Y, sin embargo, había otra parte de él que reconocía que sus sentimientos por Corinne se estaban intensificando, y que eso había sucedido incluso antes de tomar el primer trago de sus venas. Ella le importaba. Quería que estuviera a salvo, que fuera feliz. Quería que su sufrimiento por fin terminase. Todas eran cosas que no podía prometerle, no mientras la premonición de Mira acechara como un espectro en el fondo de su mente.

Se retiró de la delicada garganta de Corinne y comenzó a pasar la lengua por los pinchazos que los colmillos habían dejado en su piel. Antes de que pudiera sellar las diminutas heridas, Corinne gimió en señal de suave protesta. Su cuerpo se arqueó hacia el de él con más fervor ahora, caliente y excitado; los esbeltos miembros se aferraban a él impidiendo su retirada.

Cazador había oído a algunos guerreros hablar del vínculo de sangre, pero nada pudo haberlo preparado para la inundación de sensaciones, el erótico despertar que lo engullía ahora. Por el ejercicio de su talento, la sangre de Corinne le había otorgado brutales destellos de sus recuerdos, pero era una conexión más profunda la que hablaba en él ahora. Podía sentir el deseo de ella. Sentía su doliente necesidad, la excitación amplificada por el mordisco que había despertado aquel lazo irrompible.

Apretó la boca contra su garganta una vez más, probando un poco más de su sangre exóticamente dulce. La podía sentir circulando por su propio cuerpo, nutriéndolo, llenándolo de vida. El pulso de ella latía en sus propios oídos y también en sus venas, un ritmo compartido tan fuerte como un tambor de guerra, un ritmo que lo guiaba.

—Ah, Dios…, Corinne —murmuró contra su piel aterciopelada. A pesar de que lo decente, lo honorable, habría sido apartarse de ella, le resultaba imposible soltarla. Ella se retorcía, aferrándose a él con más fuerza. Su respiración se había convertido en rápidos jadeos mientras él bebía lentamente de su vena.

—Hazme el amor, Cazador —susurró ella, y él sintió que toda su voluntad lo abandonaba en aquel instante.

A ella no le importaba sonar desesperada… no le importaba. No ahora que todos sus sentidos estaban llenos del erótico placer que le procuraba Cazador al alimentarse de su cuello.

Corinne cerró los ojos y se arqueó mientras la presión de su boca en la garganta —el tierno rasguño de sus colmillos— lograba que su cuerpo, que lentamente se derretía, comenzara a hervir con creciente necesidad.

Se suponía que aquello no iba a tener que ver con el placer. Le había pedido a Cazador que bebiera de ella por una cuestión de necesidad, porque aquel era probablemente el único medio para que pudiera encontrar alguna pista acerca de su hijo. Se había entregado a esa situación con la expectativa de que fuera algo desagradable, tal vez incluso algo doloroso, si tenía que guiarse por lo que sus experiencias pasadas le habían enseñado.

Debería haber sabido que sería diferente con Cazador. Del mismo modo que había sido tan suave con ella al hacerle el amor la noche anterior, ahora se mostraba igualmente tierno. Sus manos la sostenían con cuidado. Su inmenso cuerpo, tan poderoso —letal cuando era necesario—, ahora la envolvía con actitud protectora; sus brazos le procuraban un refugio confortable que la hacían sentirse a salvo y querida.

Ella no era virgen, ni de cuerpo ni de sangre, pues ambos le habían sido robados en los laboratorios de Dragos, pero con Cazador se sentía como nueva. Se sentía limpia.

A pesar de que él había aceptado beber de ella, creando un lazo de unión voluntariamente aun sabiendo que no había una promesa entre ellos, durante un momento imprudente y totalmente egoísta, Corinne se permitió a sí misma fingir que aquello era real. Que el cielo la ayudara, pero qué fácil resultaba olvidar que no lo era, cuando él la hacía sentirse tan increíblemente bien.

—Hazme el amor, Cazador —le susurró ella de nuevo, desesperada por sentirlo dentro de sí.

Él dejó escapar un gemido grave y estrangulado mientras pasaba la lengua por los pinchazos gemelos de su cuello y los sellaba. La desvistió en un momento, acariciando su cuerpo con sus manos fuertes mientras ella flotaba en las embriagadoras olas de placer inducidas por su mordisco.

Cuando estuvo desnuda, él se colocó de pie al borde de la cama y la miró, con sus ardientes ojos color ámbar brillando por la sangre bebida y por el deseo. Los colmillos que un momento antes habían penetrado su garganta brillaban como perlas blancas, puntas afiladas llenando su boca. Su sexo grueso sobresalía, totalmente erecto, tan glorioso como todo él. Parecía depredador y poderoso, y ella no había visto nunca nada tan magnífico como aquel hermoso macho de la estirpe.

Corinne se recostó y se recreó en aquella visión, maravillada de que él pareciera incluso más formidable e imponente completamente desnudo que totalmente vestido y armado para el combate. Cada centímetro de su cuerpo era puro músculo perfecto y suave piel dorada. Sus dermoglifos lo recorrían desde la nuca hasta los tobillos, una intrincada red de elaborados arcos y espirales. Las marcas de vampiro de la primera generación que había en su piel latían como vívidos tatuajes, inundados con los intensos y coloreados tonos de su deseo.

Él merodeó en torno a la cama, deslizando las manos a lo largo de sus piernas y separándole los muslos para que ella lo recibiera mientras la cubría con su cuerpo. Ella estaba húmeda y preparada para él, ansiando sentir cómo la llenaba. No la decepcionó. La roma cabeza de su pene encontró su centro y entró en su hogar con un largo empujón que la dejó sin aliento.

—Oh —suspiró, con la sangre acelerada mientras su cuerpo daba la bienvenida a la sensual invasión. Jadeó su nombre mientras él se movía dentro de ella, no con el dulce y controlado acoplamiento de la noche anterior, sino con una unión animal y apasionada que la condujo rápidamente al clímax.

Cazador debía de saber la urgencia de su necesidad. Parecía compartirla. Con sus brillantes ojos ámbar fijos en los suyos, se sostenía encima de ella y entraba y salía con una pasión que la dejaba jadeante y lánguida debajo de él. Impulsó sus sentidos cada vez más y más arriba, acercándola a la cima con cada caricia maestra. Ella lo contemplaba a través de la bruma del clímax que se aproximaba, fijando su mirada en la de él mientras la cabalgaba, cada vez más profundamente, más duro, más fuerte.

—Oh, Dios —susurró, y más que palabras fue un jadeo sin aliento. Hasta que se quedó definitivamente sin palabras y sin aliento.

Un orgasmo la inundó. La ola caliente de dicha fue todavía

más intensa por la mirada feroz de pura satisfacción masculina que asomó al atractivo rostro de Cazador mientras se mecía encima de ella. Ella jadeó su nombre, pegando su cuerpo al de él, con los sentidos perdidos en el placer.

Él continuó, incluso cuando el orgasmo de ella estalló y la dejó sumida en una espiral ingrávida, con un hormigueo interior. Cazador abrió los labios dejando al descubierto sus dientes y colmillos y soltando un gruñido gutural que ella sintió vibrar en la médula de sus huesos. Los ojos de él eran ardientes, su mirada ámbar la poseía, y en ese estado la sujetó contra él y empujó con implacable vigor, conduciéndola a otra deliciosa oleada de liberación... y todavía otra más.

Cazador no se detuvo, no hasta que ambos quedaron empapados y saciados, exhaustos y sin respiración cada uno en brazos del otro.

Y entonces, cuando su deseo volvió a reavivarse para tomar posesión de ellos una vez más, comenzaron de nuevo.

Capítulo veintiséis

—Amelie, deja que te ayude con eso.

Eran las cinco de la tarde y ya había oscurecido. Corinne y Cazador habían abandonado hacía apenas un par de horas su dormitorio en el refugio. Si Amelie notó que habían estado ausentes la mayor parte del día, fue demasiado educada como para mencionarlo.

Ahora, mientras Corinne terminaba de poner la mesa de la cocina, la joven se dio la vuelta para ayudar con el horno, junto al que estaba Amelie con las manoplas puestas, a punto de retirar la comida de la parrilla.

—Deja que lo haga yo —dijo Corinne.

Amelie chasqueó la lengua indicando que no.

—No te preocupes, niña. Me conozco el camino por esta cocina como la palma de mi mano.

Parecía innecesario señalarle a Amelie que no tenía la vista para ayudarse. Tal como había ocurrido el día anterior, la anciana mujer de pelo gris se manejaba por su espacio vital como si conociera cada centímetro únicamente a través del instinto. Corinne se quedó atrás mientras Amelie servía dos hermosos pedazos de pescado blanco, dorado con mantequilla, con una corteza aromática y una pizca de pimienta y especias. El aroma flotó desde el horno haciendo que el estómago de Corinne gruñera de expectación.

Amelie se quitó las manoplas y tarareó una de las suaves piezas de *jazz* que sonaban en el aparato estéreo que había en el salón contiguo. Moviendo sus caderas redondeadas al ritmo de la música, cogió la espátula de la jarra de barro cocido que había cerca del horno.

—Espero que te guste el bagre —dijo, dándose la vuelta

para servir los filetes en los platos que había sobre la encimera. Todavía canturreando y meciéndose al ritmo de la aguda voz masculina que rogaba por alguien, encontró los platos casi sin titubear—. Dejaré que te sirvas un poco de arroz salteado con vegetales al vapor, si quieres. Puedes poner el pan de maíz caliente en esa cesta que tienes ahí al lado.

—Por supuesto —respondió Corinne. Sirvió algo de arroz en los platos y luego los llevó a la mesa, junto con el pan de maíz, y tomó asiento junto a Amelie.

—¿Las ropas que te di le han servido a tu hombre? —preguntó ella.

Corinne se dispuso a aclararle que Cazador no era nada de ella, pero las palabras no le llegaron ni a la lengua. Además, después de todo lo que había pasado entre ellos bajo el techo de Amelie durante las últimas veinticuatro horas, se sentía más que incómoda ante el intento de negar que había algo que los unía.

—Sí, le van muy bien —dijo, limitándose a contestar simplemente la pregunta—. Gracias por prestárselas.

Amelie asintió mientras cortaba el pescado.

—Mi hijo siempre deja cosas en su vieja habitación cuando nos visita. Es un chico de tamaño grande, como tu hombre. Me alegra que le sirva la ropa.

—Te lo agradecemos mucho —dijo Corinne.

Ella y Cazador habían conseguido limpiar la mayor parte de las manchas de sangre del traje de combate que llevaba Cazador cuando visitó a Henry Vachon, pero mientras las ropas estaban en la secadora de Amelie, Cazador se había visto obligado a tomar prestados una camiseta y unos pantalones de senderismo. Ninguna de las prendas se acercaba a su talla, pensó Corinne, sonriendo para sí al imaginárselo con esos brillantes colores de la camiseta del equipo deportivo y los resplandecientes pantalones holgados de nailon.

Mientras ella y Amelie disfrutaban de la comida y de la agradable música procedente de la otra habitación, Cazador estaba en el dormitorio de invitados hablando con Gideon y usando el ordenador del hijo de Amelie. Había vuelto al maletero del camión un rato antes y había traído más información de los archivos del laboratorio de Dragos de la caja fuerte que Vachon guardaba en el almacén. Algunos de esos registros contenían archivos de ordenador y datos encriptados conservados en varios lápices de memoria portátiles cuyo contenido Cazador se estaba encargando de transferir a los cuarteles de la Orden en Boston. Corinne rogó que hubiera algo útil en esos informes. Por más increíble que hubiera sido su tiempo a solas con Cazador, había un gran peso que acechaba su corazón. Esperaba desesperadamente que su sangre le diera una pequeña pista que pudiera ayudarla a encontrar a su hijo. Pero el talento de Cazador no les había dado nada que pudiera guiarlos. Nada más que la conciencia de la degradación y profanación a la que ella había sido sujeta en manos de sus secuestradores.

Aunque él sabía ahora todo eso, no la mimaba ni la hacía sentirse menos mujer por la forma en que había sido tratada en los laboratorios de Dragos. Ella se había sentido sucia y avergonzada por las cosas que le habían hecho; se había sentido impotente, una cobarde por permitir que le arrebataran a su hijo.

Una vez liberada, se había sentido inmensamente culpable por sobrevivir mientras tantas otras mujeres encarceladas y torturadas junto a ella no habían podido. También a ellas les habían robado los hijos. Niños que habrían amado, si no fuera por la maldad de Dragos. También ahora, entre las compañeras de sangre llevadas al refugio de Andreas y Claire Reichen en Nueva Inglaterra, había madres que lloraban la pérdida de sus hijos, aquejadas de las mismas heridas emocionales que ella tenía, como llagas abiertas.

Mientras Corinne comía en silencio, sintió una punzada de egoísmo por la necesidad de buscar a su propio hijo por encima del resto. Por más débil que pareciera su esperanza de encontrarlo, incluso si fracasaba completamente, tal vez su intento personal abriera una nueva oportunidad para otras prisioneras recién liberadas en la búsqueda de sus propios hijos robados.

Incluso mientras pensaba esto, las palabras de advertencia de Cazador acudieron de nuevo a ella, oscuras y ominosas:

«Nunca fuimos chicos, ninguno de nosotros…»

«Si tu hijo vive, será un cazador, igual que yo… totalmente entrenado… acostumbrado a tratar con la muerte.»

«No», se dijo con firmeza. Todavía existía la esperanza.

El propio Cazador era una prueba de eso. Había logrado romper con la brutal doctrina impuesta por Dragos. Le fue dada la oportunidad de ser algo más, de ser algo mejor. Eso era todo lo que ella quería para su hijo. Eso es lo que las otras compañeras de sangre querrían para sus hijos. Tal vez si podían salvar a Nathan, habría esperanza también para otras vidas robadas.

Corinne se aferró a esa esperanza mientras terminaba de comer la estupenda comida que Amelie había preparado.

—Todo estaba muy bueno —dijo ella, todavía con un cosquilleo en la boca por la pimienta, las especias y los sabores tan frescos—. Nunca había probado el bagre ni esta receta de arroz. Tampoco había probado el pan de maíz. Está todo delicioso.

—Oh, niña. —Amelie sacudió lentamente la cabeza, y su tono transmitió a la vez aflicción y compasión—. ¿Realmente no has vivido mucho, verdad?

—Tal vez no. —Como la mujer era ciega no pudo ver la sonrisa melancólica de Corinne al responder. Agradecía que sus pensamientos quedaran en privado mientras recogía los platos vacíos de la mesa. Cuando Amelie se levantó a ayudar, Corinne le colocó suavemente una mano en el hombro—. Por favor, siéntate. Deja que por lo menos me encargue de limpiar.

Con un suspiro que sonó a resignación y contento en parte iguales, Amelie volvió a sentarse en su silla mientras Corinne recogía el resto de los platos y cubiertos y llenaba una palangana de agua caliente con jabón para ponerla en el fregadero.

Mientras colocaba allí los platos, Corinne no pudo dejar de notar que no solo la comida le había resultado más sabrosa de lo normal, sino que también la música que venía desde la habitación contigua tenía más matices... todo a su alrededor parecía más brillante, más vívido y más potente después de haber pasado aquellas horas de placer en los brazos de Cazador. Se preguntó cómo sería sentir de aquella forma todo el tiempo. ¿Era eso lo que sucedía entre las parejas de la estirpe?

¿Era esa intensa calidez floreciente en el centro de su ser simplemente una reacción al confort físico que Cazador le había dado, o se trataba de algo más?

Corinne no quería dejarlo entrar en su corazón. Que Dios

la perdonase, pero durante mucho tiempo, ella ni siquiera había considerado la idea de que pudiera haber lugar para alguien más que aquel niño que se había visto obligada a abandonar. Pero al pensar en el cariño que Cazador le había demostrado, cuando consideraba todo lo que habían pasado juntos aquellos días, no podía negar que él significaba algo para ella. Significaba mucho más que aquel guerrero en quien inicialmente desconfiaba, e incluso temía, y que, sin embargo, ahora le parecía su más cercano aliado.

Su inesperado amigo y ahora también su amante. El formidable macho de la estirpe que se había unido a ella de manera inexorable, aunque se lo hubiera suplicado.

Aquel era un don sagrado, y él se lo había entregado a ella para que lo usara de instrumento en su búsqueda personal. Le había dado lo más íntimo y preciado que tenía, sin apenas la menor vacilación.

Sintió la presencia de Cazador moviendo el aire detrás de ella ahora, y cuando habló el retumbar de su voz le aceleró el pulso.

—Toda la memoria de la tarjeta de datos ha sido enviada a Gideon. También he escaneado los papeles más relevantes, por si pudieran llegar a ser pruebas de alguna utilidad.

Corinne se secó las manos con una toalla, y luego se dio la vuelta para quedar frente a él.

—¿Qué piensa Gideon? —preguntó, no demasiado animada por su tono sombrío. Él estaba reteniendo algo con aquella expresión neutral. Ilegible. Cuando acababa de conocerlo, aquel aire tan correcto la ponía nerviosa, y hasta le producía curiosidad; ahora, simplemente le resultaba preocupante—. ¿Algo de lo que le has enviado tiene algún sentido para él?

—Nos lo hará saber. —Cazador cruzó sus voluminosos brazos sobre las grandes letras SAINTS que decoraban la apretada sudadera negra y dorada. Las mangas apenas alcanzaban a cubrirle la mitad de los antebrazos, y ahora la tela se volvía todavía más tirante sobre sus anchos hombros—. La situación en el recinto no es ideal en este momento. Pero Gideon ha dicho que se comunicará con nosotros lo antes posible si sus análisis dan con algún descubrimiento prometedor.

—De acuerdo —respondió Corinne, diciéndose a sí misma

que era un comienzo. En realidad, si lo pensaba, tenía poco que perder.

Nathan seguía fuera de su alcance, a pesar de los recuerdos que Cazador había leído en su sangre. Los archivos del laboratorio hallados en el almacén de Henry Vachon estaban ahora donde tenían que estar... bajo las formidables habilidades tecnológicas de Gideon. Corinne había entregado su confianza a Cazador, y él por su parte la había depositado en la Orden. Corinne tenía que creer que si había alguna solución la llegaría a descubrir mientras tuviera a Cazador de su lado.

La parte difícil era ahora la espera.

Soltó un pequeño suspiro.

—De acuerdo —dijo de nuevo, asintiendo decidida como para convencerse de que finalmente todo iría bien.

Mientras se volvía hacia el fregadero para terminar con los platos, Amelie se levantó de su silla.

—¿Todo va bien en el recinto con mi hermana y con su hombre?

—Sí, señora —respondió Cazador—. Savannah y Gideon se encuentran bien.

—Eso es bueno —dijo ella—. Esos dos merecen la felicidad más que cualquiera que yo conozca. Y sospecho que tú y Corinne también.

Mortificada por el giro de la conversación, Corinne mantuvo la cabeza baja, frotando con firmeza un pedazo testarudo de arroz seco que se había quedado pegado en uno de los platos. Trató de concentrarse en la música que sonaba suavemente: una melodía que inmediatamente reconoció y que captó toda su atención, salvo por esa parte consciente del silencio asombrado que parecía emanar de Cazador. Enjuagó el jabón que quedaba en el plato y lo colocó en la escurridera metálica que había sobre la encimera, sintiendo un cosquilleo en la piel al notar que el aire detrás de ella se movía. Al volver la mirada hacia la derecha, encontró a Cazador de pie junto a ella, con un paño de cocina a cuadros rojos y blancos en sus grandes manos.

Corinne no podía sostener su silencio ni la mirada significativa que le dirigía allí de pie junto a ella, dejando que el comentario de Amelie colgara entre ellos como una pregunta.

—Nuestro caso no es igual —soltó—. Cazador y yo… no somos…

La risa con que respondió Amelie fue cálida y sabrosa como mantequilla.

—Oh, yo no estaría tan segura de eso, niña. No estaría tan segura de eso para nada.

—No somos… —dijo Corinne, con el tono infinitamente más bajo esta vez, sorprendida de ser capaz de hablar con Cazador mirándola de aquel modo, tan cerca que podía sentir el calor de su cuerpo alcanzándola tanto como su mirada. Sus ojos dorados estaban clavados en ella, ardientes y resueltos, haciéndola regresar en un instante a las horas de pasión que habían compartido justo al fondo del pasillo de aquel mismo lugar.

—Conozco esta música —murmuró él, con la cabeza inclinada hacia la canción de *jazz* que venía flotando desde los altavoces del salón y la mirada todavía fija en ella con esa ardiente expresión.

—Ah, sí —intervino Amelie—. Esta es Bessie Smith, absolutamente única.

No es que Cazador ni Corinne necesitaran esa confirmación. Era la misma canción que había sonado en el club de *jazz* la primera noche que llegaron a Nueva Orleans. Solo con mirar a Cazador ahora ese momento volvía a la vida en la mente de Corinne. Sentía su cuerpo fuerte pegado al de ella mientras bailaban, y recordaba perfectamente bien el tierno instante en que la había besado por primera vez.

—¿A ti también te gusta Bessie? —preguntó Amelie, tarareando suavemente la letra.

—Es mi favorita —dijo Cazador, con la voz grave y la boca en una curva sensual que aceleró el pulso de Corinne en sus venas. Se acercó a ella, colocándose enfrente y cogiéndola entre sus brazos. Inclinó la cabeza hacia su oído y susurró solo para ella—. Y esta canción no tiene nada que ver con molinillos de café.

El rostro de Corinne se inflamó, pero fue un calor que sentía bajar en espiral por su anatomía lo que la hizo temblar y permitir que su boca viajara desde el lóbulo de su oído por ese sensible hueco de la clavícula. Fue vagamente consciente de que Amelie se levantaba de la silla. Cazador se retiró solo entonces y Corinne tuvo la oportunidad de esforzarse por recuperar el aliento.

—Amelie, ¿adónde vas?

—Soy vieja, niña, y la vida aquí es sencilla. Después de comer me gusta ver mi concurso favorito en la televisión y dormir una siesta. —Sus ojos nubosos deambulaban muy cerca de donde estaban Corinne y Cazador—. Además, vosotros dos no me necesitáis aquí escuchando a escondidas cuando preferiríais estar a solas. Puede que esté ciega, pero no soy ciega.

Antes de que Corinne pudiera protestar, Amelie hizo un gesto disuasorio con la mano y salió de la cocina hacia el pasillo.

—No os preocupéis por mí para nada —gritó, con su cantarina voz llena de diversión—. Estaré viendo mis programas con el volumen tan alto que no podría oír ni un huracán.

La sonrisa de Corinne se transformó en una suave risa.

—Buenas noches, Amelie.

Desde el otro extremo del pasillo, el sonido de una puerta al cerrarse hizo eco en la cocina. Cazador tomó las manos de Corinne entre las suyas, secando primero una y luego la otra con el trapo de cocina. Lo dejó sobre la encimera, luego envolvió los dedos entre los de ella y la condujo hasta el centro de la pequeña cocina.

Mientras Bessie Smith cantaba suavemente acerca del mal amor y el buen sexo, se abrazaron con fuerza y se balancearon juntos lentamente. El momento era totalmente puro, sin prisas, lleno de calma… perfecto. Tan perfecto que Corinne sintió un pinchazo de dolor en el corazón.

Y aunque ninguno de los dos tuvo que decirlo, ella vio sus propios pensamientos reflejados en los misteriosos y encantados ojos dorados de Cazador.

¿Cuánto podía durar un momento perfecto… una felicidad tan inocente como aquel simple espacio de tiempo que habían encontrado juntos, justo allí, justo ahora? ¿Podían realmente pretender que durara?

Capítulo veintisiete

Cazador estaba de pie con la espalda apoyada en la pared del dormitorio que compartía con Corinne en casa de Amelie, contemplando cómo la luz de la luna jugaba con el cuerpo desnudo de ella al colarse a través de la ventana abierta. Los sonidos de los animales del pantano hacían eco en la distancia, depredadores nocturnos y peligrosos como él, convocados por la oscuridad y preparados para salir en busca de presas. Cazarían y, si tenían éxito, también matarían. La noche siguiente, el ciclo comenzaría de nuevo.

Era simplemente lo que hacían, habían nacido para hacer eso: destruir sin piedad ni arrepentimiento, sin cuestionarse si había algo más importante para ellos en otro lugar. No tenían ninguna base para ansiar algo diferente a lo que ya conocían.

A Cazador le era familiar ese mundo.

Lo había recorrido sin flaquear durante tanto tiempo como era capaz de recordar.

Y se había abstenido de imaginar escenarios sin sentido, especialmente aquellos en los que tenía la tentación de retratarse como un héroe. Un caballero blanco de alguna leyenda improbable, comprometido a luchar por la salvación de una bella damisela en apuros, como aquellas sobre las que había leído años atrás… antes de que el secuaz que lo entrenaba hubiera sacado todos los libros de sus modestas habitaciones en la granja de Vermont y lo hubiera obligado a quemarlos.

Él no era el héroe de nadie, por mucho que aquel rato a solas con Corinne le hiciera desear serlo.

Parte de ese anhelo tenía que ver con el vínculo de sangre que ahora compartía con ella. Corinne estaba ahora dentro de él; sus células lo nutrían, tejiendo una conexión visceral que probablemente amplificaría sus sentimientos hacia ella. Al menos su razón insistía en que se trataba de eso.

Era mejor una explicación fisiológica que otra más perturbadora que daba vueltas alrededor de su cabeza, y en el centro de su pecho, desde los primeros momentos íntimos que había pasado con Corinne en sus brazos, bailando con ella sobre el suelo de linóleo amarillo desgastado, en la diminuta cocina de Amelie Dupree.

Si hubiera podido dilatar aquel momento para siempre, lo habría hecho. Sin vacilar, se habría contentado simplemente con sostener a Corinne entre sus brazos tanto tiempo como ella lo hubiera permitido. Lo anhelaba todavía ahora, después de haber pasado de la cocina directamente a la cama y haber hecho el amor lentamente.

El golpeteo de su pecho no hacía más que intensificarse ante aquel pensamiento, y todavía más ya que podía sentir el olor de ella en su propia piel y su sabor en la lengua. Quería despertarla y darle más placer. Quería oír como jadeaba su nombre mientras se corría y se aferraba a él diciéndole que era el único hombre con quien quería compartir su cama.

Locamente, con una ferocidad con la que no podía reconciliarse, quería oír de sus labios la promesa de que él sería el único hombre al que siempre amaría.

Por eso mismo, se había negado el consuelo de tumbarse junto a ella en la cama mientras dormía. Ya había tomado más de lo que tenía derecho a pedirle. Necesitaba recordarse a sí mismo quién era él. O más bien, recordarse quién no podría llegar a ser.

La dueña de su refugio había tenido razón en una cosa. Corinne merecía ser feliz. Ahora que los recuerdos de su sangre le habían mostrado los horrores de su sufrimiento, solo podía maravillarse de que hubiera sobrevivido, y más aún de que hubiera salido de aquella prisión con su humanidad intacta. Su corazón todavía era puro; todavía estaba abierto y vulnerable, a pesar del trato atroz que había recibido.

Tal como él lo veía, lo que ella había soportado era mucho peor que lo suyo. Dragos había arrebatado a Corinne su espíritu y su alma, mientras que a Cazador simplemente eso le había sido negado desde el principio.

Cuando la conoció por primera vez, Cazador había sentido curiosidad por esa mujer menuda que había salido de las celdas del laboratorio de Dragos con un fuego todavía ardiendo en sus ojos. La curiosidad había evolucionado convirtiéndose para él en una extraña afinidad, una inesperada simpatía, mientras la contemplaba luchar por encontrar su rumbo en un mundo cuyos cimientos se habían movido bajo sus pies la primera vez que había intentado desplazarse por él. Ella se sentía insegura sin saber adónde pertenecía, insegura de en quién podía confiar. Incluso un guerrero entrenado para la batalla habría tenido en la situación de ella sus momentos de duda.

Pero Corinne no se había desmoronado. Ni bajo la crueldad de Dragos ni bajo la depravación de Henry Vachon. Y ni siquiera después, delante de Victor Bishop y su desmesurada traición. Albergaba una guerrera de corazón firme en aquel cuerpo menudo.

Todo por amor a su hijo.

Ahora que Cazador sabía cuál era la fuente de su determinación y coraje, eso solo contribuía a que la respetara todavía más. Verdaderamente quería verla feliz. Esperaba, contra toda lógica y toda razón, que ella pudiera reunirse con su hijo sin las lágrimas y la angustia que Cazador temía.

Angustia que le sería provocada además por su propia mano.

Soltó una imprecación por lo bajo.

Por si la visión de Mira no fuera suficiente, al beber la sangre de Corinne, Cazador había añadido un nuevo peso a sus hombros. Él le había dicho que su sangre no le había cedido nada útil para la búsqueda de su hijo, pero lo cierto era que sí había habido… algo. Se trataba solo de un hecho pequeño, pero potencialmente crucial. Todavía no estaba seguro de lo que era exactamente.

En el recuerdo del día en que ella dio a luz a su hijo había una secuencia de números, recitados por uno de los secuaces presentes en la habitación del parto.

Había sido una pronunciación distraída de dígitos, y además incompleta, interrumpida porque Corinne cayó inconsciente cuando le fue administrado un fuerte sedante, poco después de que el niño naciera y se lo llevaran de la habitación.

Cazador no sabía lo que significaban esos números. Puede que algo; o puede que nada. Pero se los había pasado a Gideon junto con los datos encriptados y los archivos del laboratorio escaneados, dando instrucciones al guerrero para que le informara si la secuencia llegaba a encajar con algo.

Cazador no estaba seguro de qué resultado esperaba más: si la confirmación de que habían localizado al hijo de Corinne, o el fracaso en la conexión de la secuencia con alguna información útil. Fuera como fuese, debería haberle contado a Corinne lo que encontró, sirviese o no para crear falsas esperanzas. Quería ahorrarle eso si podía.

Si pudiera, querría ahorrarle cualquier dolor durante el resto de su vida.

Se pasó la mano por la cabeza y se dejó caer de cuclillas en una esquina de la habitación. Al bajar al suelo, distinguió un objeto oscuro rectangular justo bajo los pies de la cama.

Era el maletín de cuero que Corinne había sacado del maletero de la camioneta aquella mañana.

En medio de la muy placentera distracción que había sido hacer el amor con ella, se le había pasado por alto revisar el maletín de cuero antes de ponerse en contacto con el recinto para enviarles el resto de archivos del laboratorio de Dragos. Entonces, alcanzó el maletín y miró lo que había en su interior.

La mayor parte del contenido consistía en papeles amarillentos y notas escritas a mano, pero fue un libro de contabilidad negro y gastado lo que captó de pronto toda su atención. Colocó el maletín y los papeles en el suelo junto a él y luego abrió el libro. En la primera página, arriba del todo, había un garabato.

SUJETO N.º 862108102484

Cazador miró fijamente la serie de números. No le resultaba familiar. No se parecía a la secuencia que le había dado a Gideon, ni a ninguna otra que hubiera visto antes.

Y, sin embargo, su sangre parecía detenerse en sus venas y los miembros se le enfriaron.

Pasó la página y se encontró lo siguiente:

Día del registro: 8 de agosto de 1956. 04.24 horas

Resultado: Nacimiento exitoso de un sujeto de la primera generación, el primero en ser gestado en términos completos
Estatus: Programa Cazador-Iniciado

Cazador miró fijamente la página hasta que las letras se le
nublaron y un estruendo empezó a sonar en su cabeza. Siguió
mirando el cuaderno, revisando las últimas entradas. Su mente
absorbía los hechos y fechas aunque su conciencia luchara por
eliminar los detalles.

«Dios bendito...»

Lo que estaba viendo eran los archivos del nacimiento y el
desarrollo de todos los cazadores creados en el laboratorio de
Dragos, desde el primero hasta el último.

Incluido él.

Corinne se despertó y estiró los brazos sobre la cama, buscando el calor de Cazador.

Él no estaba allí.

—¿Cazador? —Se sentó en la habitación a oscuras, y no
oyó más que los ruidos de los pantanos colándose a través de la
ventana—. Cazador, ¿dónde estás?

Al no recibir respuesta de ninguna parte, salió de la cama y
se puso la ropa. Sus zapatos estaban en el suelo junto a los pies
de la cama... y no muy lejos estaba el maletín de cuero con los
archivos del laboratorio de Dragos.

Sus contenidos estaban esparcidos por el suelo, los papeles
tirados de forma descuidada y sin ningún orden.

La visión de esos archivos desperdigados le produjo un extraño nudo en la garganta. Eso junto al hecho de que Cazador
se hubiera marchado sin decir ni una palabra.

Se puso los zapatos y salió en silencio de la habitación. El
televisor de Amelie todavía se oía detrás de la puerta cerrada al
otro extremo del pasillo, pero el resto de la casa estaba silencioso, vacío.

—¿Cazador? —susurró, sabiendo que si estaba allí, su oído
de la estirpe captaría hasta el más leve sonido. Siguió recorriendo la casa en dirección a la puerta trasera de la cocina.

¿Adónde se había marchado?

Probablemente se lo imaginaba. Salió por la puerta trasera y escudriñó las sombras de la ciénaga, que ocultaban la camioneta blanca aparcada varias docenas de metros más allá, entre los matorrales. La hierba crujía bajo sus pies, el aire nocturno era húmedo y lo sentía salado en la nariz. Avanzó con dificultad, frotándose los brazos para combatir el frío que se le colaba a través de la piel y hasta en los huesos.

Al llegar a la camioneta, encontró la puerta del maletero abierta. Las dobles puertas separadas por un hueco en el centro no dejaban ver nada más que oscuridad detrás de sus paneles blancos abollados, con el cartel de la compañía desteñido, salpicado de barro húmedo y sangre seca de la noche anterior.

—Cazador, ¿estás ahí dentro?

Abrió más los paneles y se coló dentro. Una tenue bombilla colgada del techo se encendió sola. Entonces vio a Cazador, sentado en el fondo de la camioneta, con los pies descalzos y sin camiseta, y los pantalones de nailon prestados dejando ver los dermoglifos de sus pantorrillas. Tenía los codos apoyados en las rodillas, que tenía levantadas, y en esa posición había dejado caer las manos y la cabeza.

Alzó la vista hacia ella, y la mirada vacía de sus ojos dorados hizo que el corazón le diera un vuelco detrás de las costillas.

—¿Qué ocurre?

Ella se aproximó al lugar donde se hallaba sentado. Había un cuaderno negro y rústico colocado entre sus pies separados.

—¿Qué estás haciendo aquí? —le preguntó, sentándose frente a él con las rodillas dobladas—. ¿Has encontrado algo más en los archivos de Dragos?

Él cogió el diario y se lo entregó. Cuando habló, no hubo ninguna inflexión en su voz.

—Estaba entre los papeles que contenía el maletín de cuero que llevaste a la casa.

Corinne frunció el ceño, abrió la tapa del cuaderno y miró los garabatos escritos a mano en la primera página.

—¿Es un registro de los laboratorios? —Como Cazador no respondió, ella volvió la página, y luego revisó rápidamente varias docenas de entradas, página tras página con anotaciones manuales—. Es un registro de nacimientos. Dios mío, es un libro de contabilidad de eventos. Documentación detallada de uno de los asesinos de los programas de Dragos.

—Del primero de todos ellos —respondió Cazador.

La verdad la golpeó incluso antes de levantar la vista hacia él y ver la palidez de su atractivo rostro. No se trataba simplemente de uno de los primeros informes de las retorcidas operaciones de crianza de Dragos... sino que se trataba del propio Cazador.

Conteniendo la respiración, sin saber qué iba a encontrarse, Corinne continuó pasando las páginas del cuaderno. Cuando aún no había pasado ni la cuarta parte, aleatoriamente se fijó en una de las numerosas entradas.

Asunto: Año 4.

Informe: Desempeña los niveles más altos de educación y entrenamiento físico; en las pruebas supera en 50 puntos a los otros 5 cazadores actualmente en el programa.

A ella no le sorprendía que Cazador fuera excelente en cualquier cosa que hiciera, incluso a una edad tan temprana. Soltó una parte del aire que había estado reteniendo en los pulmones, y siguió pasando páginas para fijarse en otra entrada más adelante.

Asunto: Año 5.

Informe: Condicionamiento inicial completo; el sujeto es trasladado del laboratorio a una celda individual; el hábitat y la disciplina serán monitorizados por un secuaz asignado para hacerse cargo.

Pasó más páginas.

Sujeto: Año 8.

Informe: La buena forma física y mental sobrepasa las expectativas de las pruebas; teoría y práctica de varias técnicas de ejecución furtivas maestras; el cuidador recomienda que el sujeto avance entrenando con blancos que tengan vida.

Un número de entradas más tarde, había una secuencia del informe que a Corinne le heló la sangre en las venas:

Sujeto: Año 8.

Informe: Primer asesinato; entrenamiento en situación de campo contra una presa humana (demasiado fácil).

Informe: Asesinato exitoso de un civil adolescente de la estirpe; métodos empleados: mano a mano y navajas cortas (sujeto y presa igualmente armados).

Informe: Asesinato exitoso de un civil de la estirpe adulto; método empleado: mano a mano, cuchillos cortos y largos (sujeto desarmado; persecución y técnicas de captura espectaculares; uso eficiente del entorno y el entrenamiento en la ejecución de la presa).

La frialdad que ella había sentido un momento antes era ahora puro hielo, se sentía enferma por dentro al considerar la maldad que representaba convertir a un niño en el tipo de monstruo desalmado que Dragos parecía decidido a tener bajo sus órdenes. Alzó la vista hacia el estoico macho de la primera generación... el asesino altamente cualificado que de alguna manera se había acabado convirtiendo en su amigo y amante... y no encontró en ella miedo o desprecio por aquello en lo que se había visto obligado a convertirse.

Ella lo quería, profundamente.

Le picaban los ojos y la garganta por la emoción, pero siguió revisando más páginas espeluznantes.

Sujeto: Año 9.

Informe: El cuidador advierte un aumento alarmante de la curiosidad del sujeto; frecuentes preguntas acerca del propósito de la vida y de su origen personal.

Informe: Se encuentran libros de carácter extraordinario en la celda; volúmenes aleatorios de ficción, biografías, filosofía y poesía robados de las habitaciones del cuidador.

Esta entrada en particular tenía más anotaciones debajo, escritas con una caligrafía furiosa.

Determinación: Restringir el acceso a la lectura de materiales más allá de los manuales aprobados y los libros de técnica y entrenamiento.

Acción: El cuidador da instrucciones de sacar el material de contrabando de la celda y ordena al sujeto que lo destruya.

Consideración: La rebelión se anticipa como un factor limitante mientras el programa continúa. Los sujetos son altamente inteligentes, nacidos naturalmente como depredadores y conquistadores. La disciplina puede no ser suficiente para mantener su sumisión.

Procedimiento de mejora: El personal de tecnología proveerá medios para asegurar la obediencia y lealtad de los sujetos dentro del programa Cazador.

Corinne cerró el cuaderno y se acercó a Cazador.

Estaba sin palabras, sobrecogida por el dolor hacia ese chico que nunca tuvo la oportunidad de ser un niño y maravillada por el hombre que, a pesar de haber vivido en esa soledad y ese infierno sin luz, conservó la capacidad para la dulzura de carácter y el honor.

Le tomó el rostro entre las manos y tiernamente lo volvió hacia ella para mirarlo a los ojos.

—Eres un buen hombre, Cazador. Eres mucho más de lo que Dragos esperaba que fueras. Eres mejor que la suma de tu pasado. Debes saberlo, ¿lo sabes?

Él se soltó de sus manos y frunció el ceño, sacudiendo la cabeza.

—Yo la maté.

Dijo las palabras en voz baja, como la simple y espantosa constatación de un hecho.

—¿De qué estás hablando?

—Está todo ahí —dijo él, señalando el horrible cuaderno que había en el regazo de ella.

Aunque odiaba saber qué otras cosas espantosas podría encontrar en los años tempranos de Cazador, estaba dispuesta a leerlo todo de principio a fin. Cogió el cuaderno de nuevo y buscó la primera página. Esta vez fue más despacio, leyendo los detalles de su nacimiento y las semanas y meses que le seguían. Él, a diferencia de su hijo, había recibido el alimento de la vena de su madre, y no de los extraños que presumiblemente habrían nutrido a Nathan cuando a ella le fue negado ese pequeño regalo.

Y entonces... lo vio.

Informe: El sujeto exhibe una obvia ansiedad de separación cuando le falta la presencia de su madre; muestras de debilidad; ese fallo en el comportamiento ha de ser corregido.

Acción: La interacción con la madre será eliminada; el alimento provendrá de otras fuentes humanas o de secuaces.

Corinne pasó algunas páginas más; un presentimiento le provocó un temblor en los dedos cuando halló la entrada que, en comparación, hacía palidecer todas las demás:

Sujeto: Año 2.

Informe: El sujeto experimenta una fortuita visión de su madre en el laboratorio; el sujeto se muestra inconsolable y rechaza el contacto con cuidadores secuaces; el incidente tiene como resultado daños en el equipo del laboratorio y conductas desafiantes en el sujeto.

Determinación: En beneficio del entrenamiento del sujeto, las potenciales futuras distracciones deben ser eliminadas.

Acción: Acabar con la vida de la madre, el programa debe ser modificado inmediatamente prohibiendo toda posible interacción entre los futuros sujetos y sus madres; los sujetos serán manejados únicamente por cuidadores secuaces.

Los ojos de Corinne estaban demasiado húmedos para continuar leyendo. Colocó el informe de la demencia de Dragos lejos de ella, dando un fuerte empujón a la libreta.

La voz de Cazador sonó rígida junto a su lado.

—Yo maté a mi madre, Corinne. —Las palabras eran planas y sin emoción, a pesar de que un par de lágrimas, del todo ignoradas por él, corrieran por su rostro.

—Tú no hiciste nada de eso. —Con toda la ternura que pudo, Corinne pasó el dedo pulgar sobre las marcas de humedad que recorrían su tensa mandíbula. Le acarició las mejillas encendidas, con una herida abierta en el corazón, en carne viva y doliente por aquel hombre—. Fue Dragos quien hizo todas esas cosas terribles, no tú.

—Mi madre está muerta por mi culpa, Corinne. Porque yo la quería.

Había un dolor tan profundo en sus ojos que ella fue incapaz de encontrar palabras de consuelo que ofrecerle. Nada que dijera podría ahuyentar el dolor que debía estar sintiendo. La pérdida deja un dolor en su estela, por muy lejos que quede el vacío.

Corinne sabía de primera mano hasta qué punto era desalmado Dragos, así que no debería de haberle sorprendido saber que él consideraba los lazos naturales que unen a un niño y su madre como una debilidad. Un fallo en su programa sádico que podría ser corregido con una única acción final.

Que Cazador estuviera encajando aquellas piezas ahora, después de todo este tiempo, ciertamente tenía que hacerle sentir culpable, y ella quería arrancar con sus propios dedos el corazón negro y enfermo para apretarlo con su puño.

En lugar de eso, agarró a Cazador en un abrazo y acurrucó su enorme cuerpo junto a ella. Le besó la cabeza y lo acarició suavemente, ejerciendo de improbable protectora, dando refugio entre sus brazos a aquel hombre poderoso mientras él permanecía quieto y silencioso acunado en su regazo.

—No hiciste nada malo —le aseguró—. Amar a alguien nunca es malo.

Capítulo veintiocho

$\mathcal{A}$quella noche, había empezado a nevar en Boston justo después de oscurecer. Copos de gran tamaño eran llevados por la fría brisa de diciembre, derritiéndose sobre las mejillas de Chase y mojándole la parte superior de la cabeza. Miraba a través de los mechones de pelo empapados que le colgaban por delante de los ojos, observando el tráfico de furgonetas que iban y venían haciendo sus últimas entregas en la lujosa finca que tenía el senador Robert Clarence en la costa del norte.

No sabía cómo había terminado acechando en las sombras a través de la calle donde estaba la casa del joven político. Como la lujuria de sangre le perseguía los talones, la curiosidad innata de Chase no le abandonaría, a pesar del hecho de que no tenía ni una verdadera razón para que le importara una mierda la fiesta de pijos que tenía lugar aquella noche.

Al parecer, era el gran evento social de la temporada, a juzgar simplemente por el desfile de proveedores de comida y el alquiler de manteles y servilletas. Una banda de doce músicos de cuerda y viento acababan de descargar su equipo en la parte trasera de la casa cuando llegó Chase. Los veinte policías uniformados y los agentes del servicio secreto de rostro serio estaban asignados en posiciones estratégicas por toda la finca y ya habían tensado el ambiente.

Chase dio un vistazo a los hombres con sus cortes de pelo y sus trajes negros. Bobby Clarence era una estrella política en alza, pero la protección dispuesta por el gobierno no estaba allí por él. Los guardias eran demasiado numerosos y demasiado evidentes como para haber sido asignados para alguien de menor rango que un oficial superior. La memoria de Chase hormigueó con alguna información sin valor acerca de la campaña que no había podido evitar oír durante la lucha del candidato por alcanzar su escaño en el senado. Había sido promocionado nada menos que por el vicepresidente, que se había explayado con fervor acerca del brillante estudiante que había impresionado a su profesor más estricto con una combinación de integridad y la sensibilidad de los estadounidenses de antaño.

Y ahora que Chase pensaba en ello, una grave sospecha comenzó a apoderarse de él.

Dragos no había ocultado a sus seguidores el hecho de que tenía algún interés en el senador Clarence, ¿pero qué ocurriría si en realidad había puesto el ojo en un puesto que todavía ostentara mayor poder?

—Dios bendito —murmuró Chase, por lo bajo. ¿Y si algunos de esos policías que patrullaban por los alrededores de la finca fuesen secuaces pertenecientes a Dragos? ¿Algo impediría a Dragos usar este tipo de reuniones para llevar más lejos sus planes?

Los viejos instintos de Chase se encendieron con una señal de alarma que no podía ignorar. Algo malo se estaba tramando en la fiesta de esa noche; podía sentirlo en los huesos. El senador o sus invitados vips, o tal vez incluso ambos, corrían peligro allí. Chase apostaría la vida en ello, por más que no valiera mucho en aquellos días.

Con un temor incluso más profundo que su sed de sangre, Chase convocó su talento genético de la estirpe para pasar, sin ser visto, entre los policías y los agentes del servicio secreto que vigilaban el exterior de la casa. Se movió apenas como una brisa fría, con un remolino de copos de nieve danzando en su estela, hasta que se deslizó en el interior de la casa a través de la puerta trasera de la cocina.

Tan pronto como se halló dentro otros dos hombres vestidos con traje negro salieron de una esquina.

Chase se agachó dentro de la despensa, quedándose en completo silencio y totalmente quieto, mientras los dos guardias del servicio secreto pasaban justo por delante de él. Uno de ellos, a través de su aparato de comunicación, anunció a los del segundo piso que allí abajo estaba todo despejado, y luego entabló una conversación con su compañero a propósito del partido de fútbol de la noche anterior. Chase soltó la respiración cuando los dos hombres armados salieron de la casa para unirse con los que había en el patio.

Iba a salir por la puerta de la despensa, pero se detuvo abruptamente cuándo esta se abrió de golpe, casi dándole en la cara.

—¿Has buscado el vino tinto aquí, Joe? —Una mujer joven entró en la bodega, volviendo la cabeza por encima del hombro mientras le hablaba a alguien que estaba fuera de la espaciosa bodega. Llevaba un vestido de manga larga y cuello alto de terciopelo color borgoña que le sentaba de maravilla a su alta y atlética figura. Una melena ondulada de color caramelo se agitó sobre sus hombros cuando se dio la vuelta y acabó de estar dentro—. Ah, aquí están... dos cajas más de Pinot Noir, justo donde recordaba que estaban.

Chase se esforzó por mantener las sombras reunidas a su alrededor mientras la llamativa mujer caminaba por delante de él y luego avanzaba hacia un hombre moreno vestido con frac y pajarita para cogerle la mano y hacerlo entrar en la habitación.

Le pareció que los humanos tardaban una eternidad en cargar las cajas de aquel caro vino francés. No es que a Chase le molestara tanto. Por más que fuera duro mantener el espejismo que su talento generaba, tampoco iba a cansarse tan rápidamente de contemplar a aquella mujer tan segura de sí misma y concentrada, con aquel vestido espectacular.

Finalmente, colocaron la última caja en el carrito, con las botellas agitándose dentro.

—¿Alguna cosa más, señorita Fairchild?

Ella comprobó su reloj.

—Te lo haré saber, Joe. Gracias —respondió secamente. Fue detrás de él cuando salió por la puerta, y su silueta vista por la espalda era demasiado ardiente como para pertenecer a alguien que se comportaba de manera tan fría—. Si alguno de los otros camareros me necesita, estaré revisando la selección musical con la orquesta por última vez. Diles a todos que estén atentos. Los invitados del senador llegarán justo dentro de una hora.

—Sí, señorita Fairchild —murmuró Joe, llevándose el carrito mientras ella cerraba la puerta de la bodega tras de sí.

Chase eliminó las sombras que había reunido a su alrededor tan pronto como se halló a solas. Respiraba aceleradamente, y tenía el cuerpo como si hubiera hecho una carrera a nado de costa a costa. Le temblaban las manos y sufría calambres en las venas por la necesidad de más alimento. Maldita sea. Estaba prácticamente agotado, y la fiesta ni siquiera había empezado todavía. Abrió la puerta con cuidado y escudriñó a través de una rendija. Cuando se aseguró de que no habría más sorpresas, salió y usó las últimas reservas de fuerza que le quedaban para subir aceleradamente las escaleras. Encontró una habitación vacía de los guardias de seguridad en el segundo piso, y allí se dispuso a esperar hasta que llegaran los invitados del senador.

Un correo electrónico de Gideon los estaba esperando cuando regresaron a la casa un rato más tarde. Cazador devolvió la llamada a Boston con Corinne sentada junto a él, delante del ordenador, y escuchó con una mezcla de espanto y grave aceptación cuando Gideon le comunicó que la secuencia numérica parcial que había extraído de los recuerdos de la sangre de Corinne había dado resultados interesantes.

Había dos pistas sólidas en los archivos de datos encriptados recuperados de las tarjetas de memoria que Cazador había cargado en el ordenador para enviar al recinto. Las malas noticias eran que uno de esos archivos iba unido a un informe con un registro de actividad cero durante más de cinco años. ¿Las buenas noticias? La segunda pista provenía de un archivo activo.

Después de un rato de piratería informática, Gideon había descubierto lo que parecían ser unas coordenadas asociadas al registro. Usando la confirmación del satélite, había triangulado la señal receptora de un GPS recibida desde una pequeña ciudad del oeste central de Georgia, a unos cien kilómetros a las afueras de Atlanta. La boca de Gideon había procesado tan rápido como su mente al transmitir la información a Cazador, alrededor de una hora antes. Parecía pensar que, con unas pocas horas más de exploración, los archivos recuperados de la unidad de almacén de Henry Vachon darían una cosecha aún mayor.

Fascinada ante la perspectiva de un golpe futuro contra la operación de Dragos, la mente de Cazador se ocupaba ahora de cuestiones más inmediatas.

Corinne se había quedado en silencio y contemplativa, desde que se despidieron rápidamente de Amelie Dupree Y se sentaron juntos en la camioneta preparados para el largo viaje que tenían por delante. Llevaban ya en la carretera varias horas, dirigiéndose a través de Alabama hacia la carretera interestatal 85. Cazador suponía que podrían llegar hasta los límites de Carolina del Norte antes de que la salida del sol los obligase a dejar atrás el volante y el ancho parabrisas de la camioneta en busca de protección.

En unas dieciséis horas más, Corinne estaría a salvo en el Refugio Oscuro de los Reichen, en Rhode Island.

Por supuesto que ella no lo sabía.

Le había ahorrado ese particular detalle de sus planes, pensando que sería mejor hablarlo con ella en privado, una vez que estuvieran a solas en la carretera. Sin embargo, ahora le estaba resultando difícil hacer acopio de las palabras.

Sabiendo que iba a decepcionarla, que probablemente la heriría con la verdad, le resultaba todavía más difícil después de la compasión que ella había demostrado con él aquella tarde. La cabeza todavía le daba vueltas por el descubrimiento del cuaderno del laboratorio y todo lo que este contenía. Sentía que perdía el equilibrio, una y otra vez, como sacado de su eje.

Eso hasta que recordaba la sensación de los brazos de Corinne envolviéndolo, devolviéndole su centro.

Como si hubiera percibido su lucha interior, ella levantó la cabeza del mapa que tenía en el regazo y le miró.

—¿Va todo bien?

La forma en que asintió con la cabeza le pareció débil incluso a él, transparente.

—Apenas has hablado desde que salimos de Nueva Orleans. Si hay algo que necesites...

—No —dijo ella, sacudiendo la cabeza—. Si no estoy muy habladora es solo porque estoy nerviosa. Asustada, supongo. No puedo creerme que estemos yendo a encontrarle. Por fin estoy de camino para encontrar a Nathan.

Pronunciaba el nombre de su hijo con tanta veneración y esperanza que él se sintió desgarrado por dentro. Cazador estaba aprendiendo a sentir muchas de las cosas que preocupaban a Corinne, pero la quemadura ácida de la culpa por decepcionarla era un dolor que le costaba demasiado soportar. Se aclaró la garganta y se obligó a escupir la verdad.

—No podemos saber con seguridad cuáles son las posibilidades de que tu hijo esté actualmente en la celda que Gideon ha localizado en las afueras de Atlanta. Pero tú y yo nos estamos dirigiendo más lejos hacia el norte, Corinne. Te estoy llevando de vuelta a Rhode Island, al Refugio Oscuro de Andreas y Claire.

—¿De qué estás hablando? —El vio de reojo cómo se le aflojaba la mandíbula—. ¿A qué te refieres con que no vamos a ir a Atlanta?

—No sería una situación segura para ti, así que, una vez estés a salvo junto a Andreas y Claire, yo regresaré para investigar por mi cuenta. Será mejor de esta manera, para todos los implicados.

En virtud del vínculo de sangre que los unía, él sintió en las venas el pinchazo repentino de su furia.

—¿Cuándo planeabas decírmelo... antes o después de dejarme ante la puerta del Refugio Oscuro?

—Lo siento —dijo él, de manera completamente sincera—. Soy plenamente consciente de que esta no es tu elección, pero, además de garantizar tu seguridad, también quiero evitarte cualquier preocupación o decepción.

—Él está en ese lugar, Cazador —imploró ella—. Puedo sentirlo en los huesos. Nathan está allí.

Cazador apartó la vista de la autopista que se extendía ante él para dirigirla a la preciosa madre protectora que probablemente sería capaz de arrojarse en medio de un incendio si así pudiera salvar a su hijo. El pensamiento lo hizo detenerse, afectado al considerarlo.

—Las razones que tenemos para ir son pocas, Corinne. Por lógica, por todo lo que sabemos, esa información podría conducirnos hasta otro de los asesinos de Dragos, y no a tu hijo.

Ella se dio la vuelta desde su asiento, dirigiendo hacia él toda la fuerza de su ira.

—Por la misma lógica, por todo lo que sabemos, sí puede que se trate de mi hijo.

—Entonces con más razón no te quiero allí, Corinne. —Soltó un lento suspiro ante el cristal del parabrisas—. Si se trata de él, esto no puede terminar bien.

—¿Cómo sabes eso? —cargó ella con hostilidad—. No puedes estar seguro de eso...

Él volvió a mirarla, dándose cuenta de que lo que estaba a punto de decirle podría destrozar todo lo que habían compartido en su corto tiempo juntos.

—Lo sé, Corinne. He visto cómo se desarrollaba el encuentro con tu hijo. La niña que había en los cuarteles de la Orden...

—¿Mira? —Ella parecía sorprendida, confusa. Una arruga se formó entre sus finas cejas negras—. ¿Qué tiene que ver ella con todo esto?

—Tuvo una visión —respondió él—. Una visión concerniente a ti y al chico... y a mí.

—¿Qué? —Corinne lo miraba fijamente como si él acabara de clavarle un puñal en el estómago. Aunque la había tomado totalmente por sorpresa, había un matiz de sombría comprensión en su suave y controlada voz—. Dime de qué va esto, Cazador. ¿Mira ha visto algo desde que salimos del recinto?

—No. Fue meses atrás —admitió él—. Mucho antes de conocerte.

Cuando él la miró ahora, le pareció que estaba enferma. Su rostro estaba completamente pálido bajo la débil luz del salpicadero de la camioneta. La acusación de su mirada se le clavaba como un cuchillo.

—¿Qué estás diciendo? ¿Qué es lo que sabes de Nathan? ¿Sabes si lo encontraré o no? ¿Mira predijo cómo acabaría esta noche?

El silencio con que respondió Cazador pareció más de lo que ella podía soportar.

—Detén el vehículo —exigió—. Para ahora mismo.

Él se apartó de la autopista de tres carriles que iba rumbo al norte y la grava crujió bajo los neumáticos al detenerse inmediatamente en la cuneta. Aparcó la camioneta y se volvió hacia Corinne, sentada junto a él. Ella no lo miraba. Él no necesitaba ver sus ojos para saber que estarían llenos de daño, de desconfianza y confusión.

—¿Tú has sabido algo de mi hijo todo este tiempo... incluso desde antes de llevarme a mi hogar en Detroit?

—Yo no sabía que la visión era concerniente a tu hijo, Corinne. La primera vez que vi la premonición en los ojos de Mira, ni siquiera sabía quién eras tú. Nada de eso tenía ningún significado para mí en aquel momento.

Corinne lo miró fijamente ahora, con ojos sombríos.

—¿Qué fue exactamente lo que viste, Cazador?

—A ti —dijo él—. Te vi, llorando, suplicándome que perdonase una vida que lo significaba todo para ti. Me rogabas que contuviera mi mano.

Ella tragó saliva con dificultad, su garganta crujió débilmente entre el zumbido de los vehículos que pasaban junto a ellos por la carretera a toda velocidad.

—¿Y qué fue lo que tú hiciste... en esa visión?

Las palabras salieron lenta y amargamente. Tan horribles en su boca como se sentirían en sus manos al hacerse verdad.

—Hice lo que tenía que hacer. Lo que tú pedías era imposible.

Ella sorbió el aire y trató torpemente de abrir la puerta. Cazador podría haberla detenido. Podría haber congelado las cerraduras con el pensamiento y dejarla atrapada allí dentro con él. Pero su dolor lo destrozaba. Salió detrás de ella y vio su silueta recortada contra la luz de la luna.

—Corinne, por favor, trata de entenderlo.

Ella estaba furiosa y herida, y temblaba.

—¡Me mentiste! —El rugido de los coches que pasaban aumentó cuando ella clamó contra él. Su don reunía las ondas de sonido y las excitaba como una tempestad—. Tú lo sabías... todo el tiempo que hemos pasado juntos. ¿Y me lo has ocultado? ¿Cómo pudiste hacerme eso?

—Yo no sabía a quién estabas tratando de proteger. No sabía cuándo se suponía que iba a cumplirse la profecía. Podría haber sido en el futuro dentro de años. Podía no significar nada. Antes de decirte nada, necesitaba entender qué era lo que había visto.

Un semirremolque pasó por el carril rápido y el sonido sacudió el suelo mientras Corinne escuchaba cómo Cazador trataba de explicar algo que él mismo sentía ahora injustificable.

—Las piezas del rompecabezas no se pusieron en su sitio hasta que me hablaste de tu hijo.

Ella cerró los ojos durante un momento, y luego los alzó hacia las estrellas antes de dirigir a él su mirada húmeda.

—Y entonces, después de todo lo ocurrido entre nosotros, después de que hubiéramos hecho el amor e incluso bebieras de mi sangre... ¿seguiste sin decirme lo que sabías?

—Entonces —dijo él—, me importabas demasiado para herirte con la verdad.

Ella negó con la cabeza lentamente, y luego con más vigor.

—¡Yo confiaba en ti! Eras el único en quien sentía que podía confiar. ¡Y pensar que fui lo bastante idiota como para enamorarme de ti!

El ruido se hizo más violento por la fuerza de su creciente indignación. Por encima de sus cabezas, explotó una farola, mostrando chispas en lo alto, encima de ellos. Cazador la apartó de la zona donde caían las esquirlas, sujetándola contra sí a pesar de sus lágrimas y su forcejeo. Le dio un beso en la frente. La obligó a mirarlo, a mirarle a los ojos y ver otra verdad que había estado reteniendo.

—Yo también te amo, Corinne.

—No —susurró ella—. No creo que puedas.

Él le cogió la barbilla y la levantó hacia sí. Besó sus labios, que se abrieron para protestar.

—Te amo. Tienes que creerme cuando te digo que eres la única mujer que deseo amar. Deseo tu felicidad. Significa todo para mí.

—Entonces no puedes dejarme de lado cuando hay una posibilidad de que mi hijo se halle a tan solo unas pocas horas de donde estamos ahora.

Cazador frunció el ceño, sabiendo que estaba perdiendo esa batalla. Tal vez aquel era el primer combate en que se rendía.

Con tanta suavidad como pudo, le recordó a ella:

—Las visiones de Mira nunca fallan. Si vienes conmigo y encontramos a tu hijo, ¿serás capaz de perdonarme?

—Si realmente me amas, como yo te amo a ti, deberías ser lo bastante fuerte como para cambiar esa visión. —Ella estaba ahora calmada, y con esa calma también se apaciguó su talento. La transitada carretera recuperó su zumbido y ronroneo de fondo. Detrás de ellos en la cuneta, el motor de la camioneta volvió a recuperar el ralentí. Ella se acercó a Cazador titubeante, y le colocó una mano en el centro del pecho, donde su corazón latía con fuerza—. Tal vez nuestro amor pueda romper esa visión.

—Tal vez —dijo él, deseando poder creerlo.

Lo que sí creía era que, si la enviaba lejos ahora, ella lo odiaría fuera lo que fuera lo que encontrase al final de la señal del GPS de Georgia. Llevarla lejos ahora sería acabar con su esperanza y traicionar su confianza una vez más.

Cazador la tomó de la mano. Juntos caminaron de vuelta a la camioneta y se dirigieron hacia lo que les esperaba al final de la carretera aquella noche.

Capítulo veintinueve

*L*a fiesta en la casa de vacaciones del senador estaba en su máximo esplendor desde hacía dos horas y media y Chase empezaba a aburrirse.

Desde su rincón elevado en la galería del segundo piso, observaba los grupos de gente que disfrutaban en el imponente salón de baile. Hombres y mujeres elegantemente vestidos caminaban y se mezclaban, riendo y enviándose besos a través del aire mientras hacían malabarismos con las bebidas y los aperitivos y mantenían unos cien temas de conversación sin sentido. De fondo, los doce músicos de la banda alternaban entre un repertorio de música secular y piezas clásicas más apropiadas para la flor y nata del país.

Chase no pudo dejar de fijarse en la bella mujer del vestido color borgoña que daba vueltas en torno a los reunidos como una gallina detrás de sus polluelos. La señorita Fairchild tenía la delicadeza de buscar a los más tímidos o menos agraciados para cautivarlos con una sonrisa y ofrecerles unos minutos de genuina y atenta conversación. Hacía presentaciones, y arrastraba a los socialmente ineptos hacia los grupos más grandes, quedándose junto a ellos hasta que se encontraban cómodos y dedicándose luego a resolver el siguiente problema.

Chase supuso, basándose en su comportamiento y su actitud profesional, que trabajaba para el senador Clarence, pero al contemplar a una joven tan atractiva, se preguntó si el trabajo de ella se extendía más allá de la planificación de fiestas y las relaciones sociales. Tal vez su cuello altivo y la actitud un poco brusca eran solo una fachada. No parecía nada fría ahora. Tal vez era tan cálida como aquel vestido que le sentaba tan estupendamente.

Sí, y tal vez él se lo estaba perdiendo, sentado allí como Quasimodo en su campanario cuando tenía cosas mucho más interesantes que hacer en la ciudad.

El frío nudo del hambre que sentía en el estómago se mostró de acuerdo con esa apreciación.

Chase observaba impaciente, mirando cómo ese chico dorado que era el senador hacía las rondas con sus invitados. Era delicado. Como profesional consumado, estrechaba las manos, besaba las mejillas de viejas damas arrugadas, posaba para las fotografías todo el tiempo. No era difícil imaginar que su encanto y su brillo lo hicieran ascender rápidamente en la política. No había duda de que Dragos había advertido lo mismo en él, y Chase se estremeció al pensar qué significaba que el jefe adversario de la Orden comenzara a poner la vista en figuras del gobierno de los humanos.

Debajo de la galería, hubo un repentino alboroto de actividad. Dos agentes del servicio secreto entraron en la casa a través del gran vestíbulo principal. Tres agentes más abrieron las dobles puertas de madera de cerezo oscura que daban a la sala de invitados vips, y otro par de agentes entró por la puerta trasera.

Chase ya había adivinado quién podría ser el recién llegado, pero el pulso se le aceleró y sintió un pinchazo de temor o de oscura expectación cuando el senador Clarence se adelantó para dar la bienvenida al vicepresidente. Los otros invitados irrumpieron en aplausos mientras los dos hombres se sonreían y se daban el típico abrazo masculino antes de disponerse a saludar efusivamente a los invitados e intercambiar parabienes.

Chase advirtió que tenía compañía, agentes de seguridad extra como medida de precaución ahora que el segundo cargo más importante del país estaba en el edificio. El agente armado se colocó en su posición al otro lado de la galería y se comunicó con su mando a través del micrófono que llevaba en la solapa de su traje negro. Chase se apartó de la barandilla de la terraza y desapareció entre las sombras del corredor.

Mientras se alejaba vio de reojo una cara que conocía demasiado bien. Un rostro que desde luego no pertenecía a un ser humano.

El agente del servicio secreto estaba justo en el extremo de la galería, vigilando los alrededores con un movimiento de su gran cabeza. Y con astutos ojos atentos a cualquier irregularidad. Pero no sintió el peligro que Chase sí sentía. No podía saber que uno de los hombres reunidos entre los participantes de la fiesta no era un hombre en absoluto.

Chase convocó las sombras a su alrededor para dirigirse hasta la barandilla de la terraza y dar otra mirada.

Maldita sea, pensó, al confirmar el peor de los escenarios.

Allí abajo estaba Dragos.

Como una abeja en una animada colmena, el vicepresidente recorría su camino junto al senador a través de la excitada multitud. Demasiado pronto, se detuvo frente a Dragos. Los tres hablaron un momento, intercambiando risas y apretones de manos antes de dirigirse juntos a una habitación privada adyacente al salón de baile.

Joder.

Oh, no.

No, no, no.

Chase sabía que no podía permitir que Dragos fuera solo a ninguna parte con aquellos hombres tan importantes. No podía dejar que eso ocurriera.

La indecisión lo atenazaba mientras luchaba por controlar su talento, con la mirada fija todavía en el más ligero movimiento de Dragos. Cada célula de la estirpe en su cuerpo lo urgía a saltar desde el balcón para atacarlo, matar al bastardo a sangre fría antes de que ni lograra enterarse de lo que ocurría. Pero hacer eso significaba exponerse públicamente como una criatura no humana. Si eso solo lo implicara a él, no le preocuparía. Pero las consecuencias de mostrarse como parte de la estirpe eran irreversibles, y con implicaciones de amplio alcance.

Tal vez podía provocar una distracción, algo que causara una situación de pánico momentánea. Algo que hiciera que los guardias del vicepresidente se apresuraran a sacarlo de la fiesta y resguardarlo así de cualquier plan que Dragos estuviera tramando poner en práctica mientras sonreía a su lado.

Chase sintió que su talento se le escapaba mientras decidía qué curso de acción tomar.

Las sombras se dispersaron, como una bruma que se le escurriera entre los dedos, dejándolo expuesto allí de pie.

En aquel mismo instante, la señorita Fairchild miró hacia arriba y lo vio. Se movió hacia uno de los hombres de negro que había también arriba y les señaló a Chase. El agente habló a través de su aparato de comunicación y otros agentes acudieron de todas direcciones.

Ah, Cristo.

Mientras tanto, Dragos estaba casi fuera de la vista con el senador y el vicepresidente.

Chase echó un vistazo a través de la distancia al agente del servicio secreto posicionado en la galería. En menos de un segundo, lo dejó inconsciente de un golpe y le quitó la pistola de la funda. Chase disparó un único tiro al aire. Se produjo una lluvia de polvo de yeso cuando la bala hizo impacto contra el techo abovedado. En el salón de baile hizo irrupción el caos.

La gente gritaba y se dispersaba, todo el mundo corría para cubrirse.

Todo el mundo excepto la señorita Fairchild. Ella seguía quieta en el centro de toda aquella locura, mirándolo directamente, con los ojos clavados en él como brillantes rayos láser de color verde.

Chase dirigió rápidamente su atención hacia Dragos. Se encontró con su mirada, de un odio tan feroz como el suyo, y disparó la pistola del agente antes de que Dragos tuviera la oportunidad de apartarse. El disparo lo alcanzó, haciéndolo tambalearse.

Los tiros le fueron devueltos a Chase, explotando a su alrededor desde todas direcciones.

Abajo, en el salón de baile, Dragos se vino abajo sangrando. Chase esperaba con todas sus fuerzas que estuviera muerto o agonizante, pero no podía saberlo con seguridad.

Corrió hacia la ventana más próxima, y luego se arrojó a través de ella con un salto impresionante. Mientras huía a toda velocidad a través de la oscuridad exterior, sintió un desgarrador estallido de dolor en una pierna y en un hombro. Se echó a temblar y cayó sobre la hierba cubierta de nieve.

Oyó el sonido de pisadas retumbando a través de la casa y

junto al terreno de la finca. Sintió el tintineo de armas, preparadas para atacar al peligroso intruso en su juicio final. Chase se puso en pie de un salto y echó a correr.

Dragos yacía en el suelo enfurecido, sangrando por los intestinos en el suelo del salón de baile del senador Bobby Clarence. Momentos después de la herida de bala que lo había noqueado, los gritos y el caos todavía llenaban el ambiente de la finca. Los invitados a la fiesta, humanos aterrorizados, se desperdigaban como pequeños pájaros mientras los agentes del servicio secreto se precipitaban en masa para sacar al senador y al vicepresidente de la habitación y ponerlos a salvo.

Maldita fuera la Orden.

¿Cómo lo habían encontrado? ¿Cómo se les podía haber ocurrido mirar allí, de entre todos los lugares del mundo?

Dragos mantuvo las manos sobre el estómago mientras la histeria continuaba creciendo a su alrededor. Por muy herido que estuviera, no tenía dudas de que sobreviviría. La bala había atravesado su cuerpo. La hemorragia ya estaba disminuyendo y su genética de la estirpe ya estaba en proceso de reparar el daño en la piel y en los órganos.

Un par de hombres de negro y varios oficiales de policía pasaron entre la multitud para llegar hasta él. Uno de los hombres del gobierno habló en voz baja y con urgencia a través del aparato de comunicación que llevaba alrededor de la oreja. El otro se arrodilló junto a Dragos, rodeado por un par de policías de uniforme con expresión ansiosa.

Dragos intentó sentarse, pero el agente del servicio secreto lo sujetó con una mano para desaconsejarle que lo hiciera.

—Señor, trate de permanecer en calma ahora, ¿de acuerdo? Todo está bajo control. Llegarán refuerzos en apenas unos minutos.

No esperó a oír su conformidad. Confiado en que él obedecería, se unió de nuevo a su compañero, dejando a los dos policías a cargo de la vigilancia. Unos pocos invitados dispersos pasaron junto a él y se taparon la boca con las manos al ver un destello de la sangre derramada mientras se apresuraban a abandonar el salón de baile.

Dragos gruñó, resentido con todos aquellos humanos presas del pánico casi tanto como con el despreciable bastardo de la Orden que había conseguido desbaratar meses de trabajo con un único disparo. Era el orgullo, más que el dolor, lo que le hacía mantener los labios firmemente apretados, y era furia, más que miedo, lo que le hacía apretar los dientes con tanta fuerza que se le ocurrió preguntarse si su mandíbula no acabaría por quebrarse. Sus colmillos latían, listos para emerger de sus encías y llenarle la boca. Su sentido de la vista, siempre sobrenaturalmente agudo, estaba ahora todavía más desarrollado, y los bordes de su visión se llenaban con un brillo ámbar.

Tenía que salir de allí rápidamente.

Antes de que su rabia lo traicionara públicamente revelando lo que de verdad era.

Dragos alzó la vista hacia uno de los dos policías que lo vigilaban, el más joven. El que le pertenecía. Agachado junto a Dragos, el secuaz esperaba una orden como un entusiasta perro de caza.

—Dile a mi conductor que acerque el coche por detrás —murmuró Dragos, apenas en un susurro. El secuaz se inclinó hacia él, absorbiendo cada palabra—. Y haz algo para despejar esta maldita sala de todos esos ojos entrometidos.

—Sí, señor.

El secuaz se levantó. Cuando se dio la vuelta para obedecer la orden, casi corrió hacia Tavia Fairchild. Ella permanecía de pie, inmóvil, con su astuta mirada atenta al policía que se acercaba corriendo, que alzó la vista hacia ella extasiado pero a la vez con cautela. Aunque Tavia solo hubiera estado allí un instante hubiese sido suficiente. Había oído que el secuaz al dirigirse a Dragos lo había llamado «amo». Y el secuaz pudo notar, por cómo inclinaba ella la cabeza y cómo se le afiló la mirada, que estaba tratando de procesar información que ni siquiera su aguda mente podía alcanzar a comprender.

—Perdone, *madame* —balbució el secuaz, apartándose de su camino tras hacerle una torpe reverencia con la cabeza. Volvió la vista hacia Dragos y se aclaró la garganta—. Señor Masters, estaré de vuelta enseguida.

Dragos asintió, con la mirada totalmente atenta a Tavia Fairchild mientras se incorporaba para quedarse sentado en el suelo. El esfuerzo del secuaz para cubrir su desliz pareció satisfacer a la bonita ayudante del senador. Mientras el oficial se alejaba, su expresión de confusión se transformó en una de preocupación al dirigirse hacia Dragos.

—Hemos avisado al servicio médico y una ambulancia viene de camino... —Su voz se extinguió. Parecía enferma, el color de sus mejillas se desvaneció mientras se acercaba a él y ahogaba un grito ante la vista de la sangre que empapaba la camisa blanca de su esmoquin y el suelo del salón de baile debajo de él. Pareció perder un poco el equilibrio mientras se sujetaba sus propios brazos. Lo miró a los ojos para evitar la visión de su herida y sacudió levemente la cabeza—. Lo siento. Solo estoy un poco atontada. No me manejo bien en este tipo de situaciones. Tengo fama de desmayarme ante la vista de un simple rasguño en la rodilla.

Dragos permitió que sus labios esbozaran una sonrisa.

—No podría pretender ser perfecta en todo, señorita Fairchild.

Ella frunció el ceño, visiblemente incómoda. Al menos su mareo pareció contribuir a que olvidara el descuido del secuaz, al que se le había ido la lengua. Se enderezó y volvió a adoptar su rol de consumada profesional.

—Acabo de dejar al senador Clarence y al vicepresidente, señor Masters. Ninguno de los dos ha recibido ningún daño y están ahora mismo bajo custodia del servicio secreto. Su mayor preocupación es que usted se reponga bien, por supuesto.

—No hay por qué preocuparse —le aseguró Dragos—. Estoy seguro de que la herida es mucho menor de lo que aparenta. —Y para demostrarlo, se dispuso a ponerse en pie.

—Oh, creo que no debería hacer eso. —Ella se apresuró a ayudarle, pero su cuerpo se tambaleó más que el de él y su rostro adquirió todavía mayor palidez, perdiendo todo el color en las mejillas.

—Me pondré bien —le dijo Dragos. Mientras hablaba, el oficial de policía secuaz volvió a entrar en el salón y ocupó el lugar de Tavia, apartándola suavemente mientras informaba a Dragos de que su coche lo estaba esperando en el lugar requerido.

—¿No cree que debería esperar a los servicios médicos? —preguntó ella, con incredulidad—. Ha recibido un disparo, señor Masters. Ha perdido gran cantidad de sangre.

Él sacudió la cabeza en señal de negación mientras el secuaz le ayudaba a dar unos pasos.

—Hará falta más que esto para detenerme, se lo aseguro.

Ella parecía muy poco convencida.

—Debería estar en la habitación de emergencias.

—Mis médicos personales son el mejor equipo para cuidar de mí —respondió él, sin inmutarse mientras ella era apartada por su secuaz y otro oficial que se acercó a echar una mano—. Además, usted tiene otras cosas más urgentes que hacer, señorita Fairchild.

Hizo un gesto señalando la puerta principal de la casa. Estaba abierta y en el patio comenzaban a agruparse varias furgonetas recién llegadas, cámaras y focos. Tavia Fairchild se alisó su vestido color borgoña y alzó la cabeza, preparándose para la avalancha de reporteros que ya habían empezado a entrar en la casa. En la distancia, se oyó la sirena de una ambulancia que se acercaba.

Mientras se lo llevaban, Dragos oyó que la joven murmuraba un taco, pero cuando se volvió a mirarla, Tavia Fairchild ya iba al encuentro de los buitres que se apiñaban, y era la viva imagen de la calma y el equilibrio.

—¿Es verdad que había un hombre armado en la casa del senador? —le gritó alguien.

—¿Dónde están ahora el vicepresidente y el senador? —preguntó otro reportero.

Y todavía más preguntas ansiosas, una tras otra.

—¿El tiroteo fue un atentado contra el senador Clarence, o hay razones para pensar que el blanco pretendido era el presidente? ¿Podría tratarse de un ataque terrorista? ¿Alguien vio al hombre que disparaba? ¿La policía secreta conoce a algún sospechoso que pueda haber hecho esto?

Dragos sonrió para sí mientras salía por la puerta trasera. Tal vez el caos inesperado de aquella noche acabara demostrándose útil para él. Tal vez todas esas preguntas frenéticas y preocupaciones eran justo lo que necesitaba para poner el clavo final en el ataúd de la Orden.

La bala que había recibido esa noche había sido un disparo en sus mismas narices… y estaba dispuesto a devolverlo.

Mientras se subía a la limusina que lo aguardaba, Dragos sacó del bolsillo de la chaqueta de su esmoquin el teléfono salpicado de sangre. Se había acabado eso de esperar el momento oportuno para lanzar el ataque contra la Orden. Era la hora de acabar con ellos. De forma permanente, si es que había algo que añadir.

Mientras hacía la llamada a ese lugar remoto del norte de Maine y oía el timbre del teléfono, Dragos observó a través de la ventana teñida de su limusina cómo Tavia Fairchild se hallaba de pie bajo las luces de una docena de cámaras, dirigiéndose de forma serena a la agitada multitud.

Mientras ella les aseguraba que todo estaba bajo control, Dragos dio luz verde a una misión que pronto pondría a la ciudad entera en un estado de histeria total.

Capítulo treinta

Eran más de las cuatro de la mañana cuando llegaron a la localización donde Gideon les había indicado dirigirse, en una zona rural del oeste de Georgia. Corinne estaba exhausta, fatigada por el largo viaje y emocionalmente cargada por la confrontación que había tenido con Cazador varias horas antes.

Pero más que ninguna de esas cosas, era la idea de estar realmente allí, a unos cientos de metros de la vieja cabaña de troncos cercana al río donde tal vez viviera Nathan, lo que mantenía todas sus terminaciones nerviosas en un inquietante estado de alerta.

Si antes se había sentido nerviosa, ansiosa ante el momento en que esperaba ver a su hijo y prometerle la vida que tan desesperadamente deseaba darle, ahora sentía también temor en la misma medida. La visión de Mira lo había cambiado todo. El papel que Cazador se había visto obligado a desempeñar en esa visión le había hecho dudar de todo lo que antes creía con total seguridad.

De todo, excepto del amor que Cazador sentía por ella.

Era lo único a lo que Corinne podía aferrarse, tal vez atolondradamente, mientras él apagaba el motor y permanecían sentados en la oscuridad del vehículo, observando la cabaña débilmente iluminada a través de las dos hectáreas de bosque que la rodeaban.

—¿Me juras que volverás enseguida? —le preguntó ella. Cazador había accedido a llevarla hasta la localización, pero se había negado rotundamente a permitir que lo acompañara dentro de la casa—. Por favor, ten cuidado.

Él asintió, mientras colocaba un par de cuchillos en las fundas que llevaba sujetas a sus pantalones negros de combate. La camisa de manga larga que ella le había lavado y secado en casa de Amelie completó su transformación, de manera que volvía a ser el guerrero que la había escoltado desde Boston hasta Detroit no hacía tanto tiempo.

Pero ahora Cazador era cualquier cosa antes que estoico o indescifrable. Sus ojos dorados la acariciaron con ternura al mismo tiempo que la acercaba hacia sí con su fuerte mano para darle un beso.

—Te amo —le dijo ferozmente—. No quiero que te preocupes.

Ella asintió inmediatamente.

—Yo también te amo.

—Quédate en la camioneta. Permanece escondida hasta que yo vuelva. —La besó de nuevo, más fuerte esta vez—. No tardaré.

No le dio tiempo para discutir ni para detenerlo. Salió del vehículo y se desvaneció en la oscuridad que los rodeaba.

Corinne se quedó allí sentada, esperando a solas, e inmediatamente se arrepintió de haber aceptado quedarse atrás. ¿Y si él se metía en problemas? ¿Y si era descubierto antes de ser capaz de determinar si Nathan vivía o no en aquella casa? ¿Cuánto tiempo se quedaría allí esperando su regreso antes de que...?

El sonido de un disparo llenó el aire de la noche.

Corinne se sobresaltó. La repentina explosión de un brillo anaranjado provenía de un lugar cercano a la cabaña y el ruido rebotó en los árboles como un trueno.

—Oh, Dios mío. Cazador...

Antes de poder detenerse, ya había salido de la camioneta y corría hacia la cabaña. No tenía ningún plan más que el de asegurarse de que Cazador no había sido herido. Por más que él pareciera invencible, tenía el corazón de ella en sus manos, y no había ahora nada que pudiera impedirle ir tras él.

Sintió el fuerte olor de la pólvora al acercarse al porche delantero de la cabaña. Un hombre muerto yacía allí, con un gran rifle sobre el pecho que todavía sacaba humo del cañón. Su cara estaba congelada con una expresión que reflejaba alarma, y su cuello eficazmente quebrado.

Cazador.

Había pasado por allí.

Estaba en algún lugar del interior de la cabaña. Corinne se deslizó dentro sigilosamente. De inmediato, oyó los sonidos de lucha debajo de sus pies. El sótano. Encontró la puerta de la escalera que conducía hacia la pelea que transcurría abajo y, en el instante en que se preguntaba si era o no una estupidez bajar allí, el panel de madera que tenía ante ella pareció explotar espontáneamente desde dentro.

La fuerza del estallido la tiró hacia la pared que había a su espalda. Cuando abrió los ojos después de la conmoción, se halló a sí misma mirando fijamente a unos ojos que parecían los suyos propios, gatunos, con los iris de un verde azulado, oscuras pestañas y párpados almendrados. Los ojos que la miraban pertenecían al rostro de un muchacho. Un chico delgado y musculoso, con un adorable rostro de mandíbula todavía redondeada, con los últimos rasgos de la adolescencia.

Pero no era un chico, se dio cuenta entonces. Iba vestido con unos pantalones de chándal grises ajustados con cordones y una camiseta blanca, a pesar del frío que hacía esa noche. Tenía la cabeza afeitada y el cuerpo cubierto de dermoglifos. Un grueso y terrible collar negro le envolvía el cuello.

—Nathan —jadeó ella.

Él inclinó la cabeza hacia ella, sin la menor expresión en el rostro.

Ni un atisbo de reconocimiento.

Y la breve vacilación le costó cara, porque ahora Cazador también estaba en la habitación con ellos. Se movió con más velocidad de la que Corinne podía seguir con la vista, pareciendo desmaterializarse mientras se colocaba detrás de Nathan.

Los sentidos del chico eran tan rápidos como sus reflejos. Se encontró de cara a Cazador. Entonces, moviéndose con la misma imposible velocidad del macho mayor, Nathan extendió la mano y Corinne vio que cogía un hierro largo y delgado de las herramientas que había junto a la estufa de la chimenea.

En lugar de usar el hierro como un arma, el chico lo empleó para golpear las tuberías metálicas de cobre.

El sonido que obtuvo en respuesta reverberó a través de toda la cabaña. Luego comenzó a aumentar, a expandirse. Ella sintió el poder de Nathan —su propio poder transmitido genéticamente— mientras él retorcía las ondas de sonido con la mente y las hacía más agudas hasta convertirlas en un ruido desafiante.

Ya desde antes no tenía ninguna duda de que aquel era su hijo, pero ahora una ráfaga de alivio y regocijo la envolvió. Ese era su hijo. Ese era su Nathan.

Y ese chico, aquel poderoso joven de la estirpe, estaba ahora reuniendo todo su poder psíquico y empleando toda su fuerza contra Cazador, intentando doblegar de rodillas a su oponente. La mandíbula de Cazador estaba rígida, los tendones tensos como cables en su cuello y en sus mejillas mientras el violento ataque auditivo se intensificaba.

—¡Nathan, para! —gritó Corinne, pero su voz se perdió por debajo del penetrante chillido del talento de su hijo.

Intentó extinguirlo con su propia habilidad, pero el control que él tenía de su don era demasiado poderoso. Ella no podía silenciarlo.

En medio de la cacofonía que había creado, Nathan se lanzó contra Cazador, con un oscuro brillo asesino en sus ojos despiadados. Blandió el atizador de la chimenea contra él en una serie de golpes rápidos, ninguno de los cuales alcanzó el cráneo de Cazador porque él consiguió esquivarlo.

Y eso era lo único que estaba haciendo, se dio cuenta Corinne. Cazador no asestaba ningún golpe, a pesar de que podría haber derribado al macho más pequeño en un instante. Podría haberlo matado en cualquier momento si esa hubiera sido su intención.

Pero Cazador solo se defendía, como un experto león alfa que aguantara pacientemente a un cachorro que pusiera a prueba su coraje. Pero aquel era un juego mucho más peligroso; Corinne lo sabía muy bien. Cazador lo sabía también, y a pesar de que la agresión lo involucrara directamente, no hacía ningún movimiento que pudiera infligir algún daño.

En aquel momento, Corinne lo amó más que nunca.

Nathan siguió cargando contra él, implacable y calculador, tal como su entrenamiento lo había condicionado. Corinne intentó una vez más contener el estrépito que había conjurado. Concentró toda la fuerza de su mente y trató de apiñar el ruido en una herramienta kinética que ella pudiera controlar.

Captó de reojo cómo Nathan daba un golpe al hombro de Cazador con la larga barra de hierro. Oh, Dios. Ella moriría si uno de los dos no lograba salir de aquello.

Concentración.

Empleó toda su voluntad en concentrarse en el ruido al que trataba de dar forma, apartándolo lentamente del control de Nathan mientras los esfuerzos de él estaban concentrados en matar a Cazador.

Corinne consiguió poner el estruendo bajo su propio poder. Lo reunió y le dio forma, y luego lo arrojó contra su hijo.

Nathan volvió la cabeza rápidamente. Le lanzó una mirada de odio, pero había también confusión y sorpresa detrás del sombrío propósito de su mirada. Ella podía leer una pregunta en sus ojos de adolescente.

«¿Quién eres tú?»

Aunque a él eso no le importaba.

Le devolvió el golpe con más fuerza, arrojando sobre ella toda la fuerza de su poder. Corinne gritó y se sujetó la cabeza con ambas manos. Sentía chillidos en los tímpanos, como si estuvieran a punto de hacérsele pedazos. Cayó de rodillas, y se arrastró en el suelo por la intensidad del dolor.

En aquel mismo momento, oyó el rugido de Cazador. Vio su cara retorcida en una mueca de furia y atisbó el movimiento de su puño enviando un golpe en dirección a Nathan.

«No —gritaba su corazón—. ¡No!»

—¡No! —gritó ella, y advirtió que el agudo estrépito había cesado abruptamente.

Cazador estaba a su lado.

—¿Estás herida? Corinne, por favor, háblame.

—¿Dónde está Nathan? —murmuró ella. Parpadeó y miró a Cazador, aterrorizada ante lo que podría encontrar en su rostro.

Pero solo había calidez, su preocupación estaba totalmente concentrada en ella.

—Él estará bien. —Cazador se apartó a un lado para que ella pudiera ver a su hijo tumbado en el suelo, como si estuviera dormido—. Le he golpeado, pero solo está inconsciente; eso es todo. Ahora ven conmigo. Te sacaré de aquí.

Υ

—Mira, no te alejes demasiado con los perros. Quédate donde yo y Niko podamos verte.

—¡De acuerdo, Rennie! —gritó Mira a través de la oscuridad de los jardines del patio trasero de la mansión de la Orden.

Haciendo crujir las botas sobre la nieve al caminar, alzó la mirada hacia Kellan Archer y puso los ojos en blanco—. Piensan que todavía soy una niña.

La parka de él, color verde oliva, se agitó cuando se encogió de hombros.

—Es que eres una niña.

Ella dejó de caminar y apoyó las manos enfundadas en unos mitones en las caderas, frunciendo el ceño.

—Por si no lo sabes, Kellan, ya tengo ocho años y medio.

Él levantó las comisuras de los labios, como si ella hubiera dicho algo divertido. Era lo más cercano a una sonrisa que Mira le había visto, así que aunque no le gustara la broma se colocó a su lado mientras él seguía caminando. Siguieron el rastro que los perros habían dejado en la nieve al ir detrás del palo que Kellan les había lanzado. Mira se apresuró para seguir su ritmo, sintiéndose un poco como *Harvard*, el pequeño terrier, detrás del perro lobo más grande, la hembra llamada *Luna*. Era difícil para las piernas cortas de Mira mantener el ritmo de las largas zancadas de Kellan, pero se esforzó dando dos pasos por cada uno de los suyos, negándose a quedarse atrás.

—¿Y tú cuántos años tienes? —le preguntó, dejando salir el aire en pequeñas nubes.

Él respondió con otro de sus encogimientos de hombros.

—Catorce.

—Oh. —Mira calculó mentalmente la diferencia—. Entonces eres bastante viejo, ¿no?

—No soy bastante viejo —dijo él, y desde donde ella lo veía, caminando a su lado, su rostro parecía muy serio—. Hoy le he preguntado a Lucan si podía unirme a la Orden. Me dijo que tendría que esperar al menos hasta tener veinte años antes de volver a preguntárselo.

Mira ahogó un grito de asombro.

—¿Quieres ser un guerrero?

La boca del joven adoptó una expresión dura y sus ojos se afilaron mirando un punto lejano en la distancia.

—Quiero vengar a mi familia. Necesito recuperar mi honor después de que Dragos me lo robara. —Soltó una risa afilada que no sonó como risa en absoluto—. Lucan y mi padre dicen que esas no son buenas razones para unirse a una guerra. Si no lo son, entonces no sé cuáles son las buenas.

Mira estudió el rostro de Kellan con el corazón herido por la tristeza que veía en él. En los pocos días que habían pasado juntos desde su llegada al recinto, Kellan no había dicho mucho acerca de su familia ni su sentimiento por perderlos. Ella lo había visto llorar un par de veces solo en sus habitaciones, pero él no lo sabía.

Tampoco sabía que ella estaba dispuesta a ser su amiga le gustara o no a él. Cada noche rezaba una pequeña oración por él, un ritual que había comenzado desde el primer momento en que oyó que el chico había sido secuestrado de su Refugio Oscuro. Continuó rezando por él, incluso después de su rescate, porque le pareció que necesitaba una ayuda extra para ponerse mejor. Ahora eso se había convertido en un hábito para ella, y suponía que este se acabaría cuando pudiera mirar a Kellan sin advertir tanto dolor en sus ojos.

—Oye —le dijo, caminando fatigada junto a él, adentrándose más profundamente en los jardines mientras continuaban siguiendo a los perros—. Tal vez yo también le pregunte a Lucan si podré unirme a la Orden algún día.

Kellan se rio… de hecho volvió hacia ella una mirada sorprendida y luego se rio en voz alta. Tenía una bonita risa, se dio cuenta ella; era la primera risa que le oía. También tenía hoyuelos, uno en cada una de sus delgadas mejillas. Estos aparecieron mientras se reía y sacudía la cabeza hacia ella.

—Tú no puedes unirte a la Orden.

—¿Por qué no? —preguntó, más que un poco picada.

—Porque eres una chica, por eso.

—Renata es una chica —señaló ella.

—Renata es… diferente —respondió él—. He visto lo que es capaz de hacer con esos cuchillos suyos. Es rápida, y tiene la puntería de un asesino. Es endiabladamente dura.

—Yo también soy dura —dijo Mira, deseando que su voz no hubiera sonado tan herida—. Verás, te lo demostraré.

Ella se salió del camino en busca de algo para lanzar. Buscaba un buen palo o una buena roca... cualquier cosa que pudiera emplear para impresionar a Kellan con sus habilidades. Mira serpenteó a través de los macizos cubiertos de flores, en torno a los matorrales y en el laberinto de estatuas y siemprevivas que se extendía a través del patio trasero de la finca.

—Solo un segundo —le gritó cubierta por los jardines—. Estoy de vuelta... enseguida.

Al principio no supo muy bien lo que estaba mirando. Por delante de ella en el terreno iluminado por la luna, entre las sombras de los pinos y los arbustos, había una forma grande y oscura. *Luna* y *Harvard* rondaban cerca, a veces dando vueltas y otras veces deteniéndose a olisquear la forma sin movimiento. El pequeño terrier gimoteó mientras Mira se acercaba.

—Venid aquí, chicos —ordenó a los perros. El corazón se le había acelerado en el pecho, latiendo a toda velocidad. Algo allí estaba mal, realmente mal. Bajó la vista mientras los perros daban círculos nerviosamente a su alrededor. Las patas de los animales dejaban manchas oscuras en la nieve junto a sus botas.

Sangre.

Mira gritó.

Capítulo treinta y uno

Cazador llevó al joven asesino a la parte posterior de la camioneta y dejó su cuerpo inmóvil en el suelo. Corinne estaba a su lado, sujetando la mano de su hijo, con las mejillas llenas de lágrimas.

—Tiene las manos tan fuertes —murmuró—. Dios mío… no puedo creer que sea realmente él.

Cazador no dijo nada que pudiera arruinar aquel momento, pero sabía muy bien que el chico estaba lejos de estar a salvo todavía. Simplemente sacarlo de la casa había sido un riesgo. El collar de rayos UVA que llevaba en el cuello estaría programado para permitir solo cierta distancia de la celda del asesino sin el permiso expreso de Dragos. Con el secuaz muerto ante el porche principal, el riesgo de que se activara la detonación del collar era doble.

Como si el chico también sintiese la falta de estabilidad de la situación, comenzó a recuperar la conciencia. Empezó a esforzarse hasta que abrió del todo los párpados. Corinne contuvo la respiración, y Cazador pudo sentir, a través de su lazo de sangre, la tensión y preocupación de ella en sus propias venas.

Cazador sostuvo al chico por el collar, aferrando entre los dedos el grueso polímero negro. Sacudió la cabeza a modo de advertencia.

—Debes estarte quieto. No hay ningún lugar donde puedas ir.

—Nathan, no tengas miedo —trató de calmarlo Corinne, con voz suave y cálida—. No estamos aquí para hacerte daño.

La mirada del chico pasó del uno al otro. Cazador sospechó que era el conocimiento del propósito del collar lo que evitaba que el adolescente se arriesgara a escapar, más que la compasión que Corinne le ofrecía. Los orificios nasales de Nathan se agitaban mientras jadeaba por la presión con que lo sujetaba Cazador, y su rostro era tan desconfiado como el de un animal salvaje atrapado.

—Tenemos que quitarle este collar si queremos que el chico tenga alguna posibilidad de abandonar este lugar —le dijo a Corinne—. Dragos ya debe de estar enterado de que su cuidador ha muerto. Puede que tenga sensores y aparatos de comunicación instalados alrededor del terreno.

—¿Cómo podemos quitarle el collar? —preguntó ella, mirándolo a los ojos con expresión afligida—. Sé lo que ocurre si se trata de manipular. No podemos arriesgarnos a…

Cuando ella pareció incapaz de terminar de expresar la idea, Cazador le dijo muy suavemente:

—Tenemos que intentar algo. Si no lo hacemos, podría ser cuestión de segundos que el collar me detonara en la mano.

Ella apartó la vista de Cazador entonces, y volvió a ponerla en su hijo. Él estaba escuchando cada una de las palabras que decían, en silencio pero asimilándolo todo. Calculando sus medios y posibilidades de escapar, tal y como haría Cazador si fuera él quien hubiera sido atrapado por dos extraños.

—Estamos aquí porque queremos ayudarte —le dijo Corinne. Su sonrisa era triste y a la vez llena de esperanza—. Puede que no lo recuerdes, pero eres mi hijo. Te puse de nombre Nathan. Significa 'regalo de Dios'. Eso es lo que tú fuiste para mí, desde el primer momento en que puse los ojos en ti.

Él la miró fijamente durante un largo momento, pestañeando con frecuencia y estudiando su rostro. Luego volvió a luchar otra vez, con sacudidas y contorsiones cuidadosas, poniendo a prueba a Cazador.

—En otro tiempo yo llevaba uno de estos collares —le dijo Cazador, captando la atención de su mirada salvaje y sosteniéndola—. Soy un cazador, igual que tú. Pero encontré mi libertad. Ese puede ser también tu caso. Pero tienes que confiar en nosotros.

El chico se mostró ahora salvaje, y Cazador tuvo que preguntarse si eran sus palabras las que lo habían aterrorizado tanto, la mención de la libertad, un concepto tan extraño y peligroso para los de su clase. Tal vez temía más eso que la amenaza del collar.

En medio del forcejeo de Nathan, el grueso anillo negro de polímero de alta tecnología golpeó fuerte contra el suelo. Al hacerlo, un pequeño indicador rojo se iluminó.

—¿Qué significa esa luz? —preguntó Corinne, con una nota de pánico asomando a su voz—. Oh, Dios, Cazador... no podemos hacerle esto. Tienes que soltarlo... antes de que se haga daño a sí mismo. Por favor, te lo ruego, déjalo marchar, Cazador.

Un atisbo repentino de la visión de Mira apareció en su mente ante las palabras aterrorizadas de Corinne. La apartó a un lado y se concentró en el asunto que tenía delante.

—Si lo dejamos marchar, morirá con toda seguridad. El detonador está ahora activado. No puede correr sin que estalle.

Y ahora que el indicador luminoso se había vuelto intermitente, el tiempo que tenían era todavía más breve. Cazador miró a su alrededor, en busca de alguna herramienta que emplear para quitar el collar, a pesar de que entendía demasiado bien que manipular el aparato solo aceleraría la detonación.

Entonces recordó los contenedores criogénicos.

El nitrógeno líquido.

—Levántate —le dijo a Nathan—. Hazlo con cuidado.

Corinne ahogó un grito.

—¿Qué estás haciendo, Cazador? Dime en qué estás pensando.

No había tiempo para explicarlo. Hizo caminar al chico hasta los tanques, aferrando todavía con una mano el collar letal que envolvía su cuello.

—Cazador, por favor, no le hagas daño —le suplicó Corinne, una confirmación más de que la premonición de Mira no podía impedirse—. ¿Puedes entenderlo? ¡Lo amo! Lo significa todo para mí.

Cazador mantuvo su convicción de que estaba haciendo lo correcto, la única cosa viable para que hubiera alguna posibilidad de salvar a su hijo. Con la mano libre, alcanzó la manguera que conectaba el contenedor criogénico al tanque de nitrógeno líquido que lo alimentaba. Tiró para soltarla. Salió disparada de la manguera espuma blanca.

—Ponte de rodillas —le dijo al chico, guiándolo firmemente hacia el suelo—. Quítate la camiseta. Quiero que te la coloques por encima de la cabeza como una capucha, metida entre tu piel y el collar.

—Cazador —gritó Corinne, ahora sollozando—. Por favor, suéltalo. Hazlo por mí.

El miedo de ella le clavaba las uñas, pero no podía detenerse ahora.

—Esta es la única manera. Es su única oportunidad, Corinne.

Nathan obedeció, en silencio, inseguro. Cuando la camiseta estuvo en su sitio, Cazador le dijo:

—Échate sobre tu estómago.

Despacio, el chico adoptó esa posición en el suelo. Cazador se enrolló parte de la camiseta de algodón alrededor de la mano y luego agarró con firmeza el collar, sosteniendo la manguera con el líquido de nitrógeno en la otra mano. Soltó un taco por lo bajo, luego llevó la manguera a la nuca de Nathan y dirigió la columna de humo de sustancias químicas directamente al collar.

Nubes de vapor blanco hicieron espuma en el aire. A pesar de las capas de tela que le protegían la mano, la piel le ardía por el intenso frío que lanzaba contra la cruel invención de Dragos.

Debajo de él, el hijo de Corinne estaba totalmente inmóvil. Jadeaba rápida y calladamente. Era tan solo un chico aterrado haciendo todo lo que podía por mantenerse entero en aquellos segundos que perfectamente podían ser los últimos de su vida.

Demasiado pronto, el nitrógeno líquido comenzó a disminuir y a salir con dificultad de la manguera. Cazador hubiera preferido congelar el maldito collar durante más tiempo, pero el contenido del tanque se estaba agotando. Tendría que probar su golpe ahora y confiar en lo mejor.

—¿Qué ocurre? —preguntó Corinne—. ¿Está funcionando?

—Vamos a tener que averiguarlo.

Dejó la manguera y cogió una de las dagas que guardaba enfundadas en su muslo. Aferró el mango en la mano y se preparó para asestar un golpe contra el collar helado.

Las manos de Corinne le sujetaron el brazo.

—Espera. —Sacudió la cabeza, con el rostro contraído por el miedo—. No lo hagas. Por favor, lo matarás.

Podría matar al chico y también a sí mismo si su apuesta fallaba y el aparato explotaba en aquel momento. Con Corinne sollozando, suplicando inútilmente que se detuviera —tal y como la visión de Mira había predicho—, Cazador hizo que ella le soltara el brazo.

Luego, asestó un golpe contra el collar.

Este se hizo añicos.

Los pedazos se quebraron, cayendo sobre la camiseta que cubría la cabeza de Nathan mientras el aparato se desintegraba. Cazador se levantó y se apartó del chico. Corinne se arrojó en sus brazos.

—Oh, Dios mío —susurró, aferrándose a Cazador, sollozando y riendo al mismo tiempo—. Oh, Dios mío… no puedo creerlo. ¡Cazador, ha funcionado!

Nathan permaneció inmóvil durante un momento, todavía tendido boca abajo en el suelo. Luego se levantó y se sacó la camiseta de encima de la cabeza. Se halló de pie frente a ellos. Sus dedos temblaron un poco cuando se palpó el cuello desnudo.

No tenía nada más que una marca blanca allí donde las sustancias químicas le habían quemado un poco la piel. Se curaría en poco tiempo. El milagro se había producido, estaba libre.

—¿Qué… qué me habéis hecho? —preguntó. Y esas eran las primeras palabras que les dirigía. Su voz era profunda, pero conservaba todavía algo del tono adolescente.

—Eres libre —le dijo Cazador—. Ya nadie puede controlarte. Gracias al amor de tu madre y su determinación de encontrarte eres finalmente libre para vivir como escojas.

Corinne se apartó un paso de Cazador y extendió las manos hacia su hijo en señal de bienvenida.

—Quiero llevarte a casa conmigo, Nathan. Ahora podemos ser una familia.

Él dirigió la vista hacia ella mientras se acercaba. Receloso y desconfiado, frunció el ceño y sacudió débilmente su cabeza afeitada.

Antes de que Cazador pudiera registrar el cambio en el chico, de la cautela a la sensación de verse acorralado, Nathan se estaba moviendo. En una ráfaga de movimiento propio de la estirpe, había agarrado uno de los pedazos rotos de su collar y lo aferraba con fuerza contra la garganta de Corinne. Ella jadeaba, completamente sorprendida por el asalto.

Cazador gruñó, con los ojos fijos en el afilado cuchillo improvisado que apuntaba a la carótida de su compañera de sangre. Por más que aquel chico fuera carne de su carne y sangre de su sangre, acababa de declararse su enemigo.

Y Cazador no vacilaría en matarlo si la amenaza empeoraba una sola fracción de segundo.

Incluso mientras Nathan la arrastraba junto a él hacia las puertas abiertas de la camioneta, los ojos de Corinne imploraban a Cazador que tuviera piedad.

—Nathan —dijo, tratando una vez más de apelar a la humanidad de su hijo—. No tienes nada que temer. Déjanos ser tus amigos ahora. Déjanos ser tu familia. Tan solo dame una oportunidad para ser la madre que debería haber sido para ti.

Él se acercó más a las puertas, sin decir nada. Con ese maldito pedazo de material afilado todavía apoyado contra su vena.

—Nathan —dijo Corinne—. Por favor, solo deja que te ame...

Él la empujó hacia delante, con un rechazo violento de todo lo que había dicho y todo lo que había hecho por él.

Luego saltó de la camioneta, y escapó hacia el bosque cuando ya las primeras luces del amanecer comenzaban a brillar en el horizonte.

Capítulo treinta y dos

Chase en realidad no había esperado despertarse. El último recuerdo consciente que tenía era una carrera a ciegas a través de la ciudad, perdiendo demasiada sangre por el disparo en la arteria de la pierna derecha y la herida de bala en el hombro. Había sufrido antes peores heridas de combate, pero eso era entonces. Ahora era diferente, pues su cuerpo estaba débil y tembloroso; sus casi indestructibles genes de la estirpe estaban limitados por la enfermedad que lo hizo despertarse con un gruñido de dolor.

Trató de sentarse, pero no llegó muy lejos. Unas cadenas de metal le aferraban las muñecas y los tobillos en una cama de enfermería. Otra ancha banda de acero y cuero le sujetaba el torso. Soltó un insulto con los dientes apretados y dio a los grilletes una fuerte sacudida.

Cuando su visión lentamente logró enfocar mejor, vio una cabeza oscura que se asomaba por una pequeña ventana que había en la puerta.

Fue Dante quien se asomó, un minuto antes de entrar en la habitación. Mientras la puerta se cerraba tras él, miró fijamente a Chase desde el otro lado de la habitación y sacudió la cabeza.

—Eres un maldito idiota, ¿lo sabes, Harvard?

Chase se mofó.

—Gracias por la preocupación. Espero que no me hayas traído hasta aquí solo para decirme eso.

—No fui yo quien te trajo —respondió Dante, sin entrar en la provocación en absoluto—. Estaba en la habitación de al lado, sentado junto a Tess mientras se recupera.

—¿Tess está en la enfermería? —Al recordar que la delicada compañera de sangre estaba en sus últimas semanas de embarazo, Chase inmediatamente se sintió como un gilipollas de primera clase—. Ah, Dios, amigo. No lo sabía.

—¿Cómo ibas a saberlo? No estabas aquí.

Chase soltó un breve suspiro y asintió en señal de aceptación. No podía decir que no mereciera esa fría recepción. Después de todo, últimamente había hecho todo lo que había podido para asegurarse de que se convertía en una *persona non grata* para la Orden. Especialmente en relación con Dante.

—Entonces, ¿cómo está? ¿Todo va bien?

—Sí, Tess está bien. —Dante inclinó levemente la cabeza—. Y el niño también. Está descansando en la habitación de al lado con ella.

¿Tess ya había dado a luz? La noticia fue para Chase como un doble disparo. No pudo contener su sorpresa, ni la culpa que lo martirizaba al darse cuenta de que había estado ausente en el momento del acontecimiento que Dante y ella habían estado esperando durante tantos largos meses. Demonios, él mismo había estado enormemente ansioso por aquello también. Se había preguntado en más de una ocasión si Dante habría pensado en él como padrino de su hijo, un honor que difícilmente podría merecer, pero que habría aceptado con humilde orgullo en otra época.

Un millón de años atrás.

Y ahora eso estaba a un millón de kilómetros de su alcance.

Eso es lo que le pareció al mirar al otro guerrero, ahora tan serio, que se aproximaba con una expresión de decepción a la cama donde Chase se hallaba encadenado.

—Bueno, felicidades, Dante. A ti y a Tess, a los dos —dijo. ¿Cuándo nació el niño?

—Ayer por la mañana, pocos minutos después del mediodía.

—Entonces es del 10 de diciembre —calculó Chase.

—Del 17 —respondió Dante, con la mirada aún más seria que antes—. Mierda, Harvard. ¿Hasta qué punto estás mal? Hablo en serio. No me jodas.

—Estoy mal —admitió Chase. Tenía la garganta seca por tanta sed y su voz era poco más que un gruñido—. Pero puedo con ello. Y lo llevaría mucho mejor si no estuviera atrapado en esta maldita cama como un criminal. —Levantó los puños tanto como se lo permitieron las esposas. Que no fue mucho.

—Eso no va a pasar —dijo Dante sombrío.

—¿Órdenes del médico? —gruñó Chase.

—Órdenes de Lucan. Incluso costó convencerlo de que permitiera a Niko y a Renata que te metieran aquí dentro después de que Mira te encontrase. Tampoco ha ayudado el hecho de que tu cara haya salido en todos los periódicos identificada como la de un maldito terrorista doméstico. —Dante soltó un taco—. ¿Qué es lo que hiciste? ¿Posaste para la foto antes de perder la cabeza y empezar a disparar en la fiesta de Navidad del senador anoche?

—¿De qué estás hablando?

—Te identificaron, amigo. Había testigos visuales que proporcionaron tu descripción a las fuerzas de la policía y al maldito servicio secreto. Cualquiera que fuera quien te vio detalló tu rostro hasta el último poro y pelo de la barba. Han estado mostrando tu retrato por toda la Red y en cada canal de televisión desde entonces.

—Mierda —murmuró Chase, recordando la intensa mirada que le había dirigido la atractiva ayudante al verlo de pie en la galería—. No pude evitarlo, Dante. Tenía que hacer algo. Dragos estaba allí. Intentaba acercarse al senador y al vicepresidente. Su objetivo está puesto en ellos.

Dante guardó silencio, estudiándolo como si no supiera si podía creerle.

—¿Viste a Dragos en la fiesta del senador? ¿Estás seguro?

—Maldita sea, estoy condenadamente seguro. Vi cómo el senador se lo presentaba al vicepresidente en medio del salón de baile lleno de humanos. Cuando los vi dirigirse hacia una habitación privada, comprendí que debía actuar y lo hice.

Dante se pasó la mano por el cabello oscuro.

—¿Viste a Dragos y no nos llamaste? Debió ser la Orden quien se encargara de esa situación. ¿En qué demonios estabas pensando?

—Una de las cosas en que desde luego no pensaba era en hacer una llamada —discutió Chase—. No sabía que Dragos iba a estar allí. No sabía que iba a estar apenas a unos pocos metros de él... lo bastante cerca como para disparar una bala a ese hijo de puta y cargármelo. Lo único que tuve fue una corazonada, y la seguí.

—Dios, Harvard. Esto no son buenas noticias.

—¿Me estás escuchando? —gritó Chase, con la ira azuzándolo, añadiendo combustible a la llama de su ya ardiente hambre de sangre—. Te estoy diciendo que disparé a Dragos anoche. Vi cómo una bala lo alcanzaba y lo hacía caer al suelo. Por el amor de Dios, tal vez deberías agradecérmelo en lugar de crucificarme por no seguir el protocolo. Te estoy diciendo que hay posibilidades de que ese bastardo esté muerto.

—Dragos no está muerto —respondió Dante sombrío—. Anoche no murió nadie. Han informado de varios heridos, pero ninguno de ellos corrió peligro. Si Dragos estaba allí, si tú le disparaste tal como dices, fue capaz de levantarse y escapar.

Chase escuchaba, con las sienes golpeándole de furia creciente.

—Necesito salir de aquí. Le encontré una vez, puedo volver a encontrarle. Puedo arreglar esto...

—No, Harvard, no puedes. Y no irás a ninguna parte. Hay demasiado en juego para nosotros ahora. Lucan quiere que dejes el culo plantado aquí hasta que él ordene otra cosa.

Chase no pudo contener un rugido. Le molestaba que Dragos hubiera escapado y le fastidiaba también que Lucan, Dante o cualquier otro pudieran retenerlo allí contra su voluntad. Estaba recibiendo en voz alta y clara el mensaje de que ya no formaba parte de la Orden, y le molestaba si eso significaba que no podía ir detrás de Dragos por su cuenta. Quería ver derrotado a Dragos tanto como cualquiera de los guerreros.

Y tenía otra razón igualmente importante para querer perder su condición de prisionero en el recinto.

—Necesito alimento —murmuró por lo bajo—. La herida de bala que tengo en la pierna no curará rápido si no meto algo de glóbulos rojos frescos en mi cuerpo. Necesito estar libre para cazar, Dante.

La mirada del guerrero se clavó en la suya como un foco inquisidor, sin dejar a Chase ninguna oportunidad de esconderse.

—Tú mismo lo has dicho; tienes la pierna en baja forma. No estás en condiciones de cazar, ni siquiera si Lucan cometiera el error de dejarte suelto ahora.

La sed que lo había estado atenazando clavó ahora sus garras todavía más profundas, triturándolo desde dentro. Estaba sudando, a la vez que un escalofrío lo hizo estremecerse mientras sentía un fuerte nudo en el estómago.

—¿Vas a arriesgarte a dejarme aquí? —preguntó con la voz áspera como gravilla, casi de otro mundo—. Podría acabar cazando dentro del recinto, ya que ahora hay un ser humano vivo aquí.

El rostro de Dante palideció un poco antes de que sus ojos se encendieran con un brillo ámbar.

—Teniendo en cuenta que estás herido, voy a fingir que no has dicho eso. Y voy a hacerte un último favor no diciéndoselo a Brock, porque te prometo que ese macho te mataría con sus propias manos si te atrevieras siquiera a respirar cerca de Jenna, humana o no. Demonios, continúa pinchándome y yo mismo le ahorraré el esfuerzo.

El remolino de dolor que sentía crecer en el estómago hizo rugir a Dante en respuesta.

—Si quisiera romper estas cadenas podría. Eso lo sabes.

—Sí, lo sé. —Dante se acercó a él, moviéndose tan rápido que los sentidos ralentizados de Chase no pudieron seguirlo. Se sorprendió al sentir el beso frío de afilado metal apretado contra su garganta. Las dos dagas gemelas de Dante rozaban su carne, una a cada lado del cuello, a punto de atravesarle la piel.

—Puedes intentar romper tus cadenas, Harvard, pero ahora tienes dos buenas razones por las que no lo harás.

Chase se enfureció ante la amenaza, una amenaza que por experiencia sabía que haría mejor en respetar.

—Este es un tipo de amor muy duro, especialmente viniendo de un amigo.

—Mi amigo se ha ido. Se marchó hace ya más tiempo del que quise reconocer —dijo Dante, con voz tensa y controlada. Letal, porque carecía de la usual bravuconería de guerrero—. Ahora mismo estoy hablando con un adicto a la sangre que me mira con odio, los colmillos extendidos y los ojos inundados de ámbar. Ese es el que se comerá estas cuchillas de titanio si cree que me equivoco cuando digo que está a punto de cruzar la delgada línea de la lujuria de sangre.

No apartó los espantosos puñales curvos, ni siquiera

cuando Chase se retiró lentamente, dejando la columna total-mente apoyada sobre el colchón de la cama de la enfermería. Los bordes afilados lo siguieron hasta abajo, poniendo a prueba los nervios de Chase.

No se atrevió a empeorar la situación.

Aunque todavía no era un renegado, Dante tenía razón. Chase podía sentir la lujuria de sangre pisándole los talones. Y no podía estar seguro de que el titanio no actuaría como ve-neno en su sangre. Miró con odio a Dante, pero no hizo ningún movimiento para provocarlo.

—Esta es la primera conducta inteligente que has tenido en mucho tiempo, Harvard.

Chase no dijo nada, y no respiró hasta que el afilado me-tal se apartó de su garganta y el guerrero que hasta hacía poco había sido su más íntimo amigo lo dejó de nuevo a so-las en la habitación.

Capítulo treinta y tres

*L*as largas horas de luz pasaban con una lentitud exasperante. Corinne sentía el transcurrir de cada minuto como si se consumiera en él un pequeño pedazo de su corazón.

Nathan se había ido.

Después de años esperando la oportunidad de verlo, después de oraciones innumerables por un milagro que pudiera —de algún modo— permitirle escapar del encarcelamiento para reunirse con su hijo y formar la familia con la que siempre había soñado... él se había ido.

Se había escurrido entre los dedos de su madre, debido no a cualquier destino profetizado, sino por su propia elección.

El hecho de que Nathan estuviera vivo y en paradero desconocido dolía solo un poco menos que la idea de que ella podría haberlo perdido durante el episodio de la visión que le describió Cazador. Nathan se había ido y, debido a esa circunstancia, Corinne estaba desconsolada.

Se hallaba sentada junto a Cazador en la parte trasera de la camioneta, a la espera de la puesta del sol y otra oportunidad para que Cazador buscase a Nathan. Lo había perseguido en los minutos después de su fuga, pero Cazador había peinado la zona en vano antes de que el alba lo forzara a volver a la camioneta con las manos vacías.

Desde entonces, se habían alejado varios kilómetros de la cabaña de troncos que había servido de celda para Nathan. Cazador sentía que el riesgo de que los descubrieran los operarios de Dragos era demasiado grande para que permanecieran más tiempo en ese lugar. Corinne accedió a regañadientes.

Ahora lo único que podía hacer era preguntarse adónde habría huido su hijo y rezar para que el entrenamiento que había recibido como uno de los sumisos soldados de Dragos no lo llevase a regresar al mismo mal del que Corinne había querido librarlo.

—Si estuvieras en su lugar —dijo a Cazador—, ¿adónde irías?

Cazador se acercó a ella y le apretó suavemente la mano, recorriendo con la yema del pulgar su marca de nacimiento de compañera de sangre.

—Es un superviviente, Corinne. Es lo que le han enseñado con su entrenamiento. Es extremadamente inteligente, y estoy seguro de que conoce muy bien su entorno. Encontré varias cuevas en la zona mientras lo buscaba. A estas alturas podría estar escondido en cualquiera de ellas. —Reflexionó un momento, luego añadió—: Sin el collar para restringir sus movimientos a la zona inmediatamente cercana a la cabaña, también existe la posibilidad de que esté en cualquier sitio.

Corinne asintió con la cabeza, agradeciendo que Cazador no sintiese la necesidad de protegerla de la verdad. Ya no volvería a haber secretos, por muy pequeños que fuesen, entre los dos. Se lo habían prometido mientras se desplazaban hacia la cabaña aislada en los bosques de Georgia la noche anterior, después de que la revelación que Cazador le había hecho de la visión de Mira casi los separara.

Corinne suspiró con ansiedad.

—Por lo menos pudimos alterar el desenlace de la visión. Aunque solo sea eso, por lo menos ahora sabemos que no todo lo que Mira profetiza debe cumplirse.

Cazador movió la cabeza.

—Nada cambió de lo que vi en los ojos de Mira. La visión que me mostró transcurrió exactamente como predijo. Lo que falló fue mi interpretación.

—¿Qué quieres decir?

—Todo lo que dijiste en esos últimos momentos formaba parte de esa visión, Corinne. Pediste que lo perdonara. Me imploraste para que lo dejara libre. Todas tus palabras, tal como tú las dijiste, eran parte de la premonición de Mira. —Se llevó los dedos de Corinne hasta la boca para besarlos suavemente—. Cuando levanté la mano para golpearlo intentaste físicamente detenerme. Y de todos modos dejé caer la mano. Tenía que hacerlo... era la única opción.

—No entiendo —murmuró—. No mataste a Nathan. La visión estaba equivocada.

—No —dijo él—. El golpe que le di tendría que haberlo matado, y lo habría matado si no hubiese estado desactivado su collar. Fue eso lo que yo no sabía, eso fue lo que la visión no me había revelado. No me di cuenta hasta el momento mismo en que sucedía: el golpe que di contra tu hijo tenía la finalidad de salvar su vida, y no de quitársela.

—Gracias a Dios —susurró Corinne, acurrucándose al abrigo de su abrazo—. Pero aun así Nathan se ha ido. Lo he perdido de todos modos.

—Lo encontraremos —dijo Cazador, envolviéndola con su grave voz, tan fuerte y reconfortante como sus brazos protectores—. Te lo juro, Corinne. Cueste lo que cueste, y tarde lo que tarde. Lo haré... lo haré por ti. Todo lo que sea por ti.

Corinne volvió la cabeza para mirarlo, conmovida por su promesa.

—Te quiero —le dijo Cazador—. Mi vida hoy y para el resto de mis días estará dedicada a tu felicidad.

—Oh, Cazador —suspiró, con la emoción ronca en la garganta—. Te quiero tanto. Ya me has mostrado la felicidad que desde hacía tanto tiempo había creído imposible.

Cazador bajó la cabeza para besarla en la frente.

—Y yo nunca he conocido las cosas que me has hecho sentir en el breve tiempo que hemos pasado juntos. Me has hecho querer experimentarlo todo en esta vida. Quiero vivirlo contigo a mi lado... como mi compañera, si me consideras digno de ello.

—Yo tampoco quiero vivir ni un solo día sin ti —confesó ella—. Ahora eres parte de mí.

—Y eso es lo que quiero —dijo él, atrapando sus labios en un beso apasionado y sensual. Cuando se retiró un momento más tarde, sus ojos brillaban como brasas encendidas. Sus colmillos brillaban también, las afiladas puntas parecían extenderse aún más mientras la miraba—. No puedo hacer otra cosa más que desearte. Quiero probarte de nuevo. Lo que siento por ti es más que intenso —dijo con voz áspera—. Es un sentimiento posesivo, codicioso. Te miro, Corinne Bishop, y lo único que puedo pensar es que eres mía.

—Y es que soy tuya —confirmó ella, acariciando la orgullosa mandíbula y la mejilla musculosa del hombre que deseaba tener junto a ella eternamente—. Soy solamente tuya, Cazador. Tuya para siempre.

Con un gruñido, él la acercó para darle otro profundo beso.

—Quiero que me pertenezcas —murmuró contra su boca—. Quiero saber que mi sangre vive dentro de ti, como parte de ti.

—Sí —jadeó ella, excitada ante la idea de unirse a él ahora y para siempre.

Mientras se miraban a los ojos, él se llevó su propia muñeca a la boca y hundió sus largos colmillos en la carne. Luego se la ofreció a ella, como el regalo más precioso que podía entregarle. Corinne colocó sus labios en la vena abierta y se llevó el primer trago de él a la boca.

Su sangre en la lengua era como un fuego incontrolado.

Espesa, fuerte y rugiente de poder, era la misma esencia de Cazador. Y ahora esa vitalidad la estaba alimentando, enriqueciendo sus células, llenando sus sentidos… entretejiéndose con cada fibra de su ser. Ella sintió que el lazo se consolidaba, a través de una radiante y gloriosa conexión. Se agarró a ella y dejó que la envolviera, deleitándose en la total saturación de alegría que la engullía mientras continuaba bebiendo de Cazador.

Su sangre borraba todo el horror que ella había tenido que soportar. La tortura era barrida, la degradación se evaporaba, todo ello dispersándose como polvo bajo el poder del lazo que ahora crecía, intensificándose entre ellos.

Mientras bebía de la vena de Cazador, contempló los magníficos ojos de su compañero brillando con pasión y afán posesivo… con un amor tan intenso que le robó la respiración. Ella estaba ahora encendida por él, su propia necesidad amplificada por el embriagador poder de su sangre.

Apenas podía esperar mientras él retiraba con cuidado la muñeca y sellaba las heridas con la lengua. Temblaba mientras él la desvestía, para quitarse luego su propia ropa en el instante siguiente.

La cubrió con su cuerpo y le hizo el amor, dulcemente, concienzudamente... provocando un éxtasis que ardía tan brillante como el amor que compartían.

Y aunque aquel momento de compromiso y plenitud la llenaba por completo, había todavía un rincón de su corazón que le seguiría doliendo mientras su hijo estuviera desaparecido. Pero la promesa de Cazador de estar a su lado le permitía tener fe. Tal vez no estuviera perdido para siempre. No todavía. Con el amor de Cazador, y el lazo de sangre que fluía a través de ella, más fuerte que cualquier tormenta, cualquier cosa parecía posible.

Una lluvia pesada había caído sobre la zona cuando por fin llegó el anochecer.

Cazador se puso su trenca de cuero, preparándose para ir en busca de Nathan una última vez antes de seguir adelante hacia Nueva Inglaterra. A juzgar por la breve conversación que había tenido con la Orden un rato antes, las cosas iban de mal en peor en el recinto. Por mucho que odiara tener que marcharse sin el hijo de Corinne, Cazador no podía ignorar el compromiso y el deber con sus compañeros guerreros.

Y más que eso incluso, necesitaba asegurarse de que Corinne estuviera en algún lugar a salvo y protegida mientras él cumplía con todos sus deberes, en lugar de quedarse a esperarlo en la parte trasera de la camioneta de mercancías, tan poco segura.

—Estaré bien —le dijo ella, leyendo su preocupación con una facilidad que debería haberlo inquietado.

Sin embargo, no lo inquietó. Era reconfortante que ya hubiera llegado a conocerlo tan bien.

Era increíble lo visceral que era su vínculo ahora, consolidado por su mezcla de sangre.

Él acarició su hermoso y valiente rostro.

—Estaré fuera solo un par de horas. Puedo cubrir toda la zona cercana al río y el área de la finca más o menos en ese lapso de tiempo.

—Gracias —le dijo ella, dándole un beso en la palma de la mano—. Pase lo que pase, logres o no encontrarlo esta noche, quiero que sepas que agradezco que estés dispuesto a intentarlo.

—Nathan es tu familia. Eso significa que es mi familia también.

Asintió insegura mientras él se acercaba. Cuando Cazador miró a sus confiados ojos, sintió un profundo deseo de construir una familia más grande con ella... de darle más hijos para amar, una vez Nathan estuviera a salvo.

Juntos fueron hasta las puertas de la camioneta. Cazador las abrió y se oyó el silbido de la lluvia constante.

Nathan estaba fuera bajo aquel diluvio.

Empapado, con los pies desnudos y medio desvestido, solo con los pantalones de chándal grises que llevaba cuando lo habían visto por primera vez. El agua se escurría por su cabeza afeitada y los delgados músculos cubiertos de dermoglifos en su pecho. Sus manos colgaban a los lados, y de sus dedos se escurría también el agua hasta caer al suelo lleno de barro a sus pies.

Corinne se quedó muy quieta al lado de Cazador, como si no confiara en sus propios ojos y temiera que el chico fuera tan solo una ilusión que pudiera evaporarse solo con que ella se atreviera a respirar.

Nathan los miraba fijamente.

—No tengo adónde ir.

—Sí, tienes un sitio —respondió Cazador.

Le extendió la mano.

El chico tardó un momento en iniciar un movimiento. Luego, asintió débilmente con la cabeza y se acercó hasta coger la mano de Cazador, para subir a la camioneta.

Cazador oyó entonces a Corinne a su lado, soltando un suave y tembloroso suspiro. Su pulso estaba acelerado, latiendo tan fuerte como un tambor, y su sangre circulaba a tanta velocidad que él era capaz de sentir su agitación y su esperanza en sus propias venas. Pero ella se contuvo, se esforzó todo cuanto pudo por no estrechar a su niño en los brazos llena de alivio y de euforia. Permaneció inmóvil, a la espera, observando cómo su amado hijo se volvía lentamente hacia ella.

—¿Todo lo que has dicho es verdad? —le preguntó.

Ella asintió, con los ojos inundados de lágrimas.

—Todo.

Cazador se quitó el abrigo y lo colocó sobre los hombros

empapados del chico. Nathan alzó la vista hacia él, todavía no del todo seguro.

—Si voy con vosotros, ¿dónde me llevaréis?

—A casa —respondió Cazador.

Miró entonces a Corinne, comprendiendo en aquel mismo instante qué poderosa era realmente esa palabra.

Casa.

La imagen lo golpeó con la misma fuerza impactante que tendría un martillo o un arma de acero, irrompible como un diamante, firme como una montaña.

Casa.

Eso era algo que ni él ni aquel letal asesino adolescente habían conocido nunca. Algo que ambos habían encontrado gracias a la preciosa mujer que de alguna manera milagrosa les había abierto su dulce y leal corazón.

Cazador pasó la mano en torno a sus esbeltos hombros, contemplándola con todo el amor que rebosaba ahora de su propio corazón. Se inclinó hacia ella y le susurró al oído:

—Gracias por llevarme a casa.

Capítulo treinta y cuatro

—¿*V*as a pasar toda la mañana caminando de un lado a otro, Lucan? Te vendría bien un descanso, ¿no crees?

Gabrielle señaló el lugar vacío a su lado sobre la enorme cama en su cuarto del recinto. Era mediodía según el reloj que había sobre la mesilla de noche, pero Lucan estaba de pie, caminando de un lado a otro ininterrumpidamente, desde el día anterior.

Eran demasiados los incendios que había que extinguir. Demasiadas las vidas que dependían de sus manos... y en primer lugar la del hijo recién nacido de Dante y Tess.

Y luego estaba Sterling Chase, al que trataban de bajarle los humos en aquel momento, manteniéndolo encerrado con llave en la enfermería. Lucan y el resto de la Orden estaban en alerta máxima desde que había aparecido en los terrenos de la finca hacía más de veinticuatro horas, sangrando por varias heridas de bala y con un cartel del más buscado pegado en el culo.

Las agencias de noticias seguían haciendo su agosto con la descripción testimonial que habían conseguido de él. Lo estaban repitiendo en cada emisión —local, nacional y por cable— y se había convertido en un tema permanente en varias páginas de noticias de Internet desde el incidente en la fiesta del senador. Lucan se preguntaba hasta cuándo seguirían tras Chase los agentes de la ley.

No era bueno que la Orden albergara a un individuo buscado por diversas fuerzas policiales de la zona y además por el maldito FBI.

Por muy enfadado que estuviese con Chase por haber dejado escapar a Dragos, pero también por dejar que le disparasen y lo identificasen en el proceso, tenía que reconocer que había sido un acierto —una corazonada impresionante— la presencia de Chase en la fiesta del senador. A pesar de sus problemas personales de los últimos tiempos, los instintos de Chase habían sido sólidos y, dejando de lado el desastre monumental en la ejecución, su interrupción pública había conseguido estropear lo que fuese que Dragos llevara bajo la manga.

Porque algo tenía planeado, a Lucan no le cabía ninguna duda al respecto. Era evidente que ese retorcido hijo de puta no estaba allí por los canapés y la conversación.

Odiaba ponderar lo que Dragos podría haber tenido en mente, en vista del hecho de que las figuras principales del gobierno estaban allí.

Lucan retomó sus vaivenes sobre la alfombra.

—Hay algo grande a punto de estallar. Lo siento en los huesos, Gabrielle. Algo gordísimo está a punto de suceder, y si no consigo atraparlo pronto va a explotar no solo en mi propia cara, sino en la de todos.

—Ven aquí —le dijo ella, frunciendo el ceño mientras levantaba la sábana y la colcha para abrir un hueco al lado de su cuerpo desnudo sobre la cama. Estaba bellísima y demasiado tentadora para que Lucan se resistiera, a pesar de la gravedad de sus reflexiones—. Estás haciendo todo lo que puedes —le dijo mientras se acomodaba junto a ella—. Lo vamos a resolver. Todos nosotros, juntos. No estás solo en este asunto, Lucan.

Su cuerpo se relajó al escucharla. Era como si sus tribulaciones se aliviaran por el simple hecho de su cercanía. Nunca dejó de asombrarlo el poder que ejercía sobre su persona.

—¿Qué tuve que hacer para convencerte de que fueses mi compañera?

La dulce risa de Gabrielle vibró contra su oreja, que estaba apoyada sobre su pecho.

—Hubo algún asunto de besos, si no recuerdo mal. Quizá algún pataleo y unos chillidos, también. Por tu parte, sobre todo.

Lucan se apartó para dirigir una mirada sombría a sus ojos.

—Yo no pataleo, y decididamente jamás he chillado.

—Tal vez no —concedió Gabrielle, mientras una sonrisa irónica curvaba sus labios—. Pero no caíste a la primera, por lo menos tienes que reconocer eso.

—Soy duro de pelar, según los rumores —dijo—. La mitad de las veces, no sé lo que me conviene.

Las cejas caoba de Gabrielle se inclinaron.

—Afortunadamente para ti, yo sí sé lo que te conviene.

Levantó la cabeza para besarlo, sellando su boca sobre la de ella con un reclamo lento y penetrante que lo hizo endurecerse como granito bajo su traje de combate. Con un gruñido de pura aprobación masculina, la atrapó por la delicada nuca y hundió la lengua entre sus dientes.

Ya la tenía bajo su cuerpo cuando la línea de teléfono desde el laboratorio de tecnología empezó a sonar.

Las señales de alarma de Lucan aullaban como sirenas mientras se separaba del cálido cuerpo de Gabrielle y levantaba el auricular.

—¿Qué pasa, Gideon?

—¿Es que no tienes la televisión encendida?

—No.

A la voz de Gideon le faltaba su levedad habitual. Por completo.

—Está ardiendo Troya en el centro de la ciudad, Lucan. Te conviene bajar aquí enseguida. Tienes que ver esto.

Chase levantó la cabeza de la almohada, esforzándose para ver mejor la pantalla de televisión que estaba colgada en el rincón de la habitación. Habían estado dando uno de esos triviales programas de tertulias matinales, en los que un par de presentadores chismorreaban entre risotadas sobre noticias intrascendentes mientras daban sorbos a altas tazas de café y mostraban ante la cámara sus abultadas y barnizadas dentaduras blancas. Aun sin sonido le molestaba, pero la habían dejado encendida simplemente para que sus ojos pudieran centrarse en algo que no fuesen las cuatro paredes de la enfermería del recinto, donde lo tenían enjaulado.

Había sido eso o permitirse enloquecer y rendirse al hambre que le estaba desgarrando las entrañas. El adicto que vivía en él deseaba desesperadamente salir de allí —lo necesitaba más que nada en el mundo— pero sabía que, para tener una mínima posibilidad de detener su peligroso derrumbe, iba a tener que vencer por inanición la sed de sangre que lo estaba atormentando. No podía concebir un lugar mejor al que intentar volver que allí, en el recinto, rodeado por los únicos amigos que tenía en el mundo.

Amigos a los que había dado todo el derecho del mundo para abandonarlo.

Y, sin embargo, lo habían acogido.

Lo habían atado y encerrado en la enfermería, pero, qué diablos, a caballo regalado no se le miraban los dientes.

Pero ahora, mientras contemplaba el monitor, se le cayó el alma a los pies cuando vio que interrumpían el programa para dar una noticia en directo. Intentó agarrar el mando a distancia en el carrito de ruedas al lado de la cama, solo para recordar la restricción impuesta por las ataduras que se negaban a ceder. Podría haberlas soltado de un tirón, pero qué más daba. Podía manipular el sonido sin el mando.

Aumentando el volumen a fuerza de voluntad, escuchó con horror sin paliativos el reportaje en tiempo real que mostraba en la pantalla una explosión masiva sucedida en algún lugar de Boston. La voz de una locutora describía las imágenes que estaban emitiendo.

[...] en el edificio de la ONU en el centro de la ciudad. La policía está llegando ahora mismo al lugar del atentado, y los equipos de reporteros de Canal 5 están en camino. Las primeras noticias parecen indicar que se trata de algún tipo de bomba. Estamos recibiendo informes sobre el daño importante que habría sufrido el edificio, y todas las calles en un radio de diez manzanas han sido acordonadas por la policía.

Dios santo. Chase miraba la nube de humo, polvo y llamas que subía en espirales hacia la cámara del helicóptero del canal que daba vueltas sobre la escena del atentado. Aunque parecía imposible —totalmente sin sentido, a no ser que el propósito fuese el de sembrar terror—, sabía en sus entrañas que esto también era cosa de Dragos.

Nuevos informes de testigos nos cuentan que en estos mismos instantes la policía está persiguiendo un vehículo. Según se cree, el sospechoso o los sospechosos de este posible atentado terrorista se encuentran en ese vehículo y testigos presenciales, que abandonaban el lugar en los momentos anteriores al estallido, afirman haberlos visto. El helicóptero de noticias de Canal 5 se está desplazando a la escena de esta persecución, y volveremos con los últimos acontecimientos en cuanto tengamos nueva información.

Chase recostó la cabeza y dirigió una maldición entre dientes hacia el techo. Si Dragos estaba involucrado en ese asunto, ¿qué diablos era lo que pretendía?

Chase quiso deshacerse de las ataduras de su rehabilitación y dirigirse al laboratorio de tecnología, donde sin duda estarían los miembros de la Orden observando esa misma inquietante noticia. Gideon estaba constantemente al acecho de las cadenas de noticias de los humanos, y carnicerías de este tipo —atentados terroristas en medio de la semana, cerca de las vacaciones— tenían siempre un gran impacto.

Pero él ya no pertenecía al grupo que estaba unido en torno a la larga mesa del laboratorio. Había abandonado la Orden, y sería indigno pedirles que lo volvieran a aceptar antes de que estuviera seguro de haberse recuperado.

Mientras volvía a recriminarse por la serie de fracasos y calamidades en la que habían terminado casi todas sus últimas misiones para la Orden, el reportero volvió a la pantalla.

Nos desplazamos ahora al ojo-en-el-cielo de Canal 5, que está trayéndonos las últimas noticias desde el perímetro de la ciudad, donde la policía está en estos momentos persiguiendo el vehículo que, según ellos creen, está vinculado a este terrible suceso en el edificio de la ONU esta mañana. De nuevo, si acabas de encender la televisión, Canal 5 ha sido el primero en llegar a la escena, trayéndoos noticias de una imponente explosión, provocada por algún tipo de bomba, que ha estallado en el centro de la ciudad hace apenas unos pocos minutos…

Mientras hablaba la locutora, Chase observó con asombro —con una sospecha creciente y luego un terror sin límites— cómo la flota de motocicletas policiales y furgonetas SWAT perseguían una camioneta roja de último modelo fuera de la ciudad, en dirección a una zona de grandes urbanizaciones con arbolados y extensas fincas privadas.

Es decir, justo en dirección a los dominios de la Orden.

Chase intentó sentarse en la cama y sintió cómo las ataduras le cortaban las muñecas y los tobillos. El cinto de cuero reforzado con acero que le rodeaba el torso gemía mientras se esforzaba para ver mejor lo que sucedía en el monitor.

No era bueno.

La persecución llegó a la última curva y se adentraba en la avenida soleada que conducía al perímetro exterior de la hacienda de la Orden. Observó con horror, un instante más tarde, cómo la camioneta roja aceleraba hacia los portones de la mansión.

Ay, Dios.

Madre de Dios...

Hubo un estallido de chispas cuando el vehículo embistió el cerco electrificado y siguió avanzando. Varios hombres se lanzaron fuera de la camioneta y comenzaron a cruzar el césped cubierto de nieve. Corrían en dirección a la mansión con más de una docena de agentes pisándoles los talones.

Dragos los había enviado.

Chase lo sabía.

Lo sabía de la misma manera en que sabía ahora que era un acto de represalia, no simplemente alguna extraña coincidencia. Dragos se estaba vengando por lo que Chase había hecho hacía unos días.

Por culpa suya esto estaba sucediendo a la Orden... a sus amigos.

Con un rugido de angustia, Chase se libró de un tirón de sus ataduras y salió corriendo de la enfermería empleando cada gramo de la velocidad sobrenatural que dominaba.

Lucan estaba de pie junto a los demás miembros de la Orden, todos congregados en el laboratorio de tecnología para ver con incredulidad el reportaje.

Su asombro no era nada en comparación con el atroz sentimiento de terror —el primer sentimiento de terror verdadero que Lucan padecía en mucho tiempo— que los poseyó cuando la camioneta roja con los sospechosos del bombardeo embistió los portones de la mansión.

Se hizo un silencio sepulcral en el laboratorio durante aquel terrible instante.

Allí fuera era de día. No había ninguna posibilidad de escapar. Estaban atrapados, sin poder hacer nada más que observar la refriega que estaba teniendo lugar por encima del recinto y esperar que los agentes abandonasen el lugar sin preocuparse por registrar la propiedad o interrogar a los dueños.

En el fondo de su sombrío corazón, Lucan comprendió que esta había sido la intención de Dragos desde el inicio. Por eso había plantado el dispositivo de seguimiento en Kellan Archer. De esta manera pretendía acabar con la Orden.

No de su propia mano, sino a través de los humanos.

—Cerrad con llave todos los portales del recinto —dijo a Gideon—. Si alguno de esos cabrones criminales o algún policía comete la estupidez de traer este asunto dentro de la mansión, no queremos que se pongan a curiosear sobre qué podría haber por debajo de la casa.

Si lo hiciesen, la Orden no tendría más remedio que matarlos a todos en el acto.

Y sería extremadamente difícil encubrirlo, sobre todo porque toda esa maldita persecución estaba siendo registrada en vivo por las cámaras.

—Cerradlo todo, ahora —dijo, golpeando la mesa con el puño y abriendo una imponente grieta en el centro—. Dragos está detrás de esto. Los envió aquí. A la puerta de nuestra casa.

—Se han cerrado los portales del recinto —informó Gideon. Luego soltó una maldición, algo que Lucan habría preferido no oír en ese momento—. Ay, Dios. No me lo puedo creer.

Giró la cabeza hacia Lucan y señaló uno de los monitores de rastreo dentro de la mansión.

—Mierda —suspiró Nicolai, que estaba reunido con los demás—. Es Harvard. ¿Qué diablos está haciendo allí?

—Nos está salvando —contestó Dante, sin delatar ninguna inflexión en su voz de guerrero.

Observaron en silencioso asombro mientras Chase avanzaba lentamente hacia la puerta principal de la mansión. La abrió y salió hacia el patio que estaba lleno de policías uniformados, miembros de SWAT y agentes del Servicio Secreto. Mientras levantaba las manos por encima de la cabeza en muestra de rendición, la luz del sol lo rodeó en un nimbo que lo iluminaba en todo su perfil como un ángel vengador.

Los humanos corrieron para interceptarlo, más de uno de ellos hablando rápidamente por radio mientras contemplaban a Chase, indudablemente reconociéndolo por el dibujo que circulaba en cada comisaría y delegación de policía entre Boston y Washington D. C.

Lucan miraba, sintiéndose tan humillado como agradecido. De no haber sido por el sacrificio de Chase, lo más probable era que esos hombres hubieran destrozado la hacienda. Podrían hacerlo todavía, pero la Orden contaba ahora con el respiro de esa ejecución particular. En vez del riesgo de un asalto a la luz del día, la Orden tendría quizá la oportunidad de recogerse y abandonar el lugar al anochecer.

Gracias a Sterling Chase.

—Vaya mierda —murmuró Brock a Lucan—. No podemos permitir simplemente que se lo lleven así. Tenemos que hacer algo.

Lucan negó tristemente con la cabeza, deseando de todo corazón que hubiese alguna forma de ayudarlo.

—Harvard acaba de arrebatarnos esa opción de las manos. Se encuentra ahora verdaderamente solo.

Agradecimientos

Gracias, en primer lugar y sobre todo, a mi maravillosa editora Shauna Summers, por su paciencia y su guía, por defender mis libros desde el principio (¡y me refiero a aquel día, trece años atrás, en que los rescató de una pila de manuscritos desconocidos!), y por seguir convirtiéndome en una escritora mejor cada vez que hablamos de mi trabajo.

Gracias también a mi fantástica agente literaria Karen Solem, por su consejo y aliento, por el hábil manejo de todos los detalles que de otra forma me volverían loca, y por creer en mí y en mi carrera en el momento en que más lo necesitaba.

Al resto de mis colegas del mundo editorial, tanto en Estados Unidos como en el extranjero, gracias por el cuidado, la atención y el apoyo que dais a mis libros. Es un privilegio teneros a todos de mi lado.

A mi ayudante y amiga, Heather Rogers. Le debo miles de gracias por el desafiante proyecto de conseguir que me mantenga organizada mientras además se asegura de que siempre haya algo divertido y creativo en mi página web o en mi comunidad de Facebook.

Y a mi marido, John, por más de lo que puedo expresar adecuadamente en palabras o en una página. Todo, siempre, es gracias a ti.

Profundidad de la medianoche

SE ACABÓ DE IMPRIMIR

EN VERANO DEL 2013

EN LOS TALLERES GRÁFICOS DE LIBERDÚPLEX, S.L.U.

CRTA. BV-2249, KM 7,4, POL. IND. TORRENTFONDO

SANT LLORENÇ D'HORTONS (BARCELONA)